Rotter, Curt Otto

Der Schnaderhüpfl-Rhythmus

Rotter, Curt Otto

Der Schnaderhüpfl-Rhythmus

Inktank publishing, 2018

www.inktank-publishing.com

ISBN/EAN: 9783747760222

PALAESTRA XC

UNTERSUCHUNGEN UND TEXTE
AUS DER DEUTSCHEN UND ENGLISCHEN PHILOLOGIE

herausgegeben von **Alois Brandl, Gustav Roethe** und **Erich Schmidt**

DER

SCHNADERHÜPFL-RHYTHMUS

VERS- UND PERIODENBAU DES OSTÄLPISCHEN TANZLIEDS

NEBST EINEM ANHANG SELBSTGESAMMELTER LIEDER

EINE FORMUNTERSUCHUNG

VON

Dr CURT ROTTER

BERLIN

MAYER & MÜLLER

1912

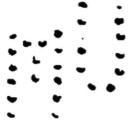

Meiner Mutter

in stätiger Liebe und Verehrung

gewidmet

Vorwort.

Eine Abhandlung über den Schnaderhüpfl-Rhythmus hab ich als germanistische Doctor-Dissertation im Jahr 1909 der Berliner philosophischen Facultät vorgelegt. Einleitung und Capitel 1 und 2 dieser Arbeit liegen seitdem im Druck fertig und mussten unverändert in das Buch übernommen werden. Dies konnte ohne Schaden für die Arbeit geschehn: zu den Gedanken der Einleitung kann ich mich auch jetzt noch bekennen, und die sprachlichen Untersuchungen der zwei Anfangscapitel würden mir heut keine andern Ergebnisse liefern als damals. Der größere Theil der Abhandlung aber: die Untersuchungen über die Spaltverse, über die Singweisen und zur Textkritik der Lieder, haben erst in den letzten Jahren die Gestalt gewonnen, in der ich sie nun vorlege; der zweite Haupttheil (Das gesungene Lied) ist von Grund auf neu gearbeitet. — Ich hoffe, dass dadurch das Ganze ernstlich gewonnen hat.

Der Umstand, dass die mit auf den ersten Bogen gedruckten Vorbemerkungen vom Theildruck her unveränderlich feststanden, machte einige Ergänzungen nöthig, die ich zugleich mit den Berichtigungen an ihren Ort zu übertragen bitte.

Das etwas umfangreiche Verzeichnis der Berichtigungen wird der Leser bei einem so heiklichen Satz freundlich entschuldigen.

Noch weis ich auf die Nachschlagtafel am Schluss des Buches hin; sie möge als ein praktischer Versuch genommen werden, wie ein Register mundartlicher Volksdichtung am brauchbarsten einzurichten sei.

Charlottenburg, im Juli 1912   Curt Rotter

Inhaltsübersicht.

Go gle

II. Theil. Das gesungene Lied.

Inhaltsübersicht.

Anhang.

34 Liedsätze aus dem Pinzgau und 10 Ländlerweisen.

(Der Anhang ist dem Buch lose beigelegt.)

Verzeichnis der benutzten Sammlungen

und Angabe der verwendeten Siegel.

Die an die Spitze meiner Untersuchung gestellten Ausführungen über
Auftakt-, Innentakt- und Cadenzform des Einzelverses, also die Unter
suchung über den Schnaderhüpflrhythmus im engern Sinn fußen außei
auf dem von mir selbst gesammelten Material in der Hauptsache auf dei
ausgezeichneten Salzburger Sammlung von Süß. Für diese und die spätei
reichlich benutzten andern Sammlungen sind folgende Siegel verwendet [1]

Süß	Salzburgische Volkslieder mit ihren Singweisen ♪ hrsg. M. V. Süß, Slzbg. 1865.
SS	die in der Sammlung von Süß enthaltenen 1000 Schnader hüpfln (S. 177 ff.).
Kob	Oberbayerische Lieder mit ihren Singweisen ♪, hrsg Fr. v. Kobell; 5. Aufl., München s. a.
GKS I und II	Tiroler Schnadahüpfeln, hrsg. Greinz und Kapferer; 1 u. 2. Folge, Lpzg. 1889 und 1890.
GKVl I und II	Tiroler Volkslieder, hrsg. Greinz und Kapferer; 2 Folgen Lpzg. 1893 [2]).
G	Schnadahüpfeln aus Tirol, hrsg. Greinz; Lpzg. 1894.
K	Echte Tiroler Lieder ♪, hrsg. Fr. Fr. Kohl; Wien 1899 (Selbstverlag).
K I, II, III	3 Nachlesen dazu: Wien 1900, 1903, 1907.
Strolz	Schnodahaggen, unterinnthalische Volksliedchen (in Der Sammler für Geschichte und Statistik von Tirol II 1807 S. 69 ff. Die Lieder sind alle von Kohl auf genommen).

---

[1]) Die Sammlungen, in denen die Lieder mit Singweisen stehn, sind mit einem
♪ bezeichnet.

[2]) 'GKVl I 82, 5' bedeutet 'GKVl I, Lied auf S. 82 ff., Str. 5'.

Rotter, Schnaderhüpflrhythmus. 1

PH	Deutsche Volkslieder aus Kärnten, hrsg. Pogatschnigg und Herrmann; Bd. 1: Liebeslieder, 2. Aufl., Graz 1879[1]).
Nh	222 echte Kärtnerlieder ♪, hrsg. Neckheim; 2 Abtheilungen, Wien s. a. [1891][2])[3]).
Ll	30 echte Kärntnerlieder ♪, hrsg. Liebleitner; Wien 1903[3]).
ŽS[2]	Österreichische Volkslieder ♪, hrsg. Tschischka und Schottky; 2. Aufl., Pesth 1844 [1. Aufl. 1819].
W	Almrausch, Almliada aus Steiermark ♪, hrsg. Werle; 2. Aufl., Graz 1902 (Titelabdruck der ersten Aufl. von 1884).
PstL	Steirer Lieder ♪, hrsg. Pommer; Lpzg. (Leuckart) s. a.
Spaun	Die österreichischen Volksweisen ♪, hrsg. Spaun; Wien 1845 [Ober-Österr.].
H	Schnaderhüpfeln aus den Alpen, hrsg. Hörmann; 3. Aufl., Innsbruck 1894 (1. Aufl. 1881).
Huschak	Almbleameln, hrsg. Huschak; 2. Ausgabe, Wien 1870.
PJJ	Jodler und Juchezer, hrsg. Pommer; Wien [1890].
PJJII	252 Jodler und Juchezer, hrsg. Pommer; Wien 1893.
A	Die im Anhang dieser Abhandlung mitgetheilten Lieder und Tänze.

Die in den Veröffentlichungen von Gräter (1794), Hazzi (1801), Fischer u. s. w. (1829), Weber (1852), Pangkofer (1854), Lutterotti (1854), Schöpf (1856), Hofmann (1857), Castelli (1856), Wurth (1856, 1857), Weinhold (1859) mitgetheilten Lieder anzuführen, hatt ich keinen Anlass.

---

[1]) Der 2. Bd. stand mir nicht zur Verfügung; er enthält in der Hauptsache erzählende Lieder.

[2]) Citiert wird bei der ersten Abth. nach der 3., bei der zweiten Abth. nach der 2. Auflage.

[3]) Die in den späteren Auflagen dieser Sammlung neu aufgenommenen Texte haben die Herausgeber unter das Basssystem gestellt; zur Unterscheidung von den Gesätzen zwischen den Notensystemen ist für sie dem Siegel ein *u* (unten) beigefügt worden. 'Nh 68, 1 u' bedeutet also 'Nh Nr. 68, Gesätz 1 unter dem Basssystem. Dieselbe Unterscheidung musste bei den Siegeln für Texte aus der Sammlung von Liebleitner gemacht werden.

Abkürzungen.

Sh = Schnaderhüpfl.
Ws = Weise.
Str = Strophe.
Lz = Langzeile.
Kv = Kurzvers.
T = Takt.
A = Auftakt.
Z = Zeile.

$^1/_2$Ws = Halbweise.
$^1/_2$Str = Halbstrofe.

8T = Achttakter.
1a = einsilbiger Auftakt.
4Z = Vierzeiler.
8T mit $^1/_2$StrWhlg = Achttakter mit Halbstrophen-Wiederholung.

d.c = da capo.
v, var = Variante.
~ = ähnlich.
* = construiert.
|: :| = Wiederholungszeichen.

dcWs = da capo-Weise.

♪ hinter einem Quellensiegel bedeutet, dass an der angegebenen Stelle Text und Weise abgedruckt sind.

Zur schematischen Wiedergabe von Textsilben werden metrische Zeichen verwendet: ⌣, ⌣́, ⌣ u. s. w.

Zur schematischen Wiedergabe von Jodelsilben werden Noten verwendet: ′♩, ′♩, ′♪ u. s. w.

S = Salzburg.		NÖ = Nieder-Österreich.
T = Tirol.		OÖ = Ober-Österreich.
K = Kärnten.		B = Bayern.
St = Steiermark.		

1*

Phonetische Zeichen.

Die Lieder, mit denen sich die vorliegende Abhandlung beschäftigt, gehören ausnahmslos der bayrisch-österreichischen Mundart an. Eine völlig exacte phonetische Wiedergabe der Mundart konnte und brauchte nicht angestrebt zu werden. Der Verfasser konnte sich darauf beschränken, die mundartlichen Eigenthümlichkeiten der Sprache mit den allgemein üblichen und ohne weiters verständlichen Mitteln anzudeuten. Das Schriftbild der gemeinen Sprache wurde nach Möglichkeit beibehalten. In einem principiellen Punkt jedoch musste von ihm abgewichen werden: alle Buchstaben, die nicht articulierte Laute bezeichnen, sind weggelassen worden. Das war nothwendig, um Misverständnisse unmöglich zu machen. *ie* bezeichnet also stets einen Diphthong, niemals $î$; *h* ist nie Dehnungszeichen, sondern stets Lautzeichen (im Inlaut gutturaler Reibelaut, also = *ch* der gemeinen Schreibung, im Anlaut wie in der gemeinen Schreibung Hauchlaut). Als Längebezeichnung bei Vocalen wird nur das Dächlein über dem Buchstaben verwendet (z. B. *â*, *å*); indifferente und kurze Vocale bleiben unbezeichnet. Das übliche Kürzezeichen: ˘ ist nur bei solchen Vocalen gebraucht, deren Lautqualität durch die geringe Intensität der Articulation gelitten hat und unsicher geworden ist, wird also meist über *a* (*ă*) anzutreffen sein, jenem, tonlosem *ə* sich nähernden Laut, der sich oft bei der mundartlich nachlässigen Articulation von Endsilben einstellt (z. B.: *våttă* < *Vater*; *nemmă˘* < *nehmen*).

Im Einzelnen braucht nur folgendes bemerkt zu werden:

å steht für den dumpfen *a*-Laut der bayrischen Mundart.

š steht für den palatalen Zischlaut; z. B. pinzgauisch *hår͝št* (sprich: *hāscht*) < *hart*, tirolisch *hăšt* < *hast*.

ŋ steht für die gutturale Nasalis.

˜ neben Vocal oder über *n* zeigt an, dass der vorausgehende Vocal oder Diphthong nasaliert ist.

ᵇ, *ᵈ*, *ʳ* sind graphische Hilfen für den Leser und haben keinen Lautwerth; z. B. *geᵇm* (sprich: *gem*) < *geben*, *leiᵈn* (sprich: *lein*) < *leiden*, *rüaʳn* < *rühren*.

Metrische Zeichen.

× = ♩ Mora (rhythmische Einheit)

⌣ = ♪ ⌣⌣ = × ⌣͜⌣͜⌣ = ♪♪♪ (Triole) = ♩ 3theilig

⌢ = ♪ ⌢⌢⌢⌢ = ×

— = ♩ — = ×× auch dreitheilig (im dipodischen ⁶/₄-Takt) = ×××

‿ = ♩. ‿ = ×××

×́ = ♩. ×́ = ×⌣ oder ⌣×

𝄽 1 Einheit Pause

𝄾 ¹/₂ „ „

Benennung der Cadenzformen wie folgt:

stumpf (st) z. B.: × | ×́× | ×́× | ×́ 𝄽 / ×× | 𝄽 (wenn die letzte Hebung des Taktes pausiert ist.)

klingend (kl) × | ×́× | ×́× | —́ | ×

voll (v) × | ×́× | ×́× | ×́× | ×́ 𝄽 / ××

Die verschiedenen Formen der **vollen** Cadenz beim Schnaderhüpfl
sind so benannt:

1 silbig voll	… | ×́ 𝄽 𝄽	1v
2 silbig 2 werthig voll	… | ×́ ×́ 𝄽	2(2)v
2 „ 1 „ „	… | ‿́ 𝄽 𝄽	2(1)v
3 „ 3 „ „	… | ×́ ×́ ×́	3(3)v
3 „ 2 „ „	… | ×́ ‿́ 𝄽 / ‿́ ×́ 𝄽	3(2)v
4 „ 3 „ „	… | ×́ ×́ ‿́ ¹)	4(3)v
4 „ 2 „ „	… | ‿́ ‿́ 𝄽	4(2)v

¹) Oder | ×́ ‿́ ×́ und | ‿́ ×́ ×́.

Notierung der Singweisen.

Bei der Notierung der Singweisen kam es in erster Linie darauf an, die metrische Gliederung augenfällig zu machen. Daher ist alles weggelassen, was das Bild undeutlich machen könnte. Wenn nicht anderes ausdrücklich gefordert wird, sind die Weisen im Violinschlüssel zu lesen. Die Taktvorzeichnung ($^3/_4$) wird der Leser nicht vermissen, sie ist ohne Schwierigkeit aus der Notierung herauszulesen. Um das Vergleichen der Weisen zu erleichtern, sind fast alle aus C-dur notiert. Wo das Transponieren nicht thunlich erschien, ist die Vorzeichnung deutlich aus dem Periodensystem herausgehoben.

'T' ist Siegel für 'Tonika-Harmonie', 'D' für 'Dominant-Harmonie', 'S' für 'Subdominant-Harmonie'.

Zur Trennung der Phrasen und Phrasentheile im musikalischen Satz werden diese Zeichen verwendet:

Litteratur.

An gelegentlichen Bemerkungen über das Schnaderhüpfl fehlt es nicht. Ich nenne: G r a e t e r (Bragur III [1794] 225 ff.); S t r o l z (Der Sammler für Geschichte und Statistik von Tirol [1807] 69 ff.); Schröckinger-Neudenberg (Album aus Österr. ob der Enns [1843] 444 ff.); Spaun (Album aus Österr. ob der Enns [1843] 349 ff.); Hofmann (in Frommanns deutschen Mundarten III [1856] 149 ff.; IV [1857] 73 ff., 369 ff., 513 ff.); Castelli (ebda III 177 ff.); natürlich machen die Herausgeber der gedruckten Sammlungen verschiedentlich einen Versuch der Formbestimmung. Außer den oben verzeichneten Sammlungen sind hier zu erwähnen: Hofmann, Quackbrünnlá (1857) und Dunger, Rundâs und Reimsprüche aus dem Vogtlande (1876).

Für die Formuntersuchung ist Alles das gänzlich belanglos.

Wissenschaftliche Arbeiten über das Schnaderhüpfl gibt es wenige.

Stolte, Metrische Studien über das deutsche Volkslied: Programm, Crefeld 1883 (S. 27 ff.).

Gustav Meyer, Essays und Studien zur Sprachgeschichte und Volkskunde, Berlin 1885 (S. 332 ff.).

Brenner, Festschrift für Weinhold, Straßburg 1896 (S. 1 ff.).

Steffen, Enstrofig nordisk Folklyrik, Stockh. 1898: Svenska landsmål XVI 1 (hauptsächlich S. 13 ff. und 208 ff.).

Reuschel, Volkskundliche Streifzüge, Dresden und Leipzig 1903 (S. 103 ff.).

Blümml, Zur Metrik des Schnaderhüpfels: PBB XXXI 1 ff.

Stolte erkennt den Grundrhythmus des Sh richtig, hat aber im Rahmen seiner Untersuchung nicht Raum, näher darauf einzugehn.

Die Arbeiten von Meyer und Reuschel behandeln die Poetik, die dichterische Form der Gattung; soweit sich Reuschel mit ihrer metrischen Form beschäftigt, ist er von Brenner abhängig.

Wichtiger ist die Arbeit von Brenner, denn sie befasst sich ausschließlich mit dem Versbau des Sh. Ihr Grundfehler liegt darin, dass sie
vom gesprochenen, nicht vom gesungenen Vers ausgeht: Brenner gibt
grammatische, nicht rhythmische Schemata. Auch scheint es mir verfehlt,
für Langzeile und Strophe des Sh-Vierzeilers 'Typen' aufzustellen; das
lebendige Lied macht die Typen zu Schanden.

Die Arbeit von Blümml ist werthlos, weil sie — zwar mit richtiger
Grundidee vom gesungenen Lied ausgehend — jeder Kritik der musikalischen
Überlieferung ermangelt. Nur ein Beispiel. Blümml statuiert drei ver-
schiedene Formen des einsilbigen (stumpfen) Versschlusses (S. 32):

a) ♩ ♪♪   ...| káns;   ...men|tschár
b) ♩.♪♪   ..ge|dúlt;   .....a|mál
c) ♩ ♪   ..an|dŕn;   ...| náss.

Die drei Formen sind absolut gleichartig, durch nichts unterschieden, als
durch die — Orthographie der Notenschrift! Die Folge dieses Mangels an
Kritik ist, dass, statt die Vielfältigkeit der Einzelerscheinungen auf die zu
Grund liegenden einfachen Formeln zurückzuführen und damit ein klares
Bild der metrischen Form des Sh zu geben, der Verfasser durch Aufzeigung
einer Menge gar nicht vorhandener oder unwesentlicher Verschiedenheiten
dem Leser den Blick für das Wesentliche trübt. Dazu kommt, dass das
bearbeitete Material — die locale Beschränkung (auf Kärnten) zugegeben
— zu klein ist: aus 30 Weisen und 125 Vierzeilern kann man keine
sichern Schlüsse ziehn. Blümmls Kenntnis „anderweitigen" Materials, die,
wie aus andern Publicationen hervorgeht, allerdings sehr groß ist, muss
aber in Bezug auf formale Dinge ebenso oberflächlich sein, sonst hätte
er die Dreiheberstrophe nicht so völlig misverstehn können.

Über den Periodenbau des gesúngenen Sh ist meines Wissens noch
nicht gehandelt worden.

Einleitung.

Tanz, Gesang und gebundene Rede sind aus éiner Wurzel entsprossen: aus dem schon dem primitiven Menschen eignenden Wohlgefallen am geordneten Rhythmus. Das Erste ist die Einheit der zeitlich fortschreitenden Künste. Alle Glieder und Organe des Körpers, die einer bewusst geregelten Bewegung fähig sind, werden gleichzeitig und gleichartig im Spiel gerührt: Beine, Leib und Arme, Hals und Kopf; die Hände bearbeiten ein rohes Schlagzeug; aus der Kehle werden unarticulierte Laute ausgestoßen, die auf höherer Entwicklungsstufe durch gesungene Worte ersetzt werden — —. Aus dieser Einheit lösen sich mit zunehmender Kultur die Theile ab und werden selbständig. So erzählt uns die Volkskunde von unbegleiteten Tänzen; der Gesang entwickelt sich zu einer besonderen Kunstgattung; aus ihm wieder geht die von musikalischer Melodik befreite gebundene Rede hervor; und die Erfindung und Vervollkommnung von Melodie-Instrumenten bildet den Ausgangspunkt für die reine Musik.

Aber wie bei dem Entwicklungsprocess der organischen Wesen sich nicht eine Gattung als Ganzes veränderte und die Mutterstufe damit von der Erdoberfläche verschwand; wie neben den Lurchen und Vögeln die Mutterstufe der Fische bestehn blieb, neben dem Menschsäuger die Thiersäuger: so leben auch in der menschlichen Kunstübung neben den entwickelteren, differencierten Einzelkünsten die primitiveren Gemeinschaftsformen weiter, solang sie einen Nährboden haben; und mehr als das: sie haben sich unter günstigen Bedingungen je einmal neben ihren anspruchsvolleren Kindern zu hoher Kunstblühte empor gesteigert. Man denke nur an die mit Schreitbewegung und Gesang ausgeführten Chöre der attischen Tragödie, an die herrliche Entfaltung der abendländischen Vocalmusik.

Das Volkslied hat bis auf den heutigen Tag den Zusammenhang mit dem Gesang nicht verloren.

Auch jene Urform der Bewegungskünste: die Dreieinigkeit von Tanz und gesungenem Wort hat sich trotz des ungeheuren Fortschritts der allgemeinen Kultur bis in unsre Tage lebendig erhalten. Wie unsre indogermanischen Vorfahren vor Jahrtausenden, so tanzen auch heut noch die Kinder und singen dazu.

Ein Tanzlied ist das unter dem bayrisch-österreichischen Namen allbekannte Schnaderhüpfl, das den Gegenstand dieser Abhandlung bildet. Das Sh liefert uns ein treffliches Beispiel für den eben beschriebenen Entwicklungsweg der Bewegungskünste von der Einheit aller zur Sonderung aller, aber auch ein Beispiel dafür, wie verschiedene Entwicklungsstufen neben einander bestehn können. Bis vor 25 Jahren etwa stand in vielen Alpenthälern der Singtanz mit Sh-Texten in voller Blühte und neben ihm der Tanz mit Instrumentalbegleitung ohne Gesang (Ländler, Schuhplattler u. s. w.), der ja noch gegenwärtig allgemein geübt wird. Die alte Tanzliedstrophe wider hatte sich frei gemacht, und damals wie heut konnte man die Liebes- und Spottliedln am Wirthshaustisch, beim Heimgarten und auf der Alm erklingen hören. Die beiden auf gleicher Entwicklungsstufe stehenden Formen: Tanz mit Instrumentalbegleitung und tanzfreies Lied mögen alt genug sein, wenn man zusieht, welchen Weg sie, jede für sich, genommen haben: der Instrumentaltanz wurde von den Städtern übernommen und kunstvoll fortgebildet; aus ihm ist der Wiener Walzer hervorgegangen, und Lanner und Johann Strauß, Vater und Sohn, haben ihm zum Weltruf verholfen; die tanzfreie Liedstrophe ist (besonders in Kärnten) zu einer festen Kunstform geworden: sie wird concertmäßig vom Männerquartett ausgeführt.

Aber noch weiter ist die Scheidung gegangen: auch die Instrumentalbegleitung und die Liedtexte sind selbständig geworden. Ich brauch nur an die Ländlerweisen in der classischen Instrumentalmusik zu erinnern — Haydn (in den Trios der Tanzsätze einiger Sinfonien und Streichquartette), Mozart (deutsche Tänze), Schubert (Ländler, Walzer) — und an die große Menge von 'volksthümlichen' Sh, die nicht, wie die echten, auf bestimmte Weisen improvisiert, sondern in der allgemeinen Form gedichtet sind — Kobell, Castelli, Seidl, Sylvester Wagner, Stelzhammer, Carl Stieler und viele andere.

Die litterarische Überlieferung des Schnaderhüpfls beginnt um die Wende des 18. und 19. Jahrhunderts. Schon aus den ersten Berichten[1]) klingt heraus, dass das Centralgebiet des Sh die bajuvarischen Alpen seien, also die österreichischen Alpenländer und Oberbayern. Von da sei die Form vorgedrungen gegen den Westen oberdeutschen Sprachgebiets: nach Schwaben und ins Hoch- und Niederalemannische; nach Norden ins mittel-

---

[1]) Vgl. S. 1 f.

deutsche Gebiet: Thüringen, Vogtland, Fichtelgebirge, Böhmerwald und bis
nach Schlesien. Einzelne versprengte Stücke mögen sich im nieder-
deutschen Sprachgebiet finden.

Steffen[1]) will das Verbreitungsgebiet des Sh viel weiter ausdehnen,
über ganz Norddeutschland, gibt aber zu, dass seine abweichende Meinung
von einer andern Auffassung des Begriffs herrühren könne. Er sagt:

> „Att enstrofig diktning ej skulle hava funnits där såväl som annor-
> städes bland tysktalande nationer, förefaller i sig självt otroligt ock mot-
> säges även därav, att dylik diktning ... är synnerligen väl representerad
> i Skandinavien ock, så långt vi kunna följa den tillbaka, väl också där
> är ursprunglig.“

[Dass sich einstrophige Dichtung dort (in Norddeutschland) nicht ebenso sollte
gefunden haben als anderorts bei deutsch sprechenden Stämmen, dies erscheint in sich
selbst unglaubhaft und widerspricht auch der Thatsache, dass ähnliche Dichtung aus-
nehmend reich in Skandinavien vertreten und, soweit wir sie zurück verfolgen können,
wohl auch dort ursprünglich ist.]

Steffen findet das Charakteristische der Gattung lediglich in dem
enstrofig, fyrradig dansdiktning und könnte von diesem Standpunkt aus
wohl Recht haben.

In zwei Punkten aber muss ich ihm widersprechen: erstens berücksichtigt er ein anderes charakteristisches Merkmal nicht, nämlich den
ungradtheiligen Grundrhythmus des Sh, und zweitens scheint mir Meyers[2])
Anschauung, dass das Sh auf süddeutschem Boden gewachsen sei, gegen
die sich Steffen in der oben citierten Stelle wendet, mit dessen Behauptung,
att dylik diktning väl också i Skandinavien är ursprunglig, sehr wohl ver-
einbar: das Bestehn eines dem süddeutschen und dem skandinavischen
gleichenden Tanzlieds in Norddeutschland könnte doch nur als Beweis für
eine Entlehnung von der einen oder andern Seite herangezogen werden,
und eine solche nimmt ja Steffen nicht an.

Und damit habe ich ein zweites, großes Verbreitungsgebiet Sh-artiger
Volkslieder bereits genannt. Ähnlich wie auf deutschem Sprachgebiet die
Alpen ist es dort das norwegische Bergland, das die Form am besten
bewahrt hat. Dänemark hat sie seit dem Anfang des 19. Jhs. so gut wie
ganz verloren.

Wie die deutschen Sh sind auch die norwegischen Stev und die
schwedischen Låtar Einzellieder, meist achttaktig, vierzeilig und bewegen
sich im langsamen $^3/_4$-Takt. Die örtliche Entfernung beider Gattungen,

---

[1]) a. a. O. S. 15.
[2]) G. Meyer, a. a. O. S. 332 ff.

wie der vom Sh ganz verschiedene Stil der nordischen Singweisen schließt
ein Verwandtschaftsverhältnis aus.

 Steffen schon hat die Beobachtung gemacht, dass die skandinavischen Lieder
musikalisch werthvoller seien, die deutschen hingegen durch hohen poetischen Schwung
ausgezeichnet. Fürs Melodische und Harmonische ist jenes ohne weiters zuzugeben; dass
aber auch das deutsche Sh im innern rhythmischen Bau überaus vielgestaltig ist, zeigt
die vorliegende Arbeit. Die deutschen Weisen verwenden fast ausschließlich Tonika- und
Dominantharmonie des Durtongeschlechts, Modulation in verwandte Tonarten ist selten,
Mollmelodien sind unerhört. Von der Tonsprache der älteren hohen Musik, wie sie uns
sonst im Volkslied gut erhalten ist, haben sie nichts bewahrt, wenn sie je etwas davon
besessen haben. Immerhin eignet ihnen in ihrer heutigen Gestalt ein leicht kenntlicher,
besonderer Localcharakter. Was wir dagegen als das melodisch und harmonisch Charakteristische an den nordischen Weisen empfinden, steht seinem ganzen Stimmungsgehalt
und seiner Ausdrucksweise nach dem Stil älterer Zeit viel näher. So sehr es reizt, auf
die skandinavischen Vettern der Schnaderhüpfl einzugehen, müssen wir es uns doch
versagen, da uns dieser Weg zu weit von dem Gegenstand unsrer Untersuchung ab-
führen würde.

 Am Kopf der Schnaderhüpfl-Sammlung von Žiška und Schottky vom
Jahr 1819 [1]) steht diese Bemerkung: „Schnådahipfln nennen die österreichischen Gebirgsbewohner die von ihnen selbst erfundenen vierzeiligen
Lieder, welche sie zu irgend einer Melodie des deutschen Tanzes [2])
($^{3}/_{4}$-Tact, in acht Abschnitten [3])) singen". Obgleich dieser älteste Definitions-
versuch in der Formulierung nicht grad glücklich ist und den Begriffs-
inhalt des Sh keineswegs erschöpft, scheint er mir doch beachtenswerth,
weil mit sicherm Blick das Wesentliche herausgehoben ist: die durch den
Zusammenhang mit einem bestimmten Tanz gegebene Form des Sh.

 Das Sh gehört zu einer großen, allverbreiteten Familie primitiver
Gelegenheitsdichtung, der Familie der 'volksmäßigen lyrischen Einstropher'; es weist alle Merkmale dieser Dichtart auf. Beschränkt sich
die Betrachtung auf den Liedtéxt und seine poetischen Merkmale (erotisch-
satirischer Charakter, epigrammatische Zuspitzung, Natureingang [4]), Stegreif-
erfindung, wohl auch Verwendung zum poetischen Wettstreit, Einstrophigkeit),
dann ist eine Gruppensonderung innerhalb der Gesammtfamilie nur nach
dem ethnologischen Gesichtspunkt möglich. Unterschiede sind bedingt
durch die Verschiedenheit der Völker und Stämme: durch die Verschiedenheit der geistigen und seelischen Anlage, der Thätigkeit und der Interessen,
der Sprache, der sittlichen Begriffe und religiösen Anschauungen, durch

---

[1]) ŽS[2] S. 106.
[2]) Deutscher Tanz = Ländler; vgl. S. 13 unten.
[3]) Gemeint ist: in acht Takten.
[4]) Vgl. G. Meyer, a. a. O. S. 377 ff. und Steffen, a. a. O. S. 8 ff. und öfter.

die Eigenart der umgebenden Natur. Schon von diesem Gesichtspunkt ist
es nicht angebracht, etwa von einem norwegischen Schnaderhüpfl oder von
einem bayrischen Stev zu sprechen; mit dem Namen Stev bezeichnet der
Norweger nur séinen Einstropher, keinen andern: und wír haben weder
Recht noch Nöthigung, mit dem Namen der specifisch süddeutschen Ausbildung der Dichtart ihre Ausbildung bei andern Völkern zu benennen,
dort wo es sich um von einander unabhängige Parallelbildungen handelt;
— und in Bezug auf die poetische Form, also auf Gedanken- und Gefühls-
inhalt und sprachlichen Ausdruck ist eine irgendwie umfängliche und
bedeutsame Beeinflussung völlig ausgeschlossen.

Nun aber sind die lyrischen Einstropher, wie alle Volkspoesie, keine
Gedichte, sondern Lieder, gesungene Lieder, deren zwei Theile, Text und
Weise, gleichberechtigt und daher für die Begriffsbestimmung gleich wichtig
sind; sie sind von Ursprung her Tanzlieder; und gerade die außer-
poetischen Merkmale sind die sondernden, die gruppenbildenden. Im
poetischen Charakter der Lieder möchten eher die Entsprechungen, das
Gemeinsame, Zusammenhaltende gefunden werden: durch die Weisen aber
und ihren Einfluss auf die äußere Form der Liedertexte ergeben sich
deutlich gesonderte Gruppen.

Da das Ziel dieser Abhandlung nicht die Untersuchung der musikalischen Qualitäten der Liedweisen ist, sei nur kurz darauf hingewiesen,
dass auch der melodische Charakter der Singweisen mit zu den wesent-
lichen Merkmalen des Begriffs 'volksmäßiges, lyrisches, einstrophiges Lied'
gehört: ein Stev-Text auf eine Sh-Weise gesungen wäre eine Stillosigkeit,
eine sinnlose Spielerei.

So bleibt uns denn éin Merkmal zu besprechen übrig, das in diesem
Zusammenhang wichtigste: der volksmäßige lyrische Einstropher ist ein
Tanzlied; das wichtigste, denn der Tanz ist es, der — unmittelbar, oder
mittelbar durch die Weise — der Textstrophe die äußere Form gibt.

Die formale Eigenart des Sh ist nur aus seinem Verhältnis zum Tanz
zu verstehn. Die Sh sind nicht Singtanz-Texte, wie etwa die schwedischen
ringdans-visor, sie sind vielmehr Lieder, die auf die Melodien eines bestimmten Instrumentaltanzes gesungen werden, „Lieder, welche sie zu
irgend einer Melodie des deutschen Tanzes singen." Der Ausdruck 'deutscher
Tanz' ist nicht gut gewählt, wenn auch zugegeben werden muss, dass der
in Frage kommende Tanz unter andern auch mit diesem Namen bezeichnet
wurde und wohl auch heut noch an manchen Orten bezeichnet wird; nicht
gut gewählt, weil man dabei auch an den altdeutschen zweitheiligen Reigen
denken kann, oder gar an die Alemande, mit denen das Sh nichts zu
schaffen hat. Für 'deutscher Tanz' setzen wir besser 'Ländler', indem
wir hier zusammenfassend unter Ländler alle die Tänze begreifen, die auf

Ländlerweisen getanzt werden: Ländler, Steyrischen, Bayrischen, Dreher, Schuhplattler, Hosnnäggler, Hosnlätterer u. s. f.[1]).

Der Ländler ist ein Paartanz von mäßiger Geschwindigkeit in ungeradem Takt mit Instrumentalbegleitung; seine Tanzform ist der einfache Sechsschritt (6 Schritte auf 2 Takte); seine Weisen bewegen sich vorzüglich in Viertel- und Achtelschritten:

$$\cdots \left|\; \overset{\cdot}{c}\; \overset{\cdot\cdot}{c}\; \overset{\cdot}{c}\; \overset{\cdot\cdot}{c}\; \right| \cdots;$$

seine Grundperiode ist der gedoppelte Viertakter.

Eine grundsätzliche Unterscheidung von Ländlerweisen und Sh-Weisen ist nicht möglich, weder nach dem Rhythmus, noch nach der Harmonienfolge oder der Bildung der melodischen Linie, wenn auch zugegeben werden muss, dass die Ländlerweisen in der instrumentalen Figurierung oft über das Maß des Singbaren hinausgehn. Mag auch heutzutag in praxi eine gewisse Scheidung eingetreten sein, sozwar, dass die zum Tanz aufgespielten Weisen im Ganzen nicht als Liedweisen verwendet werden und umgekehrt: sie sind trotzdem alle Geschwister. Ich greif aufs Gerathewohl einige Beispiele heraus. Der bekannte Ländler aus dem Freischütz („Bauernwalzer") ist aus Tirol als Sh-Weise überliefert (K 122)[2]); die Sh-Weise A 24 hab ich selbst von einer herumziehenden Harpfenistin zum Tanz aufspielen hören; Liebleitner hat mir einige Ländlerweisen (Instrumentalweisen) mitgetheilt[3]) — gleich unter der ersten stehn ein paar Vierzeiler: also auch hier ist éine Weise Ländlerweise und Sh-Weise zugleich.

Wie der Tanz im Einzelnen ausgeführt wurde, wie er heut ausgeführt wird; ob er ein periodenreicher Charaktertanz war, wie der Schuhplattler, oder ein schlichter Rundtanz (Dreher): das ist für die Form des Sh belanglos, denn das Sh ist nie Tanzbegleitung (Singtanz!), sondern stets nur Tanzeinleitung gewesen. Die Berichte über das Sh-Singen auf dem Tanzboden reichen bis zum Anfang des 19. Jahrhunderts zurück. Aus allen, so unklar, unanschaulich und lückenhaft sie sind, lässt sich dás mit Bestimmtheit herauslesen, dass der Tanz, der für das Sh in Betracht kommt, in choreographischer Hinsicht ein Paartanz, meist Einzeltanz war,

---

[1]) Die zwei Hauptvertreter sind der Ländler und der Schuhplattler; der Bayrische ist wohl mit dem Schuhplattler identisch.

[2]) Die beiden Weisen führen éin Motiv harmonisch verschieden durch (Weber: TTDT; K 122: DTDT); doch ist auf den Untertitel bei Kohl 'Schnaderhüpfelweise' kein Gewicht zu legen: die Weise ist in hohem Maß instrumental und uncantabel. — Mit der gleichen Harmonienfolge wie bei Weber wird die Weise in Tegernsee in Oberbayern gesungen.

[3]) Vgl. Anhang.

in musikalischer Hinsicht ein Instrumentaltanz, und dass die Vierzeiler, zwar auf die gleiche Weise, aber vór dem Tanz gesungen wurden. Liebleitner schreibt mir [1]:

„... Bei ländlichen Festen tanzt die ganze Wirtsstube. Mit Jauchzen eilen die Burschen und Dirnen auf den Tanzboden und dann drehen sich alle ... [in den bekannten Figuren des Ländlers]. Sind viele Paare auf der „Bühne", dann trennen sich die Tänzer und Tänzerinnen wohl nicht, sondern halten sich bloß mit einer Hand, wobei sie den Arm bald tief, bald hoch halten. Im letzteren Falle drehen sich beide wie ein langsamer Kreisel. Dann fassen sich Tänzer und Tänzerin mit beiden Händen und verschlingen sich in äußerst kunstvoller Weise, wobei sie den Tanzschritt fortwährend einhalten. Oft zahlt ein Bursche den Tanz, dann beginnt er mit einem Schnaderhüpfel nach beliebiger Weise und die Musikanten müssen die Melodie alsogleich in derselben Art nachspielen; oft antworten andere Bursche mit ähnlichen Vierzeilen [Vierzeilern]; dies besonders dann, wenn der Bursche persönlich wird, d. h. Zustände des Dorfes, oder einen Nebenbuhler, auch eine spröde Dirne geißelt."

Man vergleiche damit die folgenden älteren Berichte.

Strolz (vor 1807; Unter-Innthal) [2]:

„... (die wesentliche Bestimmung dieser Liedchen:) sie dienen dem Landvolke durchgehends als Thema ihrer Tanzmusik".

Das ist schief ausgedrückt und kann nur bedeuten, dass die Liedweise und der erste Theil der Tanzweise gleich waren; insofern ist der Ausdruck werthvoll, als er darauf hinweist, dass die Sh zwar auf Tanzweisen gesungen wurden, dass sie aber nicht als Tanzbegleitung dienten. Strolz erzählt dann von der Spielleuttruhe (Instrumentalbegleitung) und vom „Tanz anfrümen (d. h. den Tanz durch Vorsingen eines Liedes begehren)" und fährt fort:

„nach diesem sogenannten Auszahlen [3] stimmt er in einer selbstgewählten Melodie sein Schnädahüpfl an, das die Musik sogleich mit ihrem Accompagnement begleitet [4], worauf er an der Spitze aller Tänzer den Reigen [5] beginnt."

J. G. Seidl (vor 1850; Steiermark) [6]:

„... an dem Nebentische sitzen die drei Musikanten ... Jetzt tritt ein Bursche [aus der Schaar der Tanzlustigen] heraus, wirft dem Violinspieler ein Geldstück hin und singt ihm eine Melodie im $^3/_4$-Takte vor [also ein Sh] ... Schnell hat der Spieler die Tonweise aufgegriffen und führt sie nun ... abwechselnd durch allerlei Tonarten, während die Bursche ... die Mädchen nicht vergebens zum Tanz auffordern."

---

[1] Die Eindrücke, die der folgende Bericht wiedergibt, liegen etwa 20 Jahre zurück.
[2] a. a. O. S. 69 ff.
[3] Vgl. oben bei Liebleitner.
[4] Hier fehlt das Zwischenglied: die Musik nimmt die Melodie des Sh auf und führt sie weiter.
[5] Reigen: ungeschickt angebrachte Metapher für 'Tanz'; der ausgeführte Tanz ist im Gegentheil ein Paartanz.
[6] Gesammelte Schriften, Wien 1879, IV S. 168 f.

Schatzmayer (vor 1857; Kärnten) [1]:

„... Der Tanzboden ... wo aus dem Munde der besten Sänger eine bunte Menge alter und neuer Gsanglän hervorsprudeln. Gewöhnlich singen die Burschen jeder einzeln den Musikanten 'ans vor'; in diese angestimmte bekannte oder auch oft neue 'Weis' müssen die Musikanten geschickt einfallen und sie weiter ausführen. Dazu wird sodann wieder getanzt, und zwar in solchen Fällen nur steirisch."

Hörmann (vor 1881; Tirol) [2]:

„Ehe ... der Tänzer den Reigen [3]) beginnt, tritt er mit seinem Schatz zum Tisch, an dem die Spielleute sitzen, wirft ihnen ein Geldstück hin und 'frümt sich den Tanz an', d. h. er singt, meist nach selbstgewählter Melodie, ein Schnaderhüpfl vor, das die Musik begleitet. Dann erst tanzt er den 'Ländler' oder 'Bairischen', oder gar einen 'Schuhplattler' oder 'Hosenlatterer'."

Wir haben bereits darauf hingewiesen, das die Sh-Weisen und die Ländlerweisen im Grund genommen nicht unterschieden sind. Das bestätigen denn auch die eben mitgetheilten Berichte. Ich erinnere nachdrücklich an jenes, „die wesentlichste Bestimmung" der Sh sei ihre Verwendung beim Tanz (Strolz). Und der Name selbst (Schnaderhüpfl = Schnatterhüpflein) weist ja unzweifelhaft auf den Tanz hin; man möcht geneigt sein, zu glauben, dass es ursprünglich der Tánz gewesen sei, der diesen Namen getragen habe: ein Tanz, bei dem der Gesang eine wichtige Rolle spielte; und dass erst nachträglich der Name vom Tanz auf das Lied übertragen worden sei.

Aus dem bisher gesagten geht hervor, dass die Hauptmerkmale für die Charakteristik des Sh nicht in seiner poetischen, sondern in seiner metrischen und musikalischen Form zu suchen sind.

Die Frage nach dem Alter des Sh ist oft aufgeworfen und ebenso oft falsch beantwortet worden, weil die Fragesteller kurzer Hand 'Schnader- hüpfl' und 'einstrophiges, lyrisches Tanzlied' gleichsetzten. Gewiss, für den lyrischen Einstropher kann man unbedenklich eine ganz alte Tradition an- nehmen, und auf die Gesammtfamilie passt Dungers Räsonnement [4]: „dass diese Liedchen ... weit zurück reichen in die alte Zeit [D. denkt dabei an die vorkarolingische Zeit], dafür bürgt der Umstand, dass sie ihrer Natur nach Tanzlieder sind". Die alte Text- und Tanzform hat sich im bayrischen Sprachgebiet, also im Hauptland des Sh, nur noch im Kinderlied lebendig erhalten. Die metrische Form dieser Lieder ist der achttaktige Vierzeiler im dipodischen graden Takt ($^4/_4$) mit freier Versfüllung und weitgehender Cadenzfreiheit.

---

[1]) In Frommanns Mundarten IV (1857) S. 524.
[2]) Schnaderhüpfeln aus den Alpen [2], Innsbr. 1894, S. XIX f.
[3]) Vgl. S. 15, Anm. 5.
[4]) Rundás u. Reimsprüche a. d. Vogtlande, Plauen 1876, S. XI.

Kinderlied (Slzbg), Süß 11, 45

> *i bin a kloană pumpăniggl,*
> *bin a kloană běăr;*
> *wia mi gott dăschăffm hăt*
> *so zottl i dăhěăr.*

Kinderlied (Schweiz)

> *es regelet, regelet tropfen,*
> *d buebe muess man klopfen,*
> *d meidlin muess man schônen,*
> *wie die citrônen.*

Lyrischer Einstropher (Schweiz), H 196

> *schwarzbru sind d haselnuss*
> *ond schwarzbru bin i;*
> *und wenn mi einer lieba will,*
> *so muess er si wie-n-i.*

Andern deutschen Stämmen sind die Einstropher dieser Form noch heut ganz geläufig. So stehn sie im Vogtland als gleichberechtigte Gruppe neben den Sh-artigen Liedern, und in der Schweiz, wo das Sh kaum Eingang gefunden hat, bilden sie die Hauptmasse der Einstropher. Überreste dieser älteren Einstropherform finden sich auch im bayrischen Sprachgebiet, und, bemerkenswerth genug, mehr an der alemannischen Grenze (Vorarlberg, Tirol), als in den östlichen Ländern.

Das Kinderlied zeigt uns am besten, in welchem Sinn man diese Liedchen Tanzlieder zu nennen hat: richtige Singtänze sind es gewesen, bei denen der Gesang die einzige Begleitung des Tanzes war, — Chortänze, Reigentänze, Ringelreihen, Tanzspiele. Wenn etwa die vogtländischen Rundâs in der Art ausgeführt werden, dass unter währendem Singen zwei einander bei den Händen halten und sich im Kreis drehn: so hat sich dárin sicher ein ganz alter Zug bewahrt, der z. B. beim norwegischen Stev und beim neuisländischen Kveðskaparkapp seine Entsprechung hat, beim Sh aber gänzlich fehlt.

Auch der Gebrauch, solche Lieder zu improvisieren, mit ihnen Singstreite auszukämpfen, mag schon auf dieser Entwicklungsstufe vorhanden gewesen sein.

Wie aber haben diese Liedchen die charakteristische Sh-Form bekommen, wie sind sie zu Schnaderhüpfln geworden? Wenn wir uns vor Augen halten, dass die Sh-Weisen Ländlerweisen sind, und in welchem

Verhältnis das Sh zum getanzten Tanz steht[1]), so wird die Frage unschwer zu beantworten sein.

Wir müssen uns denken, dass zu der Zeit, da in ganz Europa die Instrumentaltänze in Blühte standen, in unsern Gegenden neben der alten Kunstübung der Singtänze und Tanzspiele ein neuer Tanz aufkam, vielleicht von den Nachbarn, den Welschen oder den Windischen, übernommen — ein Instrumentaltanz mit einem bis dahin unbekannten, ungemein eingängigen Rhythmus: die Urform der heutigen ländlerartigen Tänze unsrer Alpenbewohner. Dieser Tanz muss sich schnell verbreitet und festgesetzt haben. Er verdrängt langsam die althergebrachten Tanzformen und greift auf die Poesie über, die mit jenen verbunden war, also auf den lyrischen Einstropher. Singstreite, zu denen der Tanzboden so günstige Gelegenheit bietet, schieben sich zwischen die einzelnen Tänze ein[2]), und die Trutzliedln bekommen ganz von selbst ihre Form durch den Rhythmus, der den Tänzern noch in den Gliedern steckt. Oder ein Bursch frümt sich einen Tanz an und, um die ungeduldigen Andern, Tanzlustigen, noch mehr zu reizen, stellt er sich vor die Spielleuttruhe und singt herausfordernd ein boshaftes Spitzliedl, — natürlich in dem Rhythmus des eben beendeten Tanzes und auf die Weise des, den er sich bestellt hat. Anfangs mag es noch etwas holprig gegangen sein, aber bald lernen sie die neue Form gebrauchen, der ihre Sprache so sehr entgegen kommt. Die Sitte, seinen Einzeltanz mit einem Sh zu beginnen wird allgemein und dabei festigt sich das Gefühl für den neuen Rhythmus auch im Lied.

Stégreiflieder müssen diese Anfrüm-Sh gewesen sein, denn, hätte der Bursch ein altbekanntes Lied gesungen, dann hätten ihm die Fäuste der unwillig Wartenden wohl den Tanz vergällt! Und der angefrümte Tanz muss ursprünglich Einzeltanz gewesen sein; sicher bewahrt das Sh

> *den tanz hån i åñgfrümt*
> *und dea tanz gheart mein!*
> *dea nåch meinå nåchi tånzt,*
> *dea derf si gfreun!*

den ältern Brauch, gegen das verwässerte und civilisierte

> *... dea nåch meinå nåchi tånzt,*
> *derf nit so laut schrein!*

---

[1]) Vgl. die Berichte, oben S. 15 f.
[2]) Vgl. die lebendige Beschreibung einer steirischen Tanzbodenscene bei J. G. Seidl (a. a. O. S. 167 ff.).

Von da ist nur noch éin Schritt hin, dass der anfrümende Bursch zu seinem Tanz auch gleich eine neue Weis erfindet, — die die Spielleut geschickt aufgreifen und weiterführen müssen (Schatzmayer).

Weiterführen: bei diesem Wort müssen wir einen Augenblick verweilen. Das Sh bleibt seiner Vorschnaderhüpfl-Tradition entsprechend vierzeiliger Einstropher; seine acht $3/4$-Takte fallen zusammen mit dem gedoppelten Viertakter der Grundperiöde des Ländlers. Aber ein einziger Achttakter ist ein gar kurzer Tanz und hat die Tänzer wohl nie befriedigt. Der alte Singtanz konnte wohl mit ihm auskommen, denn da bot der Textwechsel Abwechslung und die Möglichkeit, den Tanz nach Belieben auszudehnen[1]). Der Instrumentaltanz öhne begleitenden Text hat diese einfache Möglichkeit nicht, er sucht und erzielt die erwünschte Umfangsvergrößerung auf rein musikalischem Weg durch möglichst organische Vermehrung der Perioden.

Das kunstloseste Mittel, den Tanz über die Grundperiode zu verlängern, ohne ihn doch organisch zu erweitern, ist der Wechsel der Tonart: der gegebene Achttakter wird in der Haupttonart gesetzt, in einer nah verwandten Tonart[2]) wiederholt und dann wieder in der Haupttonart; das ergibt im einfachsten Fall 24 Takte, bei jeder neuen Wiederholung des Tonartenwechsels jedesmal um 16 Takte mehr. Diese Durchführung der Tanzmelodie hat Seidl (vgl. oben) in der Erinnerung, wenn er sagt, dass die Tonweise „abwechselnd durch allerlei Tonarten“ geführt worden sei. Musikalisch ungleich reizvoller gestaltet sich der Tanz, wenn seine Verlängerung durch einen melodischen Fortschritt erreicht wird. Das kann auf zweierlei Weise geschehn: entweder durch Anfügen eines Nachspiels, oder durch Einfügen eines Zwischenspiels. Der Instrumentalist fügt an die achttaktige Weise ein oder zwei gleichgebaute gleichlange, oder ein doppeltlanges Nachspiel, wodurch ein neues, größeres Ganzes entsteht, ein 16- oder 24-Takter; die kunstvollste Art der Erweiterung aber ist die da capo-Form: der Spieler wiederholt den gegebenen Achttakter, macht dann ein kleines Zwischenspiel (8T) und spielt den ersten Achttakter zum Schluss noch einmal (32 Takte). So ist das „Weiterführen“ der Weise zu verstehn, von dem Schatzmayer spricht (vgl. oben).

Die hier beschriebenen Arten des Aufbaus sind eine specifische Eigenthümlichkeit der Instrumentaltänze und haben keine Entsprechung beim Singtanz.

---

[1]) Thurén sagt vom epischen Tanzlied der Færinger (Folkesangen paa Færøerne, Kbhn. 1908, S. 25): Die erstaunliche Länge der Lieder (oft über 100 Strr.) ist leicht aus dem Wunsch zu erklären, dass das Tanzvergnügen so lang als möglich währe.

[2]) Ober- oder Unterdominant; vgl. den schon erwähnten Freischützwalzer.

2*

Aus dem einfachen Achttakter der Grundperiode entwickelt sich aber auch durch organische Verdopplung der organische 16-Takter, der seinerseits wieder als Grundperiode verwendet und etwa durch 8- oder 16-taktiges Nachspiel zum 24- oder 32-Takter verlängert werden kann.

Das Sh, das nur Tanzéinleitung, nicht Tanzbegleitung war, konnte nicht unmittelbar Antheil nehmen an dieser Formausweitung, es blieb Achttakter, Vierzeiler. Es stand mit der Tanzweise in naher Wechselbeziehung, indem es sich der Grundperiode des Tanzes als Singweise bediente und rückwirkend dem Tanz neue Weisen schenkte. Aber der Zusammenhang bleibt nicht so eng: das Sh löst sich vom Tanz los und macht sich selbständig, — verliert aber dabei doch nicht die Formgleichheit, denn seine Singweisen sind ja die Tanzweisen selbst. Seinen Improvisationscharakter verliert es auch nicht, denn auch außerhalb des Tanzbodens gibt es Gelegenheit und Anlass genug, sich im Singstreit zu messen. Neues wird erfunden in der Form der nämlichen Weisen, die man sonst zum Tanz spielt und hört, und das gute Ältere in Erinnerung gehalten und immer wieder gesungen. An diesem Entwicklungspunkt tritt eine zweite mächtige Kraftwelle vom Tanz her an das Lied heran, die in manchen Gegenden alles wegschwemmt, was sich nicht fügen kann. Der Sh-Rhythmus greift die gesammte Liedproduction an. Auch die größeren Lieder, die Gelegenheitsdichtungen, ja sogar die geistlichen Lieder in der Kirche, alle nehmen den Tripeltakt des Sh an[1]); das Alte wird daneben vernachlässigt und vergessen. So wird der auffallende Umstand erklärlich, dass im Sh-Land das ältere epische Lied, die Ballade fast ganz fehlt. Und ein Anderes: hatte jenes erste Mal der Tanz dem Lied nur seinen Rhythmus, seine Taktform aufgezwängt, so schüttet er nun seinen ganzen Formenreichthum darüber aus. Man singt die Liedchen nicht mehr nur auf die achttaktige Grundperiode der Tanzweisen, sondern auch auf ihre periodenreichen Formen und erfindet neue Texte, die zu diesen passen: man singt die Vierzeiler auf sechzehntaktige Weisen, indem man abwechselnd einen Periodentheil singt, einen jodelt; man fügt dem Lied das Tanznachspiel an und singt es mit einem 'Kehrjodler'; man singt viele Gesätze hintereinander ab, wechselt aber, wie es der Spielmann beim Tanz thut, von Gesätz zu Gesätz die Tonart; ja man baut auch gar kunstvoll nach dem Muster der da capo-Weisen dreitheilige Texte. Mit diesem letzten ist ein neuer Weg beschritten, der vom einfachen, echten Sh-Vierzeiler weg führt, der Weg zur bewussten Kunstdichtung.

---

[1]) Vgl. die Sammlungen von Süß, Greinz-Kapferer (Volkslieder), Kohl (Volkslieder, und: Heitere Volksgesänge aus Tirol, Wien 1908).

Zillertâl, du bist mei freud,   — Jodler
dâ hâbm d mâdlân sakrisch schneid;   — Jodler
dâ gibts gamslân zun dâjâgy,
schiane dianâ'l zun dâfrâgy:
Zillertâl, du bist mei freud!   — Jodler.

Wichtige Merkmale des Sh gehn verloren: die Lieder werden strophenreich, die Strophen werden länger, (5, 6, 8 Zeiler), von Improvisation ist keine Rede mehr. — Fest aber bleibt das, wodurch der alte lyrische Einstropher zum Sh geworden war: der Ländler-Sh-Rhythmus.

Am Anfangspunkt der Entwicklung steht der kunstlose, lyrische Einstropher im graden Takt, an ihrem Endpunkt der ganz unnaïve, gekünstelte lyrische Mehrstropher im Sh-Rhythmus; — und mitten inn steht und schlägt die Brücke zwischen beiden: das Schnaderhüpfl.

Bei dem Versuch, die Entwicklung vom alten lyrischen Einstropher zum künstlichen lyrischen Lied im Sh-Rhythmus darzustellen, kam es mir darauf an, die Grundlinien des formalen Fortschreitens herauszuarbeiten. Das Bild ist in Wirklichkeit viel farbenreicher. Die Untersuchung über das 'gesungene Lied' gibt über die verschiedenen Singformen des Sh im Einzelnen näher Auskunft[1]).

Die ganze hier aufgezeigte Entwicklung des Sh ist bereits abgeschlossen vor dem Einsetzen unsrer Überlieferung, d. i. um die Wende des 18. und 19. Jhs. In den ältesten Berichten und Sammlungen tritt uns das Sh bereits in allerlei verschiedenen Singarten entgegen. Das Lied war also schon am Anfang des 19. Jahrhunderts tanzfrei geworden und zog sich in der Folgezeit langsam ganz vom Tanz zurück, sodass man heut das 'Tanz anfrümen' kaum mehr antreffen wird. Mit der fortschreitenden Loslösung des Lieds vom Tanz, seinem Formgeber, wurde auch das Formgefühl unsicher. Wir finden beim gesungenen Lied schon hie und da formale Mängel, die bei einem Tanzlied schlechterdings ausgeschlossen sind: untanzmäßige Periodenerweiterungen und völlig untanzbare Singmanieren (Fermaten, Taktwechsel)[2]). Aber diese Verfallserscheinungen sind doch immer noch selten genug und berechtigen nicht zu dem Schluss, dass die ganze Gattung im Niedergang begriffen sei. Wir müssen uns dás gegenwärtig halten, dass die Kunstübung des Landvolks viel gesünder ist, als es nach der gedruckten Überlieferung scheinen möchte. Zwei Dinge wirken da zusammen, das Bild der wirklichen Ver-

---

[1]) Vgl. die Abschnitte 'Theilwiederholung', 'da capo-Form', 'Jodler', 'Kehrjodler', 'Doppelstrophe', 'Mehrzeiler'.

[2]) Vgl. die Abschnitte 'untanzmäßige Formen', 'Singmanieren'.

hältnisse zu trüben. Die Sammler sind beim Aufzeichnen der Lieder auf die Widergabe Einzelner angewiesen und sind in der Wahl ihrer Gewährs-männer nicht wählerisch. Das Vorsprechen der Texte, das Vorsingen der Lieder geschieht nothwendig unter ungünstigen Umständen, in ungünstiger Umgebung, ohne die gehobene Stimmung, in der sich derselbe Gewährs-mann befindet, wenn er am Tanzboden steht oder am Wirthshaustisch unter seinesgleichen sitzt. Wenn überdies der Gewährsmann selbst nicht ganz stilsicher ist, was ja auch vorkommen kann, dann ist die Fehlerquelle offenbar. Dazu kommt, dass die Sammler fast durchweg formalen Dingen kein Gewicht beilegen und wohl oft des Formgefühls selbst entbehren. Manche Fehler könnten vermieden werden durch Kritik an der Über-lieferung der Gewährsmänner; die meisten leider werden gemacht durch nachlässiges Zuhören, durch nachlässiges Notieren und schließlich durch Misverstehn. Wir werden oft genug genöthigt sein, auf diese Dinge zurückzukommen.

Sicher wirkt heutzutag die gedruckte Überlieferung auf die lebendige Kunstübung zurück; und Herausgeber, die als Zweck ihrer Sammlungen eben diese Rückwirkung betrachten, sollten doppelt bestrebt sein, nicht nur stofflich, sondern auch formal Tadelloses und Reinliches zu geben, denn mit Krüppeln, auch wenn sie sittig sind, hält man den drohenden Verfall gewiss nicht auf.

Solang über die Wurzeln der ländlerartigen Tänze keine Gewissheit herrscht, ist es nicht möglich die Frage nach dem Alter des Sh zu be-antworten. Die älteste bekannte Ländlerweise ist meines Wissen die, die der Musiktheoretiker Albrechtsberger, Beethovens Lehrer, als Thema zu seiner Galanteriefuge op. 17 benutzt hat — eine Jugenderinnerung des Componisten aus Ober-Österreich. Albrechtsberger ist 1736 geboren. Somit dürfen wir schließen, dass um die Mitte des 18. Jhs. der Ländler bereits ein gern geübter, richtiger Volkstanz gewesen sei. Rechnen wir von da etwa zwei Generationen zurück, eine Zeit, die genügt haben kann, den neuen Tanz einzubürgern, so ergibt sich als äußerste Grenze für das Auftauchen des Ländlers die zweite Hälfte des 17. Jhs. Die andre Grenze muss dort gezogen werden, wo an einen vom Gesang unabhängigen In-strumentaltanz noch nicht gedacht werden kann, also etwa am Anfang des 16. Jhs. Innerhalb dieser zwei Jahrhunderte muss also das Aufkommen des Ländlers — und auch des Schnaderhüpfls liegen, denn, wenn meine Auffassung zutrifft, wird nach dem Auftauchen des Ländlers das erste Sh nicht lang haben auf sich warten lassen.

Wie nun hat man sich die Formwandlung vorzustellen, durch die aus dem gradtaktigen älterdeutschen Einstropher das Schnaderhüpfl geworden

ist? Heusler[1]) hat den dipodischen ($^4/_4$) Takt der altgermanischen Stab-
reimdichtung mit dem gleichen Rhythmus des deutschen Kinderlieds in
Zusammenhang gebracht und damit gezeigt, dass der füllungsfreie $^4/_4$-Takt
ältestes gemeingermanisches Formgut und wirklich volksthümlich sei. Das
heutige Kinderlied, das die alte Form so treu bewahrt hat, beweist, dass
die Tradition nie unterbrochen war, und gibt uns das Recht anzunehmen,
dass auch in jener mittlern Zeit, in die wir die Entstehung des Sh glauben
verlegen zu müssen, diese Form für den lyrischen Einstropher gebräuchlich
war. Dem volksthümlichen $^4/_4$-Takt gegenüber bedeutet der Ländlertakt
zweifelsohne eine Volumstéigerung. Wo früher eine Haupthebung und
éine Nebenhebung war, werden nun mit ungefähr gleichen Zeitabständen
eine Haupthebung und zwéi Nebenhebungen gefordert. Ein Beispiel wird
das klar machen.

Süß 17, 67.

trêsărl mitn bêsărl
köaᵣs ofmloch aus,
und wănnst ăs nit saubă machst,
jâg i di aus.

Das Beispiel enthält die gebräuchlichsten Innentaktfüllungen des
volksthümlichen $^4/_4$-Takts und zeigt, dass sich alle dem neuen Rhythmus
willig fügen. Nun ist ja kein Zweifel, dass gerade die bayrische Mundart
ein besonders günstiges Material liefert für ein Versmaß mit so vielen
Nachdrucksstellen: infolge des starken Verlusts unbetonter Vocale und
der großen Neigung zum Silbenverlust, die dieser Mundart eigenthümlich
ist. Ich will das an ein paar Parallelstrophen zeigen.

GKVl I 136.

1. inn Zillătâl und Pinzgau
dă măchns groaße kâs,
an toal ăls wia di schleifstoan,
an toal no greassăr-â!

SS 36.

enn Zillăᵣštâl und Pinzga
dao măchănts grôß kás,
an toal ass wia dö kăchlöfm
an toal â greßăr-â.

----

[1]) Zur Geschichte der altdeutschen Verskunst, Breslau 1891, S. 5 und öfter.
²) Das Schema für die Sh-Rhythmisierung ist im $^3/_2$-Takt notiert, um die relativen
Zeitwerthe beider Messungen augenfällig zu machen.

Einleitung.

GKVl I 136

2. *wens im lângas apâ wea·d*
und auf dăr-âlma grüan,
dă goaßă mit den goaßlăn fârt,
di sennrin mit den küan.

|×̇×̇×̇×̇|×̇×̇×̇
×|×̇×̇×̇×̇| −́ ₹
×|×̇×̇×̇×̇|×̇×̇×̇
×|×̇×̇×̇×̇| −́ ₹ ₹

SS 688

en summăr-is schên,
wân dö bleamln âl blüan;
is dă goaßă ban goaßn,
dö senden ban küan.

×̇ | ×̇ ×̇ ×̇ | ×̇
×̇ ×̇ | ×̇ ×̇ ×̇ | −́
‿‿ | ×̇ ×̇ ×̇ | ×̇ ×̇
×̇ | ×̇ ×̇ ×̇ | −́

3. *di sennerin hoaßt Lêni,*
ist gâr a brâves mâdl;
hât köstenbraune äugelen
und siggerische wâdl.

×|×̇×̇×̇×̇| −́ ×
×|×̇×̇×̇×̇| −́ ×
×|×̇×̇×̇×̇|×̇×̇×̇
×|×̇×̇×̇×̇| −́ ×

* *dö senrin hoaßt Lêni,*
is gâr a brâvs mâdl,
hât schwâ·ăzbraune äugăln
und siggrische wâdl.

×̇| ×̇ ×̇ ×̇ | ×̇ ×̇
×̇| ×̇ ×̇ ×̇ | ×̇ ×̇
×̇| ×̇ ×̇ ×̇ | ×̇ ×̇
×̇| ×̇ ×̇ ×̇ | ×̇ ×̇

A 19 a

dö zimmăleut sand brâvö leut,
dö maură, dö sand bössă;
dö zimmăleut baunt häusăr-auf,
dö maură, dö baunt schlössă.

×|×̇×̇×̇×̇|×̇×̇×̇
×|×̇×̇×̇×̇|−́ ×
                  ×× ₹
×|×̇×̇×̇×̇|×̇×̇×̇
×|×̇×̇×̇×̇|−́ ×
                  ×× ₹

A 19, 5

dö zimmăleut sand brâvö leut,
d maură sand bössă;
dö zimmăleut baunt häusăr-auf,
d maură baunt schlössă.

×̇|‿‿×̇ ×̇| ×̇‿×̇|
| ×̇ ×̇ ×̇ | ×̇×̇   (Jodler)
×̇|‿‿×̇ ×̇ | ×̇‿×̇|
| ×̇ ×̇ ×̇ | ×̇×̇   (Jodler)

Aber eine solche Umwandlung kann nur sprungweis eintreten, durch einen äußern Einfluss. Die alte Form blieb, trotz den lautlichen Veränderungen in der Mundart; mit dem neuen Material wurden die alten Formen neu gefüllt. Sprachliche Entwicklungen sind unmerkbar fortschreitend. Erst ein äußerer Anstoß konnte die durch die sprachliche Entwicklung geschaffenen neuen Möglichkeiten frei machen; sélbst die neue Form zu schaffen fehlt ihnen die Kraft. Die neue Form zu füllen, waren sie ausgezeichnet geeignet, ebenso sie, durch den ästhetischen Werth, der der Form durch die sprachliche Füllung eigen wurde, lebenskräftig zu

Go gle

machen. Dass dieser äußere Anstoß von der Tanzweise ausgegangen sein muss, ist bereits gezeigt worden. Brenners Versuch[1]), den Sh-Vers aus dem Nibelungenvers zu erklären, muss ich widersprechen. Beim Nibelungenvers geht die Entwicklung von der Dipodie zur Monopodie, vom gesungenen zum gesprochenen Vers, während der Sh-Vers, mit dem Gesang eng verbunden, die Grundpfeiler des dipodischen Gebäudes, die zwei Haupticten, bewahrt. Das Verhältnis zwischen den drei Taktarten ist dieses:

freigefüllter $^4/_4$-Takt

$^2/_4$-Takt des Nib-Verses $^3/_4$-Takt des Sh

oder: { Sh-Vers
           dipod. Zweitakter
           (epischer) Nib-Vers

Dass viele einzelne Kurzverse im Nibelungenepos dipodisch sind, macht dabei gar nichts aus. Zu den Formprincipien gehört im Epos die Regelung des Nachdrucksverhältnisses der Hebungen nicht mehr; und da das Wesen des monopodischen Verses eben in dieser Nichtregelung besteht, so reiht sich ein dipodischer Vers ohne Anstand als eine der möglichen Formen unter die monopodischen ein.

Es sei hier eine Bemerkung angefügt, die das Wesen des Sh-Rhythmus völlig klar machen wird. Auch im monopodischen Vers können sich ungradtheilige Formen einstellen: Triolenbildungen, die aber den Versrahmen so wenig stören, dass beim Vortrag eines Gedichts das Taktgeschlecht für einen einzelnen Takt gewechselt werden kann, ohne dass das Unbehagen erregte. Als Beispiel:

die Augen täten ihm sin-ken,   trank nie einen Tropfen mehr.

Dieser Triolenrhythmus, der häufig in der vom guten Takttheil her alterierten Form auftritt (Walzerrhythmus), hat mit dem Sh-Rhythmus gar keine Verwandtschaft. Wir können das recht deutlich erkennen, wenn wir die folgenden zwei silbenreichen Verse mit einander vergleichen[3]):

[1]) Festschrift für Weinhold 1896.
[2]) Vgl. S. 23, Anm. 2.
[3]) Wir vergleichen natürlich nur das Versinnere, nicht die Auftakte und Cadenzen.

o du liabi susl, gê gib mir a bussl $..|\overset{'}{\times}\times\ \overset{.}{\times}\times\ \overset{.}{\times}\times|....^{1)}$
bedienet euch immer des raumes $.|\overset{'}{\times}\underset{3}{\times}\times|\overset{.}{\times}\underset{3}{\times}\times|.\ \ .$

Das Versinnere beider Verse hat gleichviel Silben und doch, wie verschieden ist die rhythmische Behandlung! Wir werden später die merkwürdige Beobachtung machen, dass diese zwei Gegensätze doch einander
so nah kommen können, dass sie in einander überfließen[2]).

   Wir gehn nun zur Einzeluntersuchung über und wählen diesen Weg:
die Textstrophe (den Sh-Vierzeiler) stellen wir an die Spitze und untersuchen den Rhythmus ihrer Theile: Taktform, Vers- und Strophenbau. Die
zweite Hälfte der Abhandlung bildet die Untersuchung des gesungenen
Lieds.

---

[1]) Vgl. S. 23, Anm. 2.
[2]) Vgl. den letzten Abschnitt des Capitels 'Dreiheberstrophe'.

I. Theil.

Das Textlied.

I. Abschnitt.

Versrahmen und Versfüllung.

1. Capitel. Die rhythmische Form des Innentakts.

a tirólárösch hüatl,
a pinzgará trácht;
und a kásteiná diandl
is recht ba dá nácht.

Wir beginnen die Untersuchung mit der Beschreibung des rhythmischen Baues der Textstrophe. Zum Ausgangspunkt nehmen wir die einzelne Textzeile, ohne uns vorläufig um ihre Stellung und ihren Werth im Strophen-Zusammenhang zu kümmern.

Man hat sich gewöhnt, das Sh in vier Zeilen aufzuzeichnen. Diese vier Zeilen sind mehr oder weniger fest zusammenhängende Kurzverse.

Beim Vers unterscheiden wir drei Regionen, die formal verschieden behandelt werden: den Auftakt, das Versinnere, die Cadenz.

Mit Auftakt bezeichnen wir die Eingangssenkung, mit Cadenz den Versschluss von der letzten Haupthebung gerechnet; was zwischen beiden liegt, ist das Versinnere.

Die Innentakte des Verses sind vollständige Takte, rhythmisch gleichwerthige Größen; der Auftakt ist stets, die Cadenz meist ein unvollständiger Takt.

sie setzt ihr krüglein neben sich

Dieser Vers hat einen einsilbigen Auftakt, drei gleichgefüllte $^2/_4$-Takte als Versinneres und einsilbige Cadenz.

Der Einzelvers des Sh hat einen Umfang von zwei $^3/_4$-Takten (vgl.
die vorgesetzte Musterstrophe). Lassen wir Auftakt und Cadenz weg, so
bleibt als Versinneres éin $^3/_4$-Takt übrig. Dieser einzige vollständige Takt
des Verses soll uns als Grundlage dienen zur Untersuchung des Schnaderhüpfl-Rhythmus.

Wie passt sich das Sprachmaterial diesem Rahmen ein? Welche
Taktfüllungen lässt der $^3/_4$-Takt des Sh zu?

Die Füllungsgrenzen des Sh-Takts sind die: drei Silben die untere,
sechs Silben die obere Grenze; schwerere Füllungen sind seltene Ausnahme.
Die gewöhnliche Form des Innentakts ist der Dreisilber; er ist also zunächst zu betrachten.

Der dreisilbige Innentakt.

Der musikalische Rhythmus bietet für einen Dreisilber im $^3/_4$-Takt
drei Möglichkeiten, wenn man von vornherein Formen mit Dehnungen
oder Pausen ($|\stackrel{\_}{}\stackrel{\smile}{}|$, $|\stackrel{\times}{}\, 2\stackrel{\smile}{}|$) ausschaltet: 1. den normalen, un-
alterierten Rhythmus $|\,♩♩♩|$, 2. den sog. Walzerrhythmus $|\,♩.\,♪♩|$
und 3. den 'Sarabandenrhythmus'[1]) $|\,♩♩.\,♪|$. Sie kommen alle im
Sh-Takt zur Verwendung. Dem stehn diese Silbengruppen der Sprache
gegenüber: 1. $\stackrel{\_}{}\smile\smile$, 2. $\stackrel{\_}{}\_\_$, 3. $\stackrel{\_}{}\stackrel{\smile}{}\stackrel{\_}{}$, 4. $\stackrel{\_}{}\stackrel{\_}{}\stackrel{\smile}{}$[2]). Alle vier fügen sich
ohne Schwierigkeit dem unalterierten Rhythmus. Dagegen ists offenbar,
dass etwa $\stackrel{\_}{}\stackrel{\smile}{}\stackrel{\_}{}$ dem Sarabandenrhythmus oder $\stackrel{\_}{}\stackrel{\_}{}\stackrel{\smile}{}$ dem Walzerrhythmus
widerstrebt. Trotzdem sind solche Rhythmisierungen nicht selten. Schuld
an solchen Sprachvergewaltigungen hat die rhythmische Steifheit der
Melodie. Um die thatsächlichen Verhältnisse richtig darstellen zu können,
müssen wir einen Blick auf das Verhalten von Text und Weise in diesem
Punkt werfen.

---

[1]) Ich hab diesen Namen gewählt, weil die Taktform mit dem punktierten zweiten
Viertel besonders der Sarabande eigenthümlich ist, einem alten spanischen Tanz, der in
der Instrumentalmusik der Barocke eine hervorragende Rolle spielt.

[2]) Aus satztechnischen Gründen mussten für die grammatischen Schemata die gebräuchlichen Länge- und Kürzezeichen verwendet werden; ihre Bedeutung ist diese: $\_$
steht für eine lange, $\smile$ für eine kurze Silbe, $\stackrel{\smile}{}$ für eine syllaba anceps, $\times$ für eine Silbe,
von der nichts ausgesagt werden soll. Wo grammatische und rhythmische Schemata ein-
ander gegenüber gestellt sind, ist dem ersteren ein (gr) = grammatisch, dem letzteren
ein (m) = metrisch vorgestellt worden;

$$\text{(gr) } \stackrel{\_}{}\stackrel{\smile}{}\stackrel{\_}{} > \text{(m) } |\,\stackrel{\times}{}\smile\stackrel{\times}{}\,|$$

will also sagen, dass eine Silbengruppe mit dem durch das erste Schema angedeuteten
grammatischen Nachdrucksverhältnis im gegebenen Fall so rhythmisiert wird, wie es das
andre (metrische) Schema zeigt.

Beim getanzten Sh sind die Erscheinungsformen des Rhythmus leicht von einander zu sondern: der Rhythmus der Tanzbewegung, der Rhythmus der Tonbewegung, der Rhythmus der Sprachbewegung. Das Sh auf der heutigen Entwicklungsstufe hat zwar den Zusammenhang mit dem Tanz verloren, nicht aber den Tanzrhythmus: er ist der einfachste von den dreien und ist deutlich in der Instrumentalbegleitung hörbar ♩ ♪ ♪ ; über ihm bewegen sich Ton- und Sprachrhythmus mit großer Freiheit.

Sprach- und Tonrhythmus sind an sich selbstständig. Treffen sie zusammen, wie beim gesungenen Lied, so müssen sie sich mit einander abfinden. Muss sich der Sprachton unterordnen, so spricht man von 'Verstoß gegen den Sprachton'; zwingt dagegen der Sprachrhythmus den melodischen Rhythmus um, so möcht uns das wenig bemerkenswerth scheinen, denn diesem eignet nicht die absolute Logik der kleinsten Theile. Das Volkslied aber zeigt uns, dass auch die Weise ihr Recht oft gegen den Text zu behaupten vermag.

Ein rhythmischer Widerstreit zwischen Weise und Text kann nicht eintreten, wenn beide mit einander und für einander erfunden sind. Beim Sh aber werden oft viele, formal sehr verschiedene Texte zur gleichen Weise gesungen, und da tritt denn, möcht ich sagen, ein Kampf ein, in dem eines das andre zu meistern sucht.

Man kann unter den Singweisen solche wahrnehmen, die einen ausgeprägten, wenig schmiegsamen Rhythmus haben, andere, die sich dem Text leicht unterordnen; mehr als das: die verschiedenen Regionen derselben Weise können sich verschieden verhalten. Bestimmte Grenzen lassen sich unmöglich ziehn, vielmehr wird das Ohr in jedem einzelnen Fall die Frage neu entscheiden müssen; doch tritt manches ziemlich deutlich hervor.

Weisen oder Takte mit melodischen $^1/_8$-Spaltungen[1]) sind rhythmisch steifer unumbildsamer, als Takte mit drei Tönen Füllung. Vers 1 von A 23 z. B. wird auf den steifen Rhythmus der Weise auf neckische Art schlechterdings zu Schanden gesungen:

A 23

1. Wân i wâ, wô - r - i wolt,

---

[1]) Natürlich bezieht sich das nur auf die ursprüngliche melodische Linie einer Weise, nicht auf die durch Überfülle von Silben hervorgerufenen rhythmischen Aufschwellungen der Takte. Die ursprüngliche melodische Linie von A 15 z. B. ist sicher mit diesem Rhythmus anzusetzen:

‖: ⌣ | ×́×, ⌣ | ×́× ‖ ⌣ | ×́ ⌣⌣⌣ | ×́ ₂ :‖

vgl. A 12, 1 Takt 3, der gesprochen den Walzerrhythmus annehmen würde,
und A 8 Takt 1, A 24 Takt 9, die textlich zum Sarabandenrhythmus neigen.
Steht, wie in diesen Fällen, rhythmischer Reichthum der Weise gegen einfachen Dreisilber des Texts, so nimmt dér die Normalform der drei gleichen
Viertel $|\,'\flat\,\flat\,\flat\,|$ an; es wird ihm seine Freiheit genommen, ihm aber nicht
Gewalt angethan. Hierher gehören auch gewisse rhythmische Bildungen
der musikalischen Cadenz (vorletzter Takt der Strophe)[1], die den Schluss-
eindruck durch Gewichtigkeit der Taktfüllung zu unterstützen suchen:
durch gleichmäßige $^1/_4$-Bewegung (A 3; 7; 8; 9; 10; 16; 17), oder durch
eine, zwei $^1/_8$-Spaltungen, die den Text ebenso zu gleichmäßiger Bewegung
zwingen (A 4; 14).

Nach dieser allgemeinen Bemerkung wollen wir an einer bestimmten
Weise das Verhältnis zwischen Melodie und Text zeigen. A 20 eignet sich
gut dazu, da wir mehrere Texte zu ihr haben.

Die notierte Gestalt darf wohl als melodische Grundform der Weise
genommen werden: sie zeigt keine von außen hinein getragene Aufschwellung. Die melodische Bewegung ist so einförmig, dass Abwechslung
durch den Rhythmus geschaffen wird: daher die Alterierung des Rhythmus
in den zwei Innentakten. Das Naheliegende ist die walzerhafte Alterierung,
ausnahmsweise tritt für sie die sarabandische ein. Der Cäsurtakt[2] mit
unalteriertem Rhythmus ist steif; ihm, der sich nicht ausgesprochen auf
eine Seite neigt, fügt sich der Text leicht. Die dreisilbigen Innentakte
der ersten Strophe mit der Silbengruppierung ‿⌣‿ lassen sich gut auf den
Walzerrhythmus singen, ebenso Str 2_3 *i* | *wea wol a* | *kuˇśze*; das *wol*
ist accentschwach genug, dass die Form ‿⌣⌣ angenommen werden kann.
Die Accentlagerung ‿⌣‿ finden wir einige Male: in Str 5_2, 6_4 drängt
sie die Weise auch wirklich in den Sarabandenrhythmus hinüber, Str 5_4
erreicht mit derselben Accentlagerung nur den indifferenten Rhythmus, —
wohl um das Wort nicht auseinanderzureißen. In Str $10_{2,3}$ aber bleibt der
Walzerrhythmus der Weise Herr über den widerstrebenden Sprachrhythmus
‿⌣⌣. Dass bei Str 6_2 die Mittelsilbe des Innentakts um einen halben
Werth verkürzt wird, | *dl-wei quack* | $|\,\flat.\,\flat\,\flat\,|$ braucht nicht aufzufallen,
da diese Silbe schon in der mundartlichen Prosa oft bis zum Schwachton
dlwǎ herabgedrückt wird.

A 22 steht zu ihren Texten im gleichen Verhältnis. Der zweite Innentakt (T 3) ist steif: rhythmisch nicht alteriert, daher nicht im Conflict mit
der sprachlichen Füllung. Der erste Innentakt hat Walzerrhythmus, mit

---

[1] Die Strophen mit Schlussjodler zieh ich nicht in Betracht, weil da die musikalische
Cadenz nicht auf Textworte gesungen wird.

[2] Cäsurtakt nennen wir den Takt, der die Cadenz eines ungraden Kurzverses und
den Auftakt des nächsten enthält.

der Ersatzmöglichkeit durch Sarabandenrhythmus, der denn auch bei den Silbengruppen $\underline{\cdot}\, \underline{\cdot}\, \smile$ Str $3_{1,\,2}$; $4_{1,\,2}$ eintritt.

Allgemein wird soviel gesagt werden können:

Die rhythmische Grundform des dreisilbigen Takts ist die indifferente $|\overset{\prime}{\times}\times\times|$, sie ist bei jedem Schwereverhältnis der Silben anwendbar; die zwei alterierten Taktformen stellen sich zu den vier Silbengruppen so:

1. $\underline{\cdot}\,\smile\,\smile$ Haupttonsilbe und zwei schwachtonige Senkungssilben. Für den Walzerrhythmus $|\overset{\prime}{\times}\,\smile\overset{\cdot}{\times}|$ gut geeignet ist zweisilbiges Derivatum mit Flexionssilbe: A 20, 4 *zwoa* | *feuchtäne* | *scheitä*; A 27b, 1_2 *oan* | *oanzigö* | *henn*; die gleiche Accentlagerung: SS 915_2 *a* | *pinzgarä* | *trácht*. Gehören die drei Silben nicht zum selben Wort, so drängt Liaison zwischen zweiter und dritter Silbe zum gleichen Ende: SS 654_3 *a* | *greisl- a* | *schneid*; SS 697_3 *wia* | *schênă-r-ass* | *d senden*. Auffallend ist, dass in der Krimml Silbengruppen mit dem *ê* oder *â* = *in* in der Mitte fast regelmäßig $|\overset{\prime}{\times}\overset{\cdot}{\times}\,\smile|$ rhythmisiert werden: A 2, 1_1 *ban* | *wia^{r}št ê dä* | *hochzătstubm*, SS 800_1 *s* | *diandl-ê dä* | *náchbárschâft*.

2. Die Gruppe $\underline{\cdot}\,\underline{\cdot}\,\underline{\cdot}$ mit zwei ziemlich schweren Senkungssilben, deren keine der andern merklich übergeordnet ist, bevorzugt natürlich den indifferenten Rhythmus $|\overset{\prime}{\times}\overset{\cdot}{\times}\overset{\cdot}{\times}|$: SS 938_1 *dö* | *aufrichtöng* | *diandl*; SS 850_2 *fü* | *mí wâ^{r}st vüll* | *z dol* (A 27b, 2_4).

3. Die Hauptmasse für den Walzerrhythmus liefert die Gruppe $\underline{\cdot}\,\smile\underline{\cdot}$. Die starke Nebenhebung beeinträchtigt die schwache Mittelsilbe nicht nur an Schwere, sondern auch an Zeitwerth. Die Fälle dieser Gruppe: SS 733_4 | *eifägrâs* |; SS 747_2 | *bruadăschâft* |; SS 665_1 *hiaz* | *hât ar-oans* | *gsungă¯* (vgl. A 20, 3_3) wehren sich mit Erfolg gegen sarabandische Rhythmisierung; doppelt, wenn zwischen die erste und zweite Silbe eine starke Colongrenze fällt: SS 662_2 *hât* | *gmoant, as is* | *râ^r*. Colongrenze zwischen der zweiten und dritten Silbe kann das Überordnungsverhältnis der dritten Silbe aufheben, indem díe nun zum zugehörigen folgenden Hochton ins Verhältnis tritt.

4. Die Silbengruppe $\underline{\cdot}\,\underline{\cdot}\,\smile$ ist das eigentliche Material für den Sarabandenrhythmus $|\overset{\prime}{\times}\overset{\cdot}{\times}\smile|$. Wird die Gruppe von einem einzigen Wort gebildet, so wird wohl der unalterierte Rhythmus vorgezogen werden, damit die Schlusssilbe des Wortes nicht abgerissen werde: SS 755_2 *und* | *buxbámă¯* | *lădn*; SS 877_3 *a* | *schwá^{r}šzaugăts* | *diandl*; A 19, 2_4 | *uñbrenntă* | *schwânz*. Der alterierte Rhythmus liegt natürlich bei den Silbengruppen, deren letzte Silbe sich proclitisch an den folgenden Hochton anlehnt, besonders nah: SS 893_3 *wân* | *zwoa gea^{r}n ba|nánnă wâ^{r}n* (gr) $\cdot\,|\,\underline{\cdot}\,\underline{\cdot},\smile|\,\prime\ldots>$ (m) $\cdot\,|\,\overset{\prime}{\times}\overset{\cdot}{\times}\cdot,\smile|\,\prime\ldots$; ebenso, wenn Colongrenze nach der zweiten Silbe eintritt: SS 762_3 | *wânst bua, a* | *schneid hâst*, oder Liaison

an derselben Stelle: SS 700₁ | *o'm auf där-* | *älm*; SS 849₃ | *lia'm muasst mi-* | *aufrichtög*; SS 890₂; wenn die Mittelsilbe eine besonders dehnbare Länge ist: SS 853₃ | *heunt wâ ma* | *gâns alloañ*. Es ist klar, dass diese Silbengruppen der walzerhaften Rhythmisierung den größten Widerstand leisten.

Manchmal sieht diese Gruppe so aus, als ob Gruppe 2 ($\overset{\cdot}{-}\smile\overset{\cdot}{-}$) um einen Takttheil verschoben wär: (gr) $\times\overset{\cdot}{-}\smile\overset{\cdot}{-}$ > (m) $|\times\overset{\smile}{\times}\smile|\overset{\cdot}{\times}$ SS 924₁,₂ *dö* | *diandl send* | *kloañ vädrât* || *únd kloañ vä*|*rí'm*. (Vgl. den Cadenztakt des ersten Kurzverses mit dem Innentakt des zweiten!)

Hier ist es am Platz, eine Bemerkung über den Conflict zwischen Vers- und Sprachaccent zu machen, soweit die Gestaltung des dreisilbigen Innentakts davon getroffen wird. 1. Die Accentverschiebung am Strophenschluss[1]) verbietet im vorausgehenden Innentakt den Sarabandenrhythmus: SS 837₃,₄ *wo dö* | *hausliab re*|*giascht* || *mua a* | *frempä wä'š*|*tñ*; SS 906₄. 2. Der Sarabandenrhythmus eignet sich besonders für Füllungen wie | *únd kloañ vä*|*rí'm*, da er die unterdrückte Mittelsilbe nach Möglichkeit hebt.

Der mehrsilbige Innentakt.

Jeder Takttheil des Innentakts ist s p a l t b a r, d. h. statt je einer Silbe können zwei gesetzt werden, oder sprachrhythmisch ausgedrückt: jede schwächste Silbe genügt zur Ausfüllung einer Mora, jede stärkste kann auf den halben Werth (halbe Mora) beschränkt werden. Alle Takttheile sind gleich gut spaltbar, und jede Combination ist erlaubt und wird, um der sprachlichen Füllung gerecht zu werden, angewendet.

Der v i e r s i l b i g e Takt, von allen Mehrsilbern begreiflicher Weise der häufigste, wird rhythmisch gebildet durch Spaltung éines Takttheils, gleichviel welches. Er kann mit seinen drei möglichen Combinationen $|\overset{\smile}{\smile}\smile\times\times|$ $|\overset{\cdot}{\times}\overset{\smile}{\smile}\times|$ $|\overset{\cdot}{\times}\times\overset{\smile}{\smile}|$ sich jeder Gruppierung der Nebenaccente anpassen. Ich bemerke gleich, dass die häufigen Unstimmigkeiten zwischen Vers- und Wort-(Satz-)ton nicht durch Kränkung von Nebentönen in der Senkung hervorgerufen werden, sondern durch Einsetzen einer sprachlich nicht haupttonigen Silbe in die Hebung. Es kann kein Versmaß geschickter gefunden werden, jedem denkbaren Nachdrucksverhältnis zwischen zwei Haupttönen gerecht zu werden, als das Sh-Maß.

Der Sh-Vers ist heut noch ein stets gesungener. Wir müssen deshalb den musikalischen Rhythmus immer vor Augen haben, ja von ihm als Bestimmendem und Gegebenem ausgehn, — jedoch mit Vorsicht.

---

[1]) Vgl. Cap. 2.

Bei allen Fragen, die den Versrahmen angehn, ist der musikalische Rhythmus unter allen Umständen maßgebend; nicht so unbedingt bei den Fragen der Versfüllung. Ich denk dabei an die Erscheinung, die ich oben rhythmische Steifheit der Weise genannt hab. Unter so gearteten Weisen wird dem Text Gewalt angethan, wenn die innere Form von Weise und Text nicht genau übereinstimmt (vgl. A 23). Dazu kommt ein andres: die Ungenauigkeit der Aufzeichnung in den gedruckten Sammlungen.

Es ist allgemein üblich mehrstrophige Volkslieder so aufzuzeichnen, dass die erste Strophe der Weise untergelegt wird, die andern als reine Textstrophen angefügt werden. Bei Versmaßen mit freier Taktfüllung ist es dann meist unmöglich, den rhythmischen Werth der einzelnen Silben genau festzustellen. Ein Mustergegenbeispiel in dieser Beziehung ist Erk-Böhmes Liederhort. Eine andre, viel brauchbarere Aufzeichnungsart ist die, dass álle Strophen der Weise untergelegt werden. Unterscheiden sich die Strophen in der Taktfüllung, so ist der Aufzeichner einigermaßen gezwungen, die rhythmischen Varianten anzugeben. So sind z. B. die Lieder bei Neckheim wiedergegeben. Betrachtet man diese Sammlung näher, so bedarfs für manche arge Accentverstöße noch einer andern Erklärung: der mehrstimmige Satz erhöht die Steifheit der Weisen bedeutend und steigert ihre rhythmische Präpotenz vor dem Text. Es handelt sich eben beim vierstimmigen Kärntnerlied bereits um eine musikalische Kunstform.

Das mehrstimmige Singen wird auch im Salzburgischen geübt, aber da auf das kunstmäßigere mehrstrophige Lied beschränkt (*denn es gibt já nur a Zillátál alloañ* [A 34] und ähnliche). Das Sh aber wird im Großen und Ganzen doch noch einfach und ungekünstelt einstimmig oder mit einfachem Überschlag zur Guitarre gesungen.

Nur diese Vortragsweise, die jeder Künstlichkeit entbehrt, ist für die rhythmische Untersuchung ergiebig. Der Sänger, der sein eigener Begleiter ist, ist keiner Beschränkung unterworfen, die er sich nicht selbst auferlegt. Nur nach solcher Vortragsweise lässt sich entscheiden, was jede Weise an Steifheit mitbringt, und wie weit sich der Text dagegen durchzusetzen vermag.

Ich interpretiere im Folgenden wesentlich die Salzburgischen Sh der Sammlung von Süß nach den Beobachtungen, die ich selbst im Pinzgau, hauptsächlich in Mittersill, in Wald und in der Krimml gemacht hab. Besondern Werth hab ich natürlich auf die genaue Rhythmisierung der im Anhang mitgetheilten Weisen und Texte gelegt.

Unter der Voraussetzung, dass im guten Takttheil die sprachlich stärkste Silbe steht, — steht eine schwächere an dér Stelle, so wird sie im Gesang zum Hauptton gemacht — bietet der Viersilber folgende Füllungsmöglichkeiten:

1. $\_\cup\_\cup$ Wechsel von starktoniger und schwachtoniger Silbe ist die häufigste Form des Viersilbers. Sie lässt zwei Rhythmisierungen zu: $|\times\times\cup|$ und $|\cup\times\times|$. Meist werden solche Takte von zwei gleichen Gruppen $\_\cup$ gebildet, zwischen denen ein Colon angenommen werden kann, dabei die erste Gruppe aus einem zweisilbigen Nomen, die andre aus Hilfszeitwort + Pronomen, Praeposition + Artikel oder Ähnlichem besteht.

> SS 500₁   *aufs | gassl bin i | gángǎ⁻*
> SS 600₂   *drei | fédǎn auf m | huat*
> SS 749₃   *dös | diandl, dös i | hǎ⁻śt bókimm*

Eine der beiden Gruppen muss auf eine Mora zusammengezogen werden. Das Accentverhältnis der Silben wird nicht wesentlich dadurch verschoben; nur die nachdrucksosen Silben werden unterschiedlich behandelt: die eine wird in die äußerste rhythmische Depression, das zweite Achtel des gespaltenen Takttheils, gestellt, während die andre im gewöhnlichen Nebenton steht. Das ist ein Akt der Stilisierung, die die größen Verhältnisse achtet, das Kléine, wo es unauffällig geschehn kann, einem ästhetischen Lustgefühl nachgebend, wider die Wirklichkeit in Ordnungen bringt. Ich möcht diese Arbeit mit der eines Zeichners vergleichen, der eine Pflanze zum Ornament umformt, ins Ornament stilisiert, indem er die charakteristischen Eigenthümlichkeiten ihres Baus widergibt, aber seine Linien doch alle im Widerspruch zum Wirklichen, Zufälligen zu wohlgefälligen Schwüngen bildet. Verse mit so geformtem Innentakt haben noch etwas besonders Interessantes an sich: sie lassen sich auch als Jamben- oder Trochäenverse lesen; ja, aus dem Zusammenhang gerissen, läge diese Messung vielleicht näher als die Sh-mäßige. Die oben angeführten Beispiele würden sich dann so darstellen:

> SS 500₁ $\cup\_\cup\_\cup\_\cup$ > $\times|\times\times\times\times|\times\times$ ₂   (oder ...$|\_\times$)
> SS 600₂ $\cup\_\cup\_\cup\_$ > $\times|\times\times\times\times|$ $\_$ ₂
> SS 749₃ $\cup\_\cup\_\cup\_\cup\_$ > $\times|\times\times\times\times|\times\times\times$

eine Musterkarte von jambischen, dipodischen Vierfüßern! (Hyperkatalektische ließen sich wahrscheinlich finden, sicher herstellen.) Man könnte also beliebig jambische, bei auftaktlosen Versen auch trochäische Dipodien als Sh-Verse rhythmisieren. Wirklich gibt es solche Lieder (Kob 1; 35). Kob 1 etwa zeigt zwölf 16-taktige Strophen mit der Reimstellung x a x a x b x b. Schon der Umstand, dass alle diese Waisen x die gleiche

Cadenzform |‿͜× 3(2)v haben, muss stutzig machen. Aber diese 96 gleichen Verse, alle mit der gleichen Spaltung der ersten Innentakt-Mora vorüberstolpernd, schlagen jeden Zweifel an der Unechtheit der Weise nieder. Übrigens gemahnen Text und Weise auch inhaltlich unangenehm stark an 'Lieder im Volkston'. Ich setz eine Strophe her.

Kob 1, 1

und wáns amál schön ápă is, ×|‿͜×× |‿͜× statt: ×|×××× |×××

áft wern di álmă grün; ×|‿͜××|× ₂ ×|×××× | ´͜ ₂

der goaßá mit n goaßn ziegt, ×|‿͜××|‿͜× u. s. w.

di sendrin mit n kün; ×|‿͜××|× ₂

di wälder wern schöñ grün von láb, ×|‿͜××|‿͜×

di wìsn von dem grás; — ×|‿͜××|× ₂

und wán i án mei sendrin denk, ×|‿͜××|‿͜×

so freuts mi schon fürbáss. ×|‿͜××|× ₂

Kob 35 zeigt trochäische Dipodien als Sh behandelt, was viel weniger schlecht wirkt.

Kob 35, 1

boarisch Zell, dá is a freud, ‿͜|××‿͜ |× ₂ statt: ××|×××× |×

san di gambs leicht zu dáfrágn; ‿͜|××‿͜|× ₂ ××|×××× | ´

u. s. w.

In einigen Fällen kann man die Wahl zwischen den beiden möglichen Rhythmen |‿͜××| und |×××‿͜| treffen: wenn im Bau eines Verses eine gewisse rhythmische Nothwendigkeit liegt (Parallelismus):

SS 614₃ *schênö | buabm, schênö | diandl* ‿͜|×× ᷄ ‿͜|××

vgl. SS 1₃; 459₃; 768₁.

Bestimmend kann auch die Colongrenze wirken, wenn sie zwischen die zwei letzten Silben des Taktes fällt. Setzt man nämlich die Spaltung in die letzte Mora, so neigen die zwei Achtel, dem zeitlichen Abstand von ihrer Umgebung entsprechend, dazu, sich vom Vorausgehenden abzutrennen und lehnen sich an den folgenden Starkton an |×× ‿͜|×. Solche Viersilber werden daher stets |‿͜××| rhythmisiert: SS 36₁ *en | Züllátál und |* *Pinzga.* Vgl. SS 602₁. Ebenso wird durch die Spaltung in der Hebung das Auseinanderreißen eines Wortes vermieden, wenn der Viersilber durch ein einziges ausgefüllt ist:

SS 660₁ *en | Zilláschtálá | Zell* |‿͜××| vgl. SS 769₁.

3*

Vielleicht darf man auch in Fällen, wie:

$$SS\ 160_1 \quad en\ |\ summ\check{a}\text{-}r\text{-}auf\ d\check{a}\ |\ h\hat{o}ch\acute{a}lm$$
$$SS\ 160_2 \quad en\ |\ h\hat{o}r\ddot{o}st\ auf\ d\check{a}\text{-}r\text{-}\ |\ \ddot{o}ts$$

der Liaison die Kraft zutraun, die Spaltung zu beeinflussen:

$$SS\ 160_1 \quad \times|\acute{\smile}\smile\times\times|\acute{\times}\times \qquad\qquad SS\ 160_2 \quad \times|\acute{\times}\times\smile\smile|\acute{\times}$$

2. $\acute{}\smile\smile\acute{}$ Zwei nachdruckstärkere und zwei nachdruckschwächere Silben in umschließender Lagerung. Die Fälle dieser Silbengruppierung, die ich fand, haben alle die Colongrenze in der Mitte, zwischen den zwei tonarmen Silben, so dass die ihren Stärkemaßstab nicht aneinander, sondern an den benachbarten tonreicheren Silben haben. Es sind daher die rhythmischen Formen anwendbar, die die erste und letzte Silbe des Takts accentuell stützen: $|\acute{\times}\smile\smile\acute{\times}|$ und $|\acute{\smile}\smile\times\times|$.

$$SS\ 586_3 \quad |\ weil\ s\ddot{o}\ d\ddot{o}\ kloa\tilde{n}\ |\ keln\check{a}ren\ |\acute{\times}\smile\smile\times|\ \text{oder}\ |\acute{\smile}\smile\times\times|$$
$$\text{vgl. A 3, 1}_3.$$

Bei $SS\ 13_1 \quad en\ |\ summ\check{a}r\ en\ grean\ |\ w\acute{a}ld$

wird wegen der Liaison $|\acute{\smile}\smile\times\times|$ vorzuziehn sein.

3. $|\acute{}\dot{}\acute{}\smile\smile$ Die dritte Combination mit zwei tonarmen Silben. Hierher möcht ich einige Takte stellen, a) deren zweite Hälfte aus ganz abgeschwächtem Praeposition + Artikel besteht:

$$SS\ 414_3 \quad |\ w\check{a}m\text{-}ma\ v\check{o}^-\ d\check{a}r\ |\ \check{a}rb\check{a}t\ s\check{a}gt\ \qquad |\acute{\times}\times\smile|$$
$$SS\ 997_2 \quad |\ g\hat{e}i\ i\ z\check{a}\ d\check{a}r\ |\ eisnb\hat{a}n\ \qquad\qquad |\acute{\times}\times\smile|$$

oder b) die eine Colongrenze vor der letzten Silbe haben $\acute{}\dot{}\acute{}\smile,\smile$:

$$SS\ 913_1 \quad d\ddot{o}\ |\ Gold\ddot{o}gg\check{a}\ b\check{a}n\ |\ t\check{a}nzn\ \qquad |\acute{\times}\smile\times|$$
$$SS\ 348_2 \quad is\ d\ddot{o}|\ m\check{e}lsuppm\ en\ |schwung\ \qquad |\acute{\times}\smile\times|\ \text{vgl. SS 386}_3.$$

Die übrigen Füllungsmöglichkeiten — drei schwere und eine leichte Silbe in verschiedener Gruppierung — sind metrisch eindeutig: sprachlich und metrisch beschwerte Silben fallen zusammen.

4. (gr) $\acute{}\dot{}\acute{}\smile > $ (m) $|\acute{\times}\times\smile|$

$SS\ 731_3 \qquad und\ |\ heunt\ via\check{}\check{s}z\ddot{o}chn\ |\ taog \quad \text{vgl. SS 265}_1\text{; 330}_4\text{; 354}_{2,\ 3}$

$A\ 24_2 = 26_2 \quad g\hat{a}t\ |\ \hat{a}\ gean\ \hat{e}\ d\check{a}\ |\ d\ddot{u}nkhl \quad \text{vgl. A 15, 1}_3\text{; 15, 2}_{1,\ 2,\ 3}\text{; 21}_1.$

5. (gr) $\acute{}\smile\acute{}\acute{} < $ (m) $|\acute{\smile}\smile\times\times|$ Hierher gehören viersilbige Innentakte von Versen mit Tonverschiebung in der Cadenz:

A 13, 1$_2$ *tuat ma | ălĕwei fü͡r|lüap*
SS 969$_4$ *drum | schlâfts ă só ró|gl'.*

$\_\,\smile\_\smile\_\_ < \_\smile\_\_\_$ muss nothwendig zu $|\smile\smile\times\times|\times$ werden.

6. (gr) $__\smile_ > $ (m) $|\times\smile\smile\times|$

SS 884$_1$ *um | d schên hăn i nia | betn*
SS 7$_3$ *und | wănst kloañvăărât | lüagn wülst*
        vgl. SS 41$_1$; 42$_1$; 694$_1$; 790$_3$; A 12, 1$_1$; 22, 5$_3$.

Die größere Zahl der Viersilber hat die Fähigkeit, sich auf drei Silben zu reducieren. Diese wurden als gewissermaßen 'unechte' Viersilber in den Beispielen bisher nicht angezogen.

Voraussetzung für die Silbenreduction ist der ausgedehnte mundartliche Vokalschwund in den Nebensilben.

Wir müssen zwei Arten des Silbenverlusts unterscheiden: a) den Silbenverlust innerhalb éines Wortes[1]. Er tritt an jeder Stelle des Takts ein:

in der 1. Mora	SS 638$_3$	*a	stu^{b}m vollă	kindă* $|\times\times\times|$
	SS 818$_3$	*guat	liap is schö̃	dennă*
	SS 854$_4$	*	schă^{d}n tăt s eam	nit*
in der 2. Mora	SS 692$_1$	*	den bua^{b}m den	mecht i nia*
	SS 663$_4$	*	ʒuagschlăp hămts	gscheit*
	SS 755$_4$	*an	tănʒbo^{d}n an	ră^{r}n*
in der 3. Mora	SS 654$_1$	*	frischö bua^{b}m	send ma*
	SS 814$_3$	*dră-i-n	măntl göp s	wettă;*

b) den Verlust einer Endsilbe an das folgende Wort. Der silbische Consonant lehnt sich an den vokalischen Anlaut des nächsten Worts und verliert dabei seine Silbigkeit:

SS 519$_3$ *en | himml-auf dă | wölt* $|\times\times\times|$
SS 824$_1$ *vül | roatn-und stu|dian*
SS 984$_4$ *send ʒ vül | lumpm-auf dă | wölt,*

oder er verschwindet im folgenden consonantischem Anlaut durch Assimilierung:

---

[1] Der Silbenverlust innerhalb éines Wortes ist bei Besprechung des einsilbigen Strophenschlusses eingehend behandelt; vgl. Cap. 2.

A 22,3 *reiß-ma, schlǎg-ma, mǎch-ma* < *reißn ma, schlǎgγ ma, mǎchγ ma*
                                                              vgl. SS 564₄.

Endsilben müssen nicht nothwendig mit dem Vokal auch ihre Silbigkeit einbüßen. Sie bewahren sie stets, wenn es der Vers verlangt, wenn also z. B. ein Takt durch den Silbenverlust zweisilbig würde:

SS 618₄   *dö | mêa buabm | hǎmbt* ×|×̣××|×̣×

* *und | mei diandl-is | saubǎ* aber SS 321₁: *und s | diandl is | saubǎ*
   |×̣ ×̃ × | |×̣ × × |

                                                        vgl. SS 320₄; 352₂.

Sowohl die vollsilbigen Wortformen, als die Rumpfformen sind in der Mundart gebräuchlich. Die Takte mit Reductionsfähigkeit können daher und wérden viersilbig óder dreisilbig gesungen. Die dreisilbige Messung ist weitaus häufiger. Von den Texten des Anhangs messen 10 dreisilbig: A 3, 2₃; 10, 1₃; 16, 2₃; 19, 4₃; 20, 3₃; 20, 10₄; 22, 3₁, ₂, ₃, ₄, dagegen nur einer viersilbig: A 13, 1₁. Die Weise hat wohl einen gewissen Einfluss darauf, indem eine ¹/₈-Spaltung in der Melodie die ¹/₈-Spaltung im Text, also die viersilbige Form, begünstigt:

A 13, 1

und mei dian - dl is   a   lua - dǎ

daneben finden wir aber Fälle wie:

Nh 13, 3

a—— schwǎlm mǎcht kan   sum - mǎ   vgl. A 10, 1₃

dasselbe in der Cadenz: A 2, 1₂.

Fünf- und sechssilbige Takte sind weniger häufig. Der Fünfsilber hat drei Erscheinungsformen:

|×̣ ×̃×̃| SS 202₃ | *kriagγ mar ǎbǎ | gao nia koan;*

|×̃ ×̣×̃| SS 770₁ | *d sendǎren auf dǎr | ǎlm*   vgl. A 11, 2₂;

|×̃×̃ ×̣| (für diese Form fand ich kein Beispiel).

Der Sechssilber hat nur éine Gestalt: Auflösung aller Takttheile |×̃×̃×̃

|×̃×̃×̃| A 15, 2₄ *woaß dǎ | deixl, wo nit übǎr|ǎl*

Das eigentliche Feld für die Fünf- und Sechssilber sind die Spaltverse, besonders die der Spaltversstrophen[1]. Hier nur der Vollständigkeit
halber einige Beispiele:

SS 609₃ *und a | spinnrâdl, und a | böttstattl*

SS 135₁ *a bissl | siggârösch, a bissl | saggârösch*

Die schwergefüllten Takte bieten auch günstige Gelegenheit zu rhythmischen
Spielereien:

Nh 3, 1₂ *wia dä | vigl vogl scheañ | singt in wâld*
var: Ll 7, 1; PH 1196; H 608.

Nh 124₁ *a | só, a só, a só a | diandle*
var: PH 58; 135; H 237; GKVl II 19, 1b.

Derlei kann ich aus dem Salzburgischen nicht belegen.

Silbenreduction kann natürlich bei Fünf- und Sechssilbern ebenso wie
bei den Viersilbern eintreten, jene können durch mehrere Reductionen zu
Dreisilbern zusammenschrumpfen. Ihre Rhythmisierung ist ebenso mehrdeutig, wie die der reductionsfähigen Viersilber.

A 24₁ = 26₁ *und | s diandl en reitä|winkhl*

SS 73₃ *| d nâsn âschneidn, | d augn auskrailn*
vgl. SS 250₂; 755₃.

Nh 72, 3₁ *auf der Zi|gulln obm hâb i | meine wälder* ...

Die Möglichkeit, dass einzelne Takttheile schwerer gefüllt werden als
mit zwei Silben, ist vorhanden, doch wird sie selten praktisch angewendet;
etwa um die Rhythmen einer Weise genau nachzubilden:

Ll 18, 1

af dä Zi-gulln, dä hâw-i s mei-ne fel-der

Das Lied wird unter einer andern Weise mit normaler Rhythmisierung
gesungen (Nh 72, 3). Solche Fälle sind ganz vereinzelt.

PH 1807₄ *wâm-mr-a | weani a tudl wern | hâm* neben:

Nh 138u *wâm-mr-a | wêni a weible | hâm*

[1] Vgl. die Tabelle im Abschnitt über die Spaltversstrophen.

Endlich ein Siebensilber:

A 28, 3₁   *bei der | erštn hüttn hámǎ-r-uns | niadǎgsessn*

⌣⌣|⌣⌣⌣⌣²|⌣⌣⌣   neben:

Nh 197, 2₁
GKS I 38, 3₁   *bei der | erštn hüttn bin-i-s / sein mirs | niadǎgsessn.*

⌣⌣|⌣⌣⌣ ⌣⌣ |⌣⌣⌣

Silbenarme Takte.

Im Eingang ist gesagt worden, dass der Innentakt des Sh als leichteste Füllung drei Silben enthalten müsse. Diese Behauptung zu erhärten, müssen wir die silbenarmen Takte von einer andern Seite betrachten als am Anfang dieses Capitels.

Neben andern Merkmalen ist der Mangel an zweisilbigen Takten ein charakteristischer Unterschied des Sh-Rhythmus von jenem andern im Volkslied, Kunstlied und litterarischen Gedicht gebräuchlichen ungrad-theiligen Rhythmus, wie ihn z. B. der deutsche Hexameter besitzt, dessen Formel am einfachsten so wiederzugeben ist: $^2/_4 = {}^3/_4$ [1]).

Das Sh hat den ihm eigenen Rhythmus vom Tanz übernommen. Die Tanzbewegung des Ländlers ist schwerfällig, legt auf jeden Takttheil starken Nachdruck. Kein Wunder, dass die Lieder, die nach ihr geformt sind, die gleiche Eigenschaft haben. Jeder Takttheil soll durch wenigstens éine Silbe wiedergegeben sein: das gibt auch dem Versmaß Schwere. Zweisilbige Takte sind für diesen Rhythmus zu leichtfließend.

Wie verhält sich das Sprachmaterial zur Forderung des dreisilbigen Takts?

Gewiss ist die bayrische Mundart besonders dazu angethan, dem schwerfließenden Rhythmus des Ländlers geeignetes Silbenmaterial zu liefern. Der weitgehende Verlust tonarmer Silben, Nebensilben wie Wurzel-silben, bewirkt ein Überwiegen schwerer Silben. Einem mundartlichen

SS 207   *bergâ bin i gángǎ⁻,*   ×| × × × |× ×
          bergǎñ bin i grennt;   ×| × × × |× ?

entspräch etwa hochdeutsch

          * bergab bin ich gegangen,   ×|×××̇×|×́× ?
            bergan bin ich gerannt.   ×|××××|×́ ? ?

_____
¹) Vgl. Einleitung S. 25.

Mit größter Leichtigkeit, Selbstverständlichkeit sind denn auch die un-
zähligen Dreisilber des Sh gebildet. Doch bietet die Mundart gewiss auch
die Möglichkeit, Hebung und Senkung Silbe um Silbe wechseln zu lassen.
In denselben Landschaften, wo das Sh prächtig gedeiht, sind ja Lieder im
graden Takt mit meist einsilbiger Senkung keineswegs unbekannt, Lieder
im allverbreiteten Volksliedmaß mit dem beliebigen Wechsel von zwei- und
dreisilbigen Takten. Warum sollte sich da dem Erfinder eines Sh nicht
je einmal unwillkürlich ein Takt zweisilbig bilden? Ich glaub in meinem
Material solche Fälle in der That zu sehn, und zeigen zu können, wie
immer wieder solche Taktbildung, sei es durch Einschieben einer Ver-
legenheitssilbe, sei es durch Vergewaltigung des Wort- oder Satzaccents,
vermieden wird.

1. Der zweisilbige Takt wird durch Füllsilbe auf drei Silben gebracht.

SS 907₁   *wân dă | môn schên aus|scheint*

vgl. PH 381₁   *wenn dă | Monad schên | scheint*

SS 202₄   *| gem-ma la | hoam*

SS 683₄   *dea ma s | außă dă|tuat*

Nh 48, 3₂   *| sô schean jâ | bin i â*   var: Ll 13a, 3₂

SS 270₃   *bâl | greint dö âlt | muattă*

SS 697₁   *auf dăr | âlmă geits | kâlmă*

$$\text{vgl. SS } \frac{313}{387}_1 \quad \textit{auf dăr } | \textit{ âlm is } \begin{array}{l} \textit{guat} \\ \textit{koañ} \end{array} \begin{array}{|l} \textit{hâlsn} \\ \textit{bleibm} \end{array}$$

SS 904₄   *dâs | wissăt i | gwiss.*

Der Gedanke fordert an dieser Stelle nicht den conj. praet., sondern den ind. praes.:
wenn du so schön wärst, als du weißfüßig bist, dann hättst du auch schon lang geheirathet;
— das weiß ich gewiss. Dass der Sänger grad hier andre, glattere Auswege gehabt
hätte, ist offenbar; etwa: *| dâs woaß i | gwiss*, oder: *und | dâs woaß i | gwiss*; sein Un-
geschick macht den Fall metrisch werthvoll.

Weniger deutlich sind die Fälle, wo die Füllsilbe durch ein folgendes
r gestützt ist, wie denn *r* mit seinem starken Vocalgehalt besonders
befähigt ist, Silbenvocale festzuhalten, ja neu zu bilden.

SS 437₃   *sö hâmt | sauărö | bussl*

SS 627₃   *und dös | übărög | schmeichln*

SS 699₄   *sein | extăras | loch.*

Einige Diminutive sind zu erwähnen, deren Fehlen die Taktfüllung
schwer stören würde:

SS 37₁ = 54₁ = 295₁   *a | schnêel haots | gschnibm*

SS 455₄   *kunnst a | kûal â | hâm*   vgl. SS 437₄; 257₄.

Mit der auffälligen Schreibung *g'we'en*

SS 190$_{1, 2}$ | *lustög is* | *gwêen,*
wiast | *gwêen bist* | *mein;*

wollte Süß zweifellos andeuten, dass die sonst einsilbige Form *gwên* hier zweisilbig einzusetzen sei, da er sonst für die einsilbige *g'ween* schreibt (vgl. SS 365$_3$; 349$_1$). Die mundartlich gewöhnliche Gestalt der zweisilbigen Form ist natürlich *gwêsn, gwêisn* (vgl. SS 663$_3$).

Sehr lehrreich in diesem Zusammenhang ist die Behandlung mancher Worte, deren Umfang schon in der gewöhnlichen Prosa schwankend ist: in silbenarmen Takten werden stets die volleren Formen verwendet, in silbenreicheren meist die zusammengeschrumpften.

SS 621$_3$ *weil s* | *ållömål* | *woant*   aber: SS 311$_2$ *åbå* | *d jågår ål|mål*

SS 477$_3$ *wåns* | *ållömål* | *khråtåt*   SS 925$_3$ *weil s mi* | *ålmål vå|droißt*
SS 773$_4$ *gêt* | *ållöweil* | *zruck*   SS 636$_2$ *fliagnt* | *ålweil hê|chå*
SS 301$_4$ *dea* | *fårt ållö|wei*   SS 639$_4$ *na kåd* | *ålweil ěn* | *gelt*
          vgl. SS 390$_3$; 884$_4$; 899$_4$.   vgl. 336$_2$; 549$_4$; 603$_2$;
                                                                                  790$_3$; 793$_4$; 802$_2$.

In SS 807$_4$ *liabt* | *ålweil a* | *zwên* ist die nothwendige Füllsilbe außerhalb des fraglichen Wortes gefunden, daher dessen kürzere Form als hinreichend empfunden.

daustn : daust (draußen) SS 352$_2$; 430$_1$:   469$_2$; 562$_3$; 344$_1$
åftn : åft (dann) SS 480$_4$:   519$_2$ u. s. w.
ålwögṇ : ålwöṇ (allerwege) SS 10$_4$; 298$_4$:   566$_1$; 611$_1$; 675$_1$; 887$_1$
buabmǎ⁻ (Buben) SS 188$_3$; 259$_1$; 388$_3$; 468$_1$; 719$_3$; 810$_2$; 867$_3$; 869$_2$
SS 782$_1$ *hoch* | *o^bmåt en* | *moaß* aber 733$_1$ *do^rst* | *o^bm auf då* | *hech*
saggårösch : sagrösch SS 427$_3$; 641$_3$; 900$_2$:   A 31, 1$_2$
ålle : ål SS 550$_4$:   573$_3$
gams : $\frac{gamsei}{gamsl}$ SS 53$_1$; 181$_1$; 233$_1$:   79$_1$; 440$_1$.

Die Reihe könnte beliebig fortgesetzt werden.

Mundartliche Silbenreduction tritt nie ein, wenn ein Takt dadurch zweisilbig würde.

SS 320$_4$ *låcht ma* | *s hea^rzl en* | *leib*   vgl. SS 561$_2$; 581$_2$
SS 618$_4$ *dö* | *mêa buabm* | *håmbt*

werden niemals so gesungen .. $\left|\begin{smallmatrix} \prime \\ \times \end{smallmatrix} \times \middle| \begin{smallmatrix} \prime \\ - \end{smallmatrix} \times\right|$, sondern stets vollsilbig .. $|\overset{\prime}{\times} \times \times | \overset{\prime}{\times}$ (vgl. S. 38).

2. Der dreisilbige Innentakt wird durch Missachtung des Sprachaccents erzwungen.

a) Am Taktende wird die sprachlich stärker betonte Silbe vor der schwächern gedrückt:

SS 443₁	i | $bin\ a\ fleisch|hácká$	(gr) . . . $\acute{-}\ \grave{-}\smile$	
		(m) $\acute{\times}|\times\times\times|\times\times$	
SS 59₃	$hán\ s$ | $diandl\ lia^bm$ | $gleant$	(gr) . . . $''\ \acute{\prime}$	vgl. SS
		(m) $\acute{\times}|\times\times\times|\times$	231₂,₄; 305₄
SS 255₄	a | $brándweinhüt|tl'$	(gr) . . . $\acute{-}\ \smile$	
		(m) $\acute{\times}|\times\times\times|\times$	
SS 666₂	dea | $schár nschleif|fá$	(gr) . . . $\acute{-}\ \smile$	
		(m) $\acute{\times}|\times\times\times|\times$	

b) Umgekehrt wird am Taktanfang der Schwachton über den folgenden Starkton gehoben:

SS 43₂   \| $únd\ kunnát$ \| $fliap$ $|\times\times\times|\times$

SS 473₂,₄   \| $únd\ \frac{spinnt}{singt}\ und$ \| $\frac{spinnt}{singt}$ ebenso.

Wie wir sehn, hat das Sh mit den andern Volksdichtungsgattungen die grobe Sprachtechnik, die rücksichtslose Sprachbehandlung gemein. In éiner Erscheinung: der Tonverschiebung im Strophenschluss aber geht es noch weiter. Die hier angeführten Verse SS 255₄ und 666₂ geben davon einen Begriff. In diesem Zusammenhang handelt es sich uns nur darum, die Rückwirkung dieser Erscheinung auf den vorangehenden Innentakt festzustellen.

Wenn früher über die Senkungssilben innerhalb des Taktes gesagt wurde, dass der Rhythmus des Textes und der Weise oft einen Kampf mit wechselndem Erfolg führen, so ändert sich das Bild, sobald der Streit die Taktgrenzen überschreitet, völlig zu ungunsten der sprachlichen Füllung, — und das mit Nothwendigkeit; denn wollte sich der rhythmische Ráhmen je Forderungen unterordnen, die außer ihm liegen, so wär das seine Auflösung:

A 1₃,₄ $und\ áft\ tean\ mar\ a\ lustögös$ $\smile|\times\times\times|\times\times\times|$
      $liadl\ singá^-.$ $|\times\ \times|\times\ \times|$ (!)

Bei einem Tanzlied ist derlei nun gar ausgeschlossen.

2. Capitel. Cadenz und Auftakt.

Der einsilbige Strophenschluss.

Beim vierzeiligen Gsangl lassen sich zwei Formen ziemlich deutlich unterscheiden, die Langzeilenstrophe und die Kurzversstrophe. Die Grenze ist fließend, doch lösen sich aus dem Grenzgebiet auf beide Seiten Formen ab, die man unbedenklich für die eine und die andre Gattung in Anspruch nehmen kann. Den Versuch der Scheidung will ich an andrer Stelle unternehmen. Für die folgende Betrachtung genügt die Aufstellung der typischen Gestalt der Langzeilenstrophe. Die ist:

$$\cdot\cdot\,|\,\overset{\prime}{\times}\times\times\,|\,\overset{\prime}{\times}\,\|\,\times\times\,|\,\overset{\prime}{\times}\times\times\,|\,\overset{\prime}{-}\quad a$$
$$\cdot\cdot\,|\,\overset{\prime}{\times}\times\times\,|\,\overset{\prime}{\times}\times\times\,\|\,\overset{\prime}{\times}\times\times\,|\,\overset{\prime}{-}\quad a$$

nañ náñ und nañ náñ, ‖ *und dös díng kán nit sán,*
und dea búa, dea nit déngln kán, ‖ *déa kán nit mán.*

Zwei viertaktige Langzeilen; die Langzeile: Auftakt beliebig, drei $^3/_4$-Takte mit beliebiger Cäsur im zweiten Takt, Cadenz einsilbig voll mit Reimbindung.

Bei dieser Strophenform geht das Streben deutlich dahin, die ungraden und die graden Kurzvers-Cadenzen gegen einander zu differencieren, so zwar, dass innerhalb der Langzeile kein Aufhalten sei, die Cäsurcadenz mit dem Cäsurauftakt sich zu einem fließenden Ganzen zusammenschließe; die Langzeilen-Cadenz aber einen deutlichen Einschnitt (1. Lz) und einen befriedigenden Abschluss (2. Lz) bilde.

Als befriedigende Schlussform wird beim Sh nur die einsilbig volle Cadenz empfunden.

Die Langzeilenschlüsse sind gleichzeitig Reimstellen: x a x a. Da die deutsche Sprache einen großen Reichthum an einsilbigen Reimen hat, geht die Schlussbildung im Ganzen glatt vor sich. Doch ist die Zahl der Fälle, bei denen sich Schwierigkeiten ergeben nicht klein; da muss denn der einsilbige Schluss erzwungen werden.

Die bairische Mundart hat ja viel mehr einsilbige Reime als die Gemeinsprache infolge des ausgedehnten Vocalverlusts in den Endsilben. Vocallosigkeit einer Silbe hat aber nicht immer den Verlust der Silbigkeit zur Folge. Drei Fälle müssen wir unterscheiden: solche, wo mit dem Vocal die Silbe nothwendig verloren geht; solche, wo in der Mundart die silbenreiche und die silbenarme Wortform beide gebräuchlich sind; solche, wo trótz des Vocalverlusts die Silbigkeit nicht gefährdet ist. Wie sich diese drei Möglichkeiten zur Forderung des einsilbigen Strophenschlusses verhalten, wollen wir im Einzelnen untersuchen.

1. **Einfache Apokope des Endsilbenvocals** bewirkt ohne weiters Silbenverlust und beseitigt die schädliche nebentonige Silbe am Strophenschluss:

SS 219₂ *wia | wüldǎ send | d öst* (Äste)   vgl. SS 171₂, ₄; 253₄; 358₄
  ₄ *is dǎ | schnâbl dös | böst* (beste)   449₂; 490₂; 498₄; 514₂;
SS 494₂ *i | khâlt krâd dös | mein* (meine)   520₄; 521₄; 558₂; u. s. w.
SS 458₄ *| dâᵘ i nit | mecht* (möchte)   SS 506₄ *daᵘ i | âl viarö | kriag,*

ebenso Synkope vor tonlosem Consonanten:

SS 563₂ *| diandl du | kloans* (kleines)
  ₄ *| haus hâm-mǎ | koans* (keines).

Synkope zwischen gleichen Verschlusslauten oder Nasalen:

SS 222₄; 587₄ *kost* (kostet)   SS 962₂, ₄ *woan : oan* (weinen : einen)
SS 498₂ *düašt* (dürstet)   SS 154₄ *koan* (keinen)   ebenso 490₄
SS 500₂ *vǎspott* (verspottet).

Synkope nach vocalischem Stammauslaut:

SS 509₄ *| is wol nix | neus* (neues)   ebenso SS 228₂, ₄.

2. **Synkope zwischen articulationsverwandten Medien und Nasalen.**

Der phonetische Vorgang, der zum Silbenverlust führt, ist dieser: nach Synkopierung des Endsilben-*e* bleibt die Consonanz Media + Nasal übrig, so zwar, dass bei Festhalten des Mundverschlusses der Laut durch Öffnen des Nasenwegverschlusses articuliert wird. Schließlich geht der Nasenwegverschluss verloren und mit ihm die Muta; es wird reiner Nasal gesprochen. In der Mundart stehn beide Articulationsarten nebeneinander: bair. *blibm* oder *blim* (geblieben). *blibm* ist stets zweisilbig, *blim* jedoch in der Umgangssprache zweideutig: der Nasal kann in Erinnerung an die eingeschrumpfte Silbe Silbengehalt bewahren oder aber ihn einbüßen. Im Strophenschluss des Sh ist diese letztere Articulationsart die einzig herrschende. Man kann das gut an den Reimklängen verfolgen:

SS 582 *Berghâm : dǎfrâp*   SS 253 *stiap : diaʳn*
SS 358 *schriᵇm : kimm* (komme)   *âlm : schwâlᵇm*
SS 513 *vǎfroaʳn : woaʳᵈn*   SS 545 *weaʳᵈn : keaʳn.*

a) Die gutturale Media schwindet und treibt die dentale Nasalis **zur** Gutturalen: *-gen > -gŋ > -ŋ*

> SS 671₂   *und i | solts nă frisch | wåŋ* (wagen)
> ₄ *en an | tüachl hoam | tråŋ* (tragen)
> SS 546₂ *dar | oañ spült dö | geiŋ* (geigen)
> SS 43; 70₄; 76; 81₂; 91₂; 107₂; 128₂; 133₂; 148₄; 253₂; 274₂ u. s. w.

b) Die labiale Media schwindet und hinterlässt labialen Klang bei der Nasalis: *-ben > -bm > -m*

> SS 230₂   *| lâ i meiñ | lem* (leben)
> ₄ *koa˜ | heuratguăt | gem* (geben)
> SS 81₄; 83; 86; 99; 107₄; 110; 128₄; 133₄; 148₂; 181; 233 u. s. w.

c) Schwund der dentalen Media: *-den > -dn > -n*

> SS 288₂ *is wol | neamd gao vül | z nein* (neiden)
> ₄ *mua a s | sölbă dă|lein* (leiden)
> SS 91₄; 481₂; 513₄; 545₂ u. s. w.

Der Effect ist derselbe bei den Worten, die Liquida im Stammauslaut haben, nur lässt hier der Stammauslautconsonant seine Spur nicht am Nasal zurück, wie bei *b* und *g*, oder schwindet ganz, wie *d*: sondern er alteriert den Stammsilbenvocal durch seinen vocalischen Gehalt und erzeugt so einen Diphthong:

> SS 218₂   *| kåm-ma nit | rüan* (rühren)
> 513₂ *is | s fenstăl vă-|froan* (verfroren) SS 294₄
> 309₂ *is | Rêsei auf|gmâjn* (gemalen)
> ₄ *håt ma | nit a sô | gfåjn* (gefallen)
> SS 105; 165₄; 187; 199; 486; 523 u. s. w.

In diesem Fall existiert auch in der Umgangssprache der Mundart wohl nur die einsilbige Form.

Die Vereinigung beider Schwunderscheinungen: Absorbierung der Liquida durch den vorausgehenden Vocal und der dentalen Media durch die verwandte Nasalis zeigt

> SS 513₄ *woan* (worden)   SS 103₂; 109₄ *wean* (*werden*).

In den gedruckten Sammlungen wird gar nicht der Versuch gemacht, die phonetischen Verhältnisse richtig wiederzugeben. Man beschränkt sich darauf, für das ausgefallene Endsilben-*e* ein Apostroph zu setzen und über- lässt es dem Leser — falsch zu sprechen. Je einmal findet sich eine gute Schreibung, einmal bei Süß *schnei'n* (schneiden); der Möschl Ruop in der Krimml gibt in seinem handschriftlichen Liederbüchel den gehörten Laut richtig wieder, wenn er *steing* für *steiŋ* (steigen), *sang* für *sáŋ* (sagen) schreibt. Diese Schreibung findet sich auch bei Süß einige Male. Es sind hauptsächlich Zeitwörter, die hierher gehören. Die Construction mit Hilfszeitwörtern und die in der Mundart so beliebte Umschreibung mit *tuon* schiebt Infinitiv und Partic. Praet. der abhängigen Verba an das Ende der syntaktischen Periode die mit dem Langzeilenende zusammenfällt.

Bei jenen Zeitwörtern deren Stammauslautconsonanz eine Tenuis, Spirans oder Affricata, also eine eigentliche Muta ist, geht der Gaumensegelverschluss auch in der Mundart nie verloren, die Endsilbe bleibt also auch nach Verlust ihres Vocals Silbe.

Dass die Sh-Sänger auch diese Wortformen in die Strophencadenz éinsilbig einzustellen vermögen, scheint mir ein sicherer Beweis dafür, dass die Forderung des einsilbigen Strophenschlusses nicht etwa blos eine Construction sei: es tritt dann regelmäßig Tonverschiebung ein, d. h. die schwachtonige Endsilbe wird in den guten Takttheil gesetzt: (gr) $\smile \cup$ > (m) $\dot{\times} | \dot{\times}$. Dabei braucht die Endsilbe beim Singen kaum über die Stammsilbe gehoben zu werden; der melodische Fortschritt der Weise und die rhythmische Fundierung des Liedes in der Begleitfigur würden genügen, den Rhythmus zu erklären.

Die entsprechenden Nominal-Bildungen werden ebenso behandelt.

Tonverschiebung im Strophenschluss.

1. Verbalformen (Infinitiv und Partic. Praet.) und Nominalformen mit der Endsilbe *-en* werden mit Tonverschiebung einsilbig in die Cadenz gestellt, wenn nach Synkope des Endsilbenvocals dem silbentragenden Nasal tonlose Stammauslautconsonanz vorausgeht.

a) Spirans + Nasal:

SS 24₂	*und nia büas|sń*	SS 381₂ *i sol | bössǎ hau|sń*
₄	*wol en | himml lias|sń*	₄ *und | sölbǎ mau|sń*
SS 493₂	*und toant | d lǎbǎ rau|schń*	SS 906₄ *ass | fǎlschö tau|sńd*
₄	*toam-ma | heazei tau|schń*	ebenso SS 37; 47; 136; 151; 342; 397; 398; 906; 950₄

SS 395₂ *teant \| d vôgei pfeif\|fń*
₄ *und teant \| krötən neif\|fń*

SS 944$_2$ *den | roaf den schia|chp'*

$_4$ *mit n | gwánd auszia|chp'* ebenso SS 79; 261; 647.

b) Affricata + Nasal:

SS 318$_2$ *toant zwoa | gamsl schea|zń*

$_4$ *gêt koa˘ | liab von hea|zń.*

c) Tenuis + Nasal:

SS 572$_2$ *um | d heabea^{r}g bit|tń*

$_4$ *und koan | álmǎhüt|tń* ebenso SS 659

SS 950$_2$ *haot | kǎs en kǎs|tń*

SS 78$_2$ *hǎt an | schwoaf an krum|pń*

$_4$ *kunnt i | zwoa válum|pń.*

d) *nd + n.* Der weiche Verschlusslaut kann zwischen zwei gleichen, mit ihm verwandten Lauten nicht schwinden, daher Zweisilbigkeit und Tonverschiebung:

SS 967$_2$ *is | nit z dǎgrün|dń*

$_4$ *a | liacht ǎnzün|dń* ebenso SS 660.

2. Zweisilber mit consonantischem Stammauslaut und Suffix *-el.* Die Liquida bleibt nach der Synkope stets silbisch, daher tritt im Strophenschluss Tonverschiebung ein:

SS 255$_2$ *hǎts | diandl d mit|tl'*

$_4$ *a | brándweinhüt|tl'* ebenso SS 97; 568

SS 391$_2$ *mit ia^{r}n | kittlsö|khl'*

$_4$ *und a | schweinǎs brö|khl'*

SS 327$_2$ *| bei dǎ stia|gl',* vgl. damit SS 253$_2$ *| unt auf dǎ | stiaŋ*

$_4$ *hǎb ma | nix vǒrü|bl'.*

3. Tonverschiebung ohne Synkope. Hier handelt es sich in der Hauptsache um die Suffixe *-en* und *-er.* Das Einschrumpfen der Infinitiv- und Participendung *-en* kann in der Mundart auch so vor sich gehen, dass der Vocal erhalten bleibt und der Endnasal apokopiert wird. Beide Endungen *-ǎ˘ < -en* und *ǎ < -er* werden in der Umgangssprache ganz nachlässig articuliert, die erstere mit leichter nasaler Färbung, nehmen aber im guten Takttheil des Verses beträchtlich an Tonfülle zu.

SS 355$_2$ *en | aoschlaog kem|mǎ˘*

$_4$ *wüls | neamd mêa nem|mǎ˘*

SS 40$_2$ en | ánnä'n brin|gá˜
    $_4$ | liadl sin|gá˜   ebenso SS 44; 53; 66; 102;
SS 390$_2$ wia'd | neamä schlech|tá   119; 137; 138; 185; 217; 335$_4$;
    $_4$ schênö | bauäntech|tá   451; 461; 475$_2$; 496; 504; 525;
SS 279$_2$ a | buar a jun|gá   530; 542; 544; 548; 559; 914;
    $_4$ wia dö | bam en sum|má.   940.

In diese Gruppe gehören auch folgende Fälle:

SS 475$_4$ | schênö nách|há (nachher)
SS 259$_2$ teats | neamä trau|án (trauern)
    $_4$ üebä-n | Krimmlä Tau|án (Tauern)
SS 147$_2$ braun|augäts wû|zéi (wuzel)
    $_4$ mei | kûglstut|zéi (stutzel)
SS 961$_4$ a | kâsögs tá|féi (taferl)
SS 930$_4$ is s | woltä gfá|lá (gefährlich)
SS 631$_4$ und i | â den mei|nóng (meinigen).

Wie diese Tonverschiebung vom Schlussvers ausgeht und von diesem
rückwirkend durch die Reimbindung in das Stropheninnere hineingetragen
wird, wie diese Erscheinung aber in den ungeraden Kurzversen der LzStr,
denen der Strophenschluss nicht gebieten kann, nicht eintritt, mögen einige
Beispiele zeigen:

SS 303   SS 324

mei | schátz is a | maurä,   bän | diandl bin i | gwêisn,   ...|×̇ ×̇
a | maitlʃüa|rá;   haot mi s | unglück trof|fm; ...×̇|×̇
wân a | bei dä nácht | kimmt,   i hän s | kam a weng | khálst,
is s a | schátz a lia|bá.   is dö | böttstát bro|chń.

Das treffendste Beispiel scheint mir folgende Doppelstrophe zu sein:

SS 493 f.

hiaz | gêt dä stárch | wind   i | mecht gao nit | tauschn,   ...|×̇ ×̇
und toant | d lábä rau|schń;   i | khált krád dös | mein;
gê | hea meiñ schêns | diandl,   mecht | glei oañs bö|kemmä˜,
toam-ma | heazei tau|schń. ...×̇|×̇   mecht | nó fölschä | sein.

Recht deutlich wird der causale Zusammenhang zwischen einsilbigem
Str-Schluss und Tonverschiebung dort, wo im Str-Schluss Tonverschiebung
eintritt, nicht aber in der ersten Lz, und so der Reim rhythmisch unrein
bleibt:

4

GKS II 129, 2   *und | bin i im | berg ? || znachst | obm af m | gipfl,*
                åfl | sing i nix | åndås || åls a | schnådåhü|pfl'.

GKS II 42, 1   SS 97

meiñ schåtz is a schneidå,   *meiñ schåtz is a schneidå,*
a lústigs bürschl',   *is går a schens búaschl,*
er håt a pår wådl   *ea håt a pår wådl*
wi a kreúzåwürstl'.   *wia-r-a kreútzåwüaštl'.*

Eine vereinzelte Tonverschiebung außerhalb der Reimentsprechung
des Strophenschlusses findet sich bei Süß:

SS 711   *zŏn gsángå singá*
         maogst mi nit dåhudl'n,
         und wån s då nit kreïcht is,
         maogst mi außö sudl'n.

Dieses Sh ist im Singstreit erfunden und die Anomalie des Anfangsverses
ist leicht damit erklärt, dass er die genaue Wiederholung des Schlussverses des Uñdrårer-Gsangls ist[1]); dass er antwortet etwa auf ein

....já | bist denn du | z fäuj[2]) || zŏ-n-an | gsangl sin|gá.

Dass der Satzton sich dem Verston unterordnen muss, ist eine beim
Volkslied überhaupt bekannte Erscheinung; so auch hier:

SS 231₂   *wåns | nit so tiaf | wå*
        ₄ *wåns | nit so liab | wå.*

Auch die mundartliche Wortstellung kann den einsilbigen Str-Schluss
begünstigen:

SS 335₂   *und koañ | hüattåbuar | á'*   ebenso SS 479₂; 36₄.

Ausnahmen gegen die Forderung des einsilbigen Str-Schlusses gibt
es so verschwindend wenige, dass sie gar nicht ins Gewicht fallen.
    Gewiss haben die Sh-Sänger keine Ahnung von dem, was ich die
Forderung des einsilbigen Strophenschlusses nenne; die Forderung liegt in
der Natur des Sh-Rhythmus und wird unbewusst befolgt. Dass ich die Str

A 20, 3   *i | liab nit di | långe, || i liab | liabå den | putzn;*
          wås | unt und oᵇm | füstêt, || då | hún i s koan | nutzn

---

[1]) *uñdrån* soviel wie herausfordern.
[2]) faul.

im Pinzgau auf eine Weise mit Jodler singen hörte, wodurch der befriedigende Liedschluss, auf den allein es ankommt, erreicht ist, könnte Zufall sein, wenn der Fall vereinzelt dastände; doch zeigen dieselbe Form der Weise auch Kob 8 und 31.

Lehrreich in diesem Zusammenhang ist die Rhythmisierung des Strophenschlusses bei der Kehrstrophe der Weise A 27. Der offensichtlich zweisilbige Schluss wird dadurch verschleiert, dass die erste Silbe, vorschlagartig, von der zweiten weggestoßen wird; die aber wird mit stärkstem Ton lang ausgehalten: es soll also mindestens zum Schein der Versschluss mit dem guten Takttheil zusammenfallen.

A 27

hia - ts ks ks hál - ts ks ks, zreißts mä mein jan-kä nöt;

hia - ts ks ks hál - ts ks ks, äl - les gheats unsa ——.

(Ähnlich bei Nh 64.)

Jedem, der älpische Sh hat singen hören, muss die Erscheinung des einsilbigen Strophenschlusses aufgefallen sein, zum mindesten, so weit sie mit Tonverschiebung verbunden ist; jedem auch, der sie auch nur den Weisen untergelegt las. Deshalb ist es merkwürdig, dass ihr in wissenschaftlichen Arbeiten so wenig Beachtung geschenkt worden ist. Blümml operiert ununterbrochen mit solchen Formen, ohne auch nur einen Versuch zu machen, sie zu erklären; anders der Verfasser des Vorworts der Sammlung von Pogatschnigg und Herrmann, und Brenner. Ich citiere beide Stellen.

PH S. XV:

Auch zeigt der Reim kärntnerischer Pleppaliedln die allen Liedern dieser Gattung eigenthümliche und über die meisten Alpengegenden verbreitete Erscheinung, dass, wiewohl er eigentlich weiblich ist, er doch die Natur eines männlichen Reimes annimmt, indem der Ton mit besonderer Vorliebe gegen den letzten Laut hingedrängt wird, wodurch eine sonst tonlose Silbe wieder vollgewichtig wird.

Brenner, a. a. O. S. 5:

Ist einmal im Vers der wiegende Rythmus ××× angeschlagen, dann wird sogar widerstrebenden Worten Gewalt angethan und ein dreisilbiger Takt herausgenötigt. Daher der eigentümliche Schlag von Schn. nach dem Muster: *Hab an klanzrissnen Janker | kan Unterfuattér* wo *klanzrissnen, Janker kan* das Folgende in ihren Tonfall hineinziehen.

4*

... Die Verdrehung [der Betonung] findet, aus dem angeführten erklärlich, so gut wie nie im ersten Halbvers statt.

PH gibt keine Erklärung; sie müsste auch misslingen, wenn sie auf dem Gebiet des Reimes gesucht würde. Mit Brenner stimm ich darin überein, dass die Gründe der Erscheinung rein rhythmischer Art seien, doch weicht meine Auffassung von der seinen stark ab.

Zweierlei hat gewirkt und zu demselben Ziel hingedrängt. Das eine ist das Bestreben, dem Lied einen rhythmisch befriedigenden Abschluss zu geben. Eine Strophe, die mit zwei- oder gar dreisilbiger Cadenz schließt, also auf einem schlechten Takttheil, wird als ein Unfertiges empfunden, das noch einer Ergänzung bedürfe. Dem entspricht es vollkommen, wenn in der Reimpaar-Strophe die Gestalt mit lauter dreisilbigen Versschlüssen nicht vorkommt und einem dreisilbig schließenden dritten Kurzvers regelmäßig der letzte éinsilbig mit rhythmisch unreinem Reim antwortet, wie das bei der 3.3.3.1-Strophe[1]) der Fall ist:

    SS 29 = A 9 | gelt, du schwârz|augätö,
                  | gelt jâ, dia | taugät-ö,
                  | gelt jâ, dia | wâr-ö recht,   ...|×́×× b³
                  | wân i di | mecht?   ...|×́ b¹

Bei einer Strophe, wie

    Kob 8, 1 | wân i a | mûsi hör,
               | kenn i koa | trauer mêr;
               | zum tanzl | treibts mi hi⁻, ...|×́×××
               | weil i gern | lusti bi⁻.   ...|×́×××

kann man von Schlusswirkung doch überhaupt nicht sprechen. Hätte das Lied keinen Schlussjodler, so müsst irgend eine Art der Wiederholung eintreten, etwa so:

           . . . . . .
        * | zum tanzl | treibts mi hi⁻, ...|×́×××
          | weil i gern | lusti bi⁻;   ...|×́×××
          | gern lusti | bi⁻.   ...|×́

wie bei dem Kärtnerlied Nh 3, 1₃, ₄:

          | diandle mâchs | fensterl auf,   ...|×́×××
          | mir is schon | kâlt bän stên,   ...|×́×××
          | mir is schon kâlt.   ...|×́

---

[1]) Über die 3.3.3.1-Strophe vgl. Cap. 3.

In der Kärtnerlieder-Sammlung von Neckheim finden wir folgende in diesem Zusammenhang werthvolle Liedschlussbildungen:

Nh 219, 1₄ | *álweil ummägrábbln* | *wi a krois,* |‿ ‿ ‿|‿ ×

aber bei der Wiederholung am Liedénde:

   | *ummägrábbln wi a* | *krois.* |‿ ‿ ‿| ×

Nh 55.-2₄   *tuat* | *sich der himml* | *vor mir auf,*   ×| × ‿‿|‿ ×

aber bei der Wiederholung am Liedénde:

   tuat | *sich der himml* | *auf.*   ×| × ‿‿| ×

Nh 221 Kehrstrophe

    1. Lz: ... | *scheans tál ságns* | *überál,*   ...| × × ×| ×××
    2. Lz: ... | *scheans tál ságns über|ál.*   ...| × ‿‿| ×

Ein andres Moment wirkt bei den Strophenschlüssen mit Tonverschiebung mit. Das ist die principielle Forderung der mindestens dreisilbigen Innentaktfüllung. Dafür einige Beispiele.

    SS 40 = A 1   *ba-n-üns tuats hált oaná*
                en ánᵈáⁿn bringa˜,
                und áft tean mar a lustögös[1])
                liadl singa˜.

Versuchte man Vers 2 mit zweisilbigen Cadenzen zu lesen, so käme man in die größte Verlegenheit: Vers 2 so gemessen |×××|×× ergibt schweren Verstoß gegen den Satzton und dazu noch eine häßliche Pause innerhalb der Langzeile; wollte man aber Vers 2 und 4 so lesen

     en ánᵈán bringá˜   *liadl singá˜*
     ×| – × | × × |– × | × ×

so kämen richtige Jamben und Trochäen heraus, Formen, die es beim Sh eben nicht gibt. Regelmäßiger Wechsel von einsilbiger Hebung und einsilbiger Senkung treibt zum gradtheiligen Takt und wir kämen am End zu der beim Sh ganz unerhörten Form des Taktwechsels!

  ×|×××|××‖×|××|××‖‿|×××|×××|××|××|
    ³/₄   ³/₄   ²/₄   ³/₄   ³/₄   ³/₄   ²/₄   ²/₄

---

[1]) Die Schreibung *lustögs* bei Süß ist fehlerhaft; zum mindesten ergibt sie eine unnöthige rhythmische Härte. Vgl. meine Aufzeichnung A 1.

Man halte nun gegen diese Ungeheuerlichkeiten das Gebilde schönen
rhythmischen Ebenmaßes, das die richtige Messung, d. h. die landläufige,
ergibt:

$$\times \mid \acute{\times}\times\times \mid \acute{\times}\times \parallel \times \mid \acute{\times}\times\times \mid \acute{\times} \,\zeta$$
$$\smallsmile \mid \acute{\times}\times\times \mid \acute{\times} \times \times \mid \acute{\times}\times\times \mid \acute{\times} \,\zeta$$

vgl. dazu etwa SS 303; 255; 327.

Sehn wir uns noch diese Strophe an:

SS 687   *dǎ|hoam hintǎ-n | öfm ‖ is a | máus umkro|chń,*
          haot si | d ǎxl aus|keit ‖ und ĕn | schwóaf aobro|chń.

Beide geraden Kurzverse sind in der vorliegenden Gestalt, wenn man dreisilbigen Innentakt verlangt, nur mit Tonverschiebung 1 v messbar; beide
hätten leicht mit dreisilbigem Innentakt und óhne Tonverschiebung gebildet werden können, wenn der zweisilbige Strophenschluss nicht ab-
sichtlich vermieden würde; etwa so:

‖ *is a | máus ummǎ|króchn,*
‖ *und ǎs | schwóafl ao|bróchn.*

Ich fasse zusammen:

1. Die Strophen-Cadenz ist beim Sh immer einsilbig gebildet. An
allen andern Cadenzstellen der Strophe können mehrsilbige Formen stehn.
    Der einsilbige Strophenschluss wirkt nur durch den Reim aufs
Stropheninnere zurück.   Daher ist bei der Langzeilenstrophe auch die
Cadenz der ersten Langzeile, bei der Reimpaarstrophe die Cadenz des vorletzten Kurzverses einsilbig.   Ausnahme davon macht der rhythmisch
unreine Reim, der aber gerade dadurch den Ausgangspunkt der Erscheinung
deutlich bezeichnet.   Die Weisen in der Langzeilenstrophe dagegen, ebenso
wie das erste Reimpaar der Reimpaarstrophe, die in der Cadenzbildung
ganz frei sind, bilden ihre Schlüsse stets ohne Tonverschiebung.

2. Tonverschiebung tritt nur in der Strophencadenz und ihrer Reimentsprechung auf und auch da nur dann, wenn die Einsilbigkeit der Cadenz
nicht auf andre, einfachere Weise erreicht werden kann, also wenn der
Lautgehalt der Cadenzsilbengruppe $\_\smile$ die Reduction auf éine schließende
Starktonsilbe verbietet.

Der Cäsurtakt.

Cäsurtakt nennen wir jenen Takt der Langzeile, der die Cadenz des
ungraden Kurzverses und den Auftakt des darauffolgenden graden Kurz-

verses enthält. Er ist meist fest geschlossen, ohne rhythmischen Einschnitt, ohne Reim; der Einschnitt ist rein syntaktischer Natur, oft fehlt er ganz. Daher sieht der Cäsurtakt aus wie jeder Innentakt. Innerhalb der Langzeile soll nichts trennen, aufhalten; die rhythmische Bewegung soll ungehemmt fortlaufen. Der rhythmische Wert des Einschnitts wird auch dadurch stark vermindert, dass er innerhalb des zweiten Taktes der Langzeile nach der Hebungssilbe an jeder Stelle eintreten kann und dass eine genaue Entsprechung der Einschnitte beider Langzeilen in der Strophe nicht angestrebt wird. Dadurch unterscheidet sich die Kurzversgrenze in der Langzeile von der Langzeilengrenze. Denn hier ist absolute Entsprechung beider Cadenzen mit Reimbindung vorhanden, dazu in der Regel syntaktischer und rhythmischer Einschnitt.

Ein Beispiel für eine Langzeilenstrophe.

SS 108

wáns diandl schén is, || *und is a weng jung,* | ×̣××|×̣×||×|×̣××|×̣ ₂

áft mua dǎ bua lustög sein, || *sinst kimmt ǎ drum.*   ×|×̣××|×̣ × ×||×̣×××|×̣ ₂ ₂

Syntaktischer Einschnitt an den Kurzversgrenzen, aber rhythmisch stetiger Fortschritt; die Einschnitte entsprechen einander nicht; dagegen die Langzeilengrenze deutlich rhythmisch markiert.

Gänzliches Verwischen des Einschnitts, da die syntaktische Periode über die Kurzversgrenze hinwegschreitet, zeigt

SS 4₁,₂   *hiaz schick i ën plödǎröschn leutn an gruaß.* ×|×̣××|⌣̣×××|×̣××|×̣

Das Fehlen des Einschnitts wird noch deutlicher, wenn Liaison zwischen den Grenzsilben der Kurzverse eintritt, oder wenn die Grenze gar ein Wort zerschneidet:

SS 211₃,₄   *ǎs | kaiblt schö | wiadǎ-r-an | andǎrö | kua;*
SS 755₁,₂   *meiñ | vaodǎ schneidt | biaʳnbam- und | buxbamǎ | lǎᵈn.*

Als Gegenbeispiel eine recht ausdrucksvolle Kurzversstrophe:

SS 580   *bin a leibfrischǎ bua,*   ⌣|×̣××|×̣ ₂   a
        s oan aug druck i zua;   ×|×̣××|×̣ ₂   a
        i schau kaod mit oan,   ×|×̣××|×̣ ₂   b
        sich deacht, woas d leut toan.   ×|×̣××|×̣ ₂   b

Vier gelöste, selbständige Kurzverse; alle Cadenzen durch Reim versteift; kräftiger rhythmischer Einschnitt an allen Kurzvers-Grenzen.

Dás ist der Gesichtspunkt, von dem aus die Cäsurtakte der Langzeilen betrachtet werden müssen: syntaktischer Einschnitt ist meist vorhanden, ist aber nicht Bedingung; rhythmischer Einschnitt ist Ausnahme und kommt von der Unbeholfenheit des Erfinders. Wir werden sehn, dass jede schwerste Füllung von Cadenz und Auftakt in der Cäsur möglich ist, mit der einzigen Einschränkung, dass sie zusammen den Rahmen des Takts nicht sprengen.

Damit geh ich zur Einzeldarstellung über[1].

1v Kurzversschluss fordert als leichteste Auftaktfüllung 2(2)a.

1v + 2(2)a ...|✕||✕✕|...

SS 145₁,₂ *diandl wånst mi liabst, || muasst vådråt sei⁻ wiar a strick*
| ⌣ × × | ✕ || ✕ ✕ | ✕ × ⌣ ! ✕

SS 151₁,₂ *s diandl is ku⁻šz, || tuat mi recht vådriaßń;*
= A 25, 2 | ✕ × × | ✕ || ✕ ✕ | ✕ × × | ✕ ?

Die schwere Consonanz *šz* wird aber wahrscheinlich die Cadenz dehnen, sodass dann der Cäsurtakt so aussieht: |✕||⌣✕| oder gar:

ku⁻šz || tuat mi
| ✕ ✕ || ⌣ |

SS 151₃,₄ *ziach i s auffå zån kopf, || hån i nicht bån füaßń.*
⌣ | ✕ × × | ✕ || ✕ ✕ | ✕ × × | ✕

1v + 3(2)a ...|✕||✕⌣|...

SS 136₃,₄ *håmt a blass aufm bauch, || åss wiar a spiaylmoasń.*
⌣ | ✕ × × | ✕ || ✕ ⌣ | ✕ × × | ✕

Ausnahme: Zu leicht gefüllter Auftakt, daher rhythmischer Einschnitt:

SS 185₁,₂ *mei⁻ schåtz is a böck, || a ki-pfl - bå - chå;*
SS 208₁,₂ *wås hülft må mei⁻ mån, || wån d sansn nit schneid;*
× | ✕ × × | ✕ ? || ✕ | ✕ × × | ✕

SS 661₁,₂ *ån⁴å⁻šthål⁰m stund || haot nò nit klöckt.*
| ✕ × × | ✕ ? ? || ✕ × × | ✕

Schwerere Auftaktfüllungen nach 1v hab ich nicht gefunden, obzwar sie natürlich unanfechtbar wären.

---

[1] Im folgenden werden dreisilbige Innentakte stets metrisch mit dem unalterierten Rhythmus |✕ ⌣⌣| wiedergegeben; dasselbe gilt von den Silbencomplexen der Auftakte und Cadenzen.

2v Kurzversschluss fordert mindestens 1(1)a.

2v + 1a ... |×̣ ×̣ ‖ ×̣ | ...

SS 308₁,₂ *an sprung übă d gássn,* ‖ *ăn juchötză drauf*

×| ×́ × × | ×́ ×̣ ‖ ×̣ | ×́ × × | ×́

SS 190₁,₂   *Lustög is s gwêen,* ‖ *wiast gwêen bist mein;*

₃,₄ *häst dû di treu ghâltn,* ‖ *kunnts nó ă so sein.*

× | ×́ × × | ×́ ×̣ ‖ ×̣ | ×́ × × | ×́

SS 148₃,₄ *und da i bei dir bin glêgn,* ‖ *daos bleibt dă văschwiŋ.*

‿ ‿̣ | ×́ × × | ×́ ×̣ ‖ ×̣ | ×́ × × | ×́

Vor 1a wird zweisilbige Cadenz stets zweiwerthig gemessen. Anders
verhält sichs, wenn der Auftakt mehrsilbig ist. Bei 2a stehn zwei
Möglichkeiten zu Gebot: 2(2)v + 2(1)a und 2(1)v + 2(2)a. Auf welche
Art gemessen wird, entscheidet kaum das sprachliche Gewicht der Silben,
viel mehr der Rhythmus der Weise und das Belieben des Sängers.

2v + 2a ... | ×́ ×̣ ‖ ‿̣ | ...
       | ‿̣ ‖ ×̣ ×̣ | ...

SS 257₁,₂ *a frischă bua bin i,* ‖ *hăt dă fischăbua gsăgt*

× | ×́ × × | ×́ ×̣ ‖ ‿̣ | ×̣ ×̣ | ×́ × × | ×́

SS 297₃,₄ *wia s schlăffm băn diandl,* ‖ *wăn dö bäuăren kimmt.*

Die erstere Messungsart | ×̣ × ‖ ‿̣ | macht den rhythmischen Einschnitt
deutlicher, als die andre, da die zwei Achtel im Taktschluss, dem zeitlichen
Abstand von ihrer Umgebung entsprechend, sich eng an das Folgende, den
zweiten Kurzvers, anschließen. Noch enger als bei der Messung | ‿̣ × × |
ist der rhythmische Zusammenschluss, wenn die Silbenlagerung Spaltung
des zweiten Viertels gestattet:

... | ×́ ‿̣ ‖ ‿ ×̣ | ...

SS 921₁,₂ *i bin a frischs jăgăl* ‖ *und gê aupö ën wăld*   vgl. 633₁,₂;

×| ×́ × × | ×́ ‿̣ ‖ ‿ ×̣ | ×́ × × | ×́

wird dabei auch das letzte Viertel gespalten, so ergibt sich die Form
2v + 3a.

2v + 3a ... | ×́ ‿̣ ‖ ‿ ‿̣ | ...

SS 302₁,₂ *ën rock, den muasst ausziaŋ* ‖ *und übă d ăxl nemmă.*

×| ×́ × × | ×́ ‿̣ ‖ ‿ ‿̣ | ×́ × × | ×

3v Cadenz kann schon ohne folgenden Auftakt den Cäsurtakt aus-
füllen; die Kurzversgrenze wird dann bis an das Ende des Cäsurtakts
geschoben.   Vor folgendem Auftakt aber müssen die drei Cadenzsilben
mehr oder weniger zusammengeschoben werden.   Auftaktlosigkeit nach
drei- und mehrsilbiger Cadenz ist die Regel.

3v + 0a   ...| ⏑̆ ⏑̆ ⏑̆ ||...

SS 26   heu - rä - tn tua i   nit,   ‖ hăñs schö⁻ vă-rödl,
           und i maog nit dös kinnăgschroa ‖ vó   bei mein bött.

3v + 1a   ...|⏑̆⏑̆⏑̆||⏑̆|...

SS 104₃,₄   und solt wol eppäs gschéichn sein, ‖ und hăñ s so guat gmoant

(etwa auf Weise A 27 c)

SS 83₁,₂   und s Zillărstăl is koañ tăl, ‖ äs is kaod a graoᵇm.

...|⏑̆⏑̆||⏑̆|...

Für diese Form kann ich kein Beispiel beibringen.

...|⏑̆⏑̆||⏑̆|...

SS 104₃,₄   und solt wol eppäs gschéichn sein, ‖ und hăñ s so guat gmoant

(etwa auf Weise A 27 b)

SS 902₃,₄   ums göld deafst nit năchöfräy, ‖ äs is bei mia nix.

3v + 2a   ...|⏑̆⏑̆||⏑̆⏑̆|...

SS 609₃,₄   und a spinrădl und a böttstattl ‖ und a böttl dăzua.

...|⏑̆⏑̆||⏑̆⏑̆|...

SS 129₃,₄   dö oañ müat mă brăntwein geᵇm ‖ und dö ăndăr a bia.

3v + 3a   ...|⏑̆⏑̆⏑̆||⏑̆⏑̆⏑̆|... (Füllungsgrenze)

SS 135₁,₂   a bissl siggărösch, a bissl saggărösch, ‖ a bissl höchgsey muasst toañ.

Nach 4v Cadenz folgt kein oder leichter Auftakt; mit 2a erreicht der Takt schon die obere Füllungsgrenze. Überfüllung des Cäsurtakts, Siebensilber, die als Innentakte vereinzelt vorkommen, hab ich nicht gefunden.

4(3)v + 0a

SS 4 = 5₁,₂ *hiaz schick i ĕn plóddröschn leutn an gruaß;*

× | ×̆ × × | ⏑̆ × × | ×̆ × × | ×̆

SS 33 *pfiat dö got, wiedă-sêichn* || *is a schéns wo͜ršt;*
ăfă pfiat dö got, neamăsêichn, || *dös fĕllt ma hă͜ršt.*

⏑̆| ×̆ × × | ⏑̆ ×̆ ×̆ || ×̆ × × | ×̆

4(2)v + 1a

Var. des vorigen (Mittersill)

₃,₄ *ăfă pfiat dö got, neamăsêichn, dös fĕllt ma hălt hă͜ršt*

⏑̆| ×̆ × × | ⏑̆ ⏑̆ || ×̆| ×̆ × × | ×̆

SS 36₃,₄ *an toal ass wia d kăchlöfm¹)* || *an toal á gressăr á.*

× | ×̆ × × | ⏑̆ ⏑̆ || ×̆| ×̆ × ⏑ |×̆

Hier kann der Cäsurtakt auch mit Silbenreduction gesungen werden, z. B. auf Weise A 20: ... | *kăchl-öfm-an* | ... |×̆×̆||×̆|

4(2)v + 2a (Füllungsgrenze)

SS 129₃,₄ *dö oañ müat ma brăntwein gebm,* || *und dö ăndăr a bia,*

× | ×̆ × × | ⏑̆ ⏑̆ || ⏑̆ |×̆×̆××|×̆

da *gebm* außerhalb des Strophenschlusses ohne weiters auch zweisilbig gesungen werden kann (vgl. S. 58).

Mehr als 4v Kurzverscadenzen sind mir nicht vorgekommen; ich glaub kaum, dass es solche gibt.

Der freie Auftakt.

Freien Auftakt nennen wir den Auftakt der Langzeilen, weil er nicht, wie der der graden Kurzverse, der gebundene Auftakt, in einem Abhängigkeitsverhältnis zur vorausgehenden Cadenz steht.

¹) *kochlöffl* (Süß) ist Druckfehler.

Die ideale Bewegung in der Langzeilenstrophe ist, wie oben gesagt worden ist, die: keine Hemmung ínnerhalb der Langzeilen; deutlicher, auch rhythmisch markanter Einschnitt zwíschen den Langzeilen. Dem kommt die Strophencadenz wirksam zu Hilfe. Wir haben gesehn, dass sie stets einsilbig ist. Durch den Reim rückwirkend erzeugt sie auch in der 1. Langzeile einsilbigen Schluss. So kann der 2. Langzeile sogar dreisilbiger Auftakt vorgestellt werden, ohne dass dadurch der rhythmische Einschnitt verloren gienge |ᴗ⌐⌐|‖‿‿|.

So verpönt die Pause im Versínnern ist: in der Langzeilengrénze ist sie nicht nur statthaft, sondern geradezu ästhetisch werthvoll, denn sie gliedert an richtiger Stelle.

SS 633   *diandl, megst mi gean stimmă⁻, ‖ amăl haost ăs schöñ tăñ,*
       i wül nicht méa wissn, ‖ i beiß ncamăr ăñ.

     ‿|×́×××|×́ᴗ‖ᴗ×́|×́×××|×́ ₂ ‖|×|×́×××|×́××‖×|×́××××|×́ ₂

SS 218   *băl mă⁻ koan ram nit hăt, ‖ kăm-mă nit rüan;*
       wăm-mă⁻ koan knecht nit hălt, ‖ bleibt oan koa⁻ dian.

     |×́×××|×́×××‖|×́×××|×́ ₂ ₂ ‖|×́×××|×́×××‖|×́×××|×́ ₂ ₂

Aus der verschiedenen Function des freien und des gebundenen Auftakts ergibt sich mit Nothwendigkeit, dass Silbengruppen, die sprachlich gleichwerthig sind, rhythmisch verschieden behandelt werden, je nach ihrer Stellung in der Strophe.

SS 320   *wăn dă weixlbam blüat, ‖ ⁻is s a lustögö zeit;*
       wăn i méï⁻ diandl siach, ‖ lăcht mă s heazl ĕn leib.

Die vier Auftakte sind sprachlich ganz gleichwerthig: ˊᴗ; alle vier können 2- und 1-werthig in den Vers gestellt werden: ×́×|... oder ‿|... Auch die vier Cadenzen sind rhythmisch gleich. Fasste man die Strophe als eine lose Folge von vier gleichen Kurzversen auf, so müsste man alle Auftakte 1-werthig messen:

            ‿|×́×××|×́ ₂
            ‿|×́×××|×́ ₂
            ‿|×́×××|×́ ₂
            ‿|×́×××|×́ ₂

Fasste man die Strophe als eine amorphe Masse von acht aneinandergereihten $^3/_4$-Takten auf, so müsste man alle Auftakte 2-werthig messen:

     ××|×́×××|×́×××|×́×××|×́×××|×́×××|×́×××|×́×××|×́

Nun aber soll ein enger Zusammenhang von je zwei Kurzversen zu einem Ganzen, einer Langzeile, auf der einen Seite, ein möglichst klares Abheben der Langzeilen von einander auf der andern Seite erreicht werden. Das geschieht, indem man den rhythmischen Einschnitt innerhalb der Langzeilen vermeidet, die Innenauftakte auseinanderfaltet und mit den Innencadenzen Fühlung gewinnen lässt, also 2-werthig misst, — die freien Auftakte aber eng an ihre Verse anlehnt, 1-werthig setzt:

$$\smile \mid \acute{\times}\times\times \mid \acute{\times} \parallel \times\times \mid \acute{\times}\times\times \mid \acute{\times} \, \wr \parallel\parallel \smile \mid \acute{\times}\times\times \mid \acute{\times} \parallel \times\times \mid \acute{\times}\times\times \mid \acute{\times} \, \wr$$

Man setze die obige Strophe etwa unter Weise 14 oder 16 des Anhangs.

So reinlich, wie hier dargestellt, ist das Bild beim gesungenen Lied freilich nicht. Das kommt zum Theil daher, dass vielfach Text und Weise in ihren Perioden nicht übereinstimmen. Vgl. etwa A 3, 1.

Zu den Einzelformen des freien Auftakts ist nun nichts mehr zu bemerken; es genügt, die vorkommenden Variationen aufzuzählen.

1v + 0a ...$\mid \acute{\times} \, \wr \, \wr \parallel\parallel$...

SS 586 *von Schnaitzlreit ê s Müllöck,* $\parallel$ *dä får i scheñ stát,*
weil sö dö kloañ kellnärĕn $\parallel$ *går ă so drát.* vgl. Nh 36.

$$\times \mid \acute{\smile}\times\times \mid \acute{\times}\times \parallel \times \mid \acute{\times}\times\times \mid \acute{\times} \, \wr \, \wr \parallel\parallel \acute{\times}\smile\smile\times \mid \acute{\times}\times\times \parallel \times\times\times \mid \acute{\times} \, \wr$$

Diese Form des Langzeilen-Grenztakts ist nicht zu häufig, weil der Einschnitt bei fehlendem Auftakt übers Maß groß wird: daher oft Füllsilben eingesetzt werden, wie *und, ăbă, ăft, jă* u. ä. Das begünstigen die Weisen, die selten auftaktlose zweite Periode haben, wenn die erste Periode auf dem guten Takttheil schließt. Beim vorliegenden Beispiel etwa: ... *scheñ* $\mid$ *stát,* $\wr$ $\parallel\parallel$ *jă* $\mid$ *weil sö dö* ...

1v + 1a ...$\mid \acute{\times} \, \wr \parallel\parallel \acute{\times} \mid$...

SS 297 *s făaʳn aufm wăssăr* $\parallel$ *is gfála ban wind,*
wia s schlăffm ban diandl, $\parallel$ *wăn dö băuăren kimmt.*

$$\mid \acute{\times}\times\times \mid \acute{\times}\times \parallel \times \mid \acute{\times}\times\times \mid \acute{\times} \, \wr \parallel\parallel \acute{\times} \mid \acute{\times}\times\times \mid \acute{\times}\times \parallel \smile \mid \acute{\times}\times\times \mid \acute{\times} \, \wr \, \wr$$

1v + 2a, je nach der Accentlagerung der Auftaktsilben
...$\mid \acute{\times} \, \wr \parallel\parallel \acute{\smile}\smile \mid$...

SS 105 *mei˜ schătz is a müllnă,* $\mid$ *tuat tág und năcht măjn;*
ăbă hiaz is dă tolpătsch $\parallel$ *ê d mêltruchn gfăjn.*

$$\times \mid \acute{\times}\times\times \mid \acute{\times}\times \parallel \times \mid \acute{\times}\times\times \mid \acute{\times} \, \wr \parallel\parallel \acute{\smile}\smile \mid \acute{\times}\times\times \mid \acute{\times}\times \parallel \times \mid \acute{\times}\times\times \mid \acute{\times} \, \wr$$

SS 99 *s diandl hăt a freud* $\parallel$ *ăn ian aʳzmăchăbuam,*
weil a d schuldögkeit tuat $\parallel$ *mit ălln fleiß ê dă gruam.*

$$\mid \acute{\smile}\smile\times\times \mid \acute{\times}\times \parallel \times\times \mid \acute{\times}\times\times \mid \acute{\times} \, \wr \parallel\parallel \acute{\smile}\smile \mid \acute{\times}\times\times \mid \acute{\times}\times \parallel \times\times \mid \acute{\times}\times\times \mid \acute{\times} \, \wr \, \wr$$

...｜×́ 𝄻 ⏑ ×́ ｜...

SS 43 *und wån i a rógei wår* ‖ *únd kunnät fliap,*
= A 22, 1 *und åft flůg i tål aus und ein,* ‖ *drischln und lüap.*

×｜×́××｜×́×× 𝄻 ×́××｜×́ 𝄻 𝄻 ⏑ ×́｜×́××｜×́××｜×́××｜×́ ⸗

SS 70 *do꞉št sitzt an ålts weib* ‖ *aufm schüsslkorb o*m,*
und hiaz is iar a heuschreck ‖ *ê s maul eińhö gflop.*

×｜×́××｜×́ 𝄻 ××｜×́×× ｜×́ 𝄻 𝄻 ⏑ ×́｜×́××｜×́ ⏑ ｜×｜×́××× ｜×́ ⸗

ebenso SS 903.

1v + 3a, je nach der Accentlagerung der Auftaktsilben

...｜×́ 𝄻 𝄻 ⏑ ⸰⸰⏑｜...

SS 84 *gê weg vő⁻ mein fenstå,* ‖ *gê weg vő⁻ mein bött;*
i hån a schwåchö natur, ‖ *du våstêst ås nő nöl.*

×｜×́××｜×́×× 𝄻 ×｜×́×××｜×́ 𝄻 𝄻 ⏑ ⸰⏑｜×́×××｜×́ 𝄻 ××｜×́××｜×́ ⸗

SS 940 *kimmt då Pinzgarå außö,* ‖ *hoaßts 'trottl, dummå',*
băn exăzian hån i s gsêichn, ‖ *dråt si dô ku꞉šz ummå.*

⏑｜×́×××｜×́×× 𝄻 ×｜×́×××｜×́ 𝄻 𝄻 ⏑ ⸰⏑｜×́×××｜×́×× 𝄻 ⏑｜×́×××｜×́ ⸗

ebenso SS 148.

...｜×́ ⸗ 𝄻 ⸰⸰⏑｜... (Triole)

SS 109 *und s diandl haot gsaog,* ‖ *si isst s knåppmbröt gean;*
åfår a knåppen mechts dechtå ‖ *hålt dô no nit wean.*

×｜×́×××｜×́ 𝄻 ××｜×́×××｜×́ ⸗ 𝄻 ⸰⸰⏑｜×́×××｜×́×× 𝄻 ×｜×́×××｜×́ ⸗

...｜×́ 𝄻 𝄻 ⌒ ×́｜...

A 22, 6 *und wep då schneid gstor*m* ‖ *is no gåo nia koaná;*
åbå wep s nit traun in d hósn gschissn ‖ *håt oftår oaná.*

×｜×́×××｜×́ 𝄻 ××｜×́×××｜×́ 𝄻 𝄻 ⌒×́｜×́××× ｜⸰⏑ ⏑｜×｜×́×××｜×́ ⸗

Beim Strophenauftakt liegen die Verhältnisse ganz einfach. Er
ist durch keine vorausgehende Cadenz beengt, breitet sich aber trotzdem
nie stark aus. Er ist 1- oder 1¹/₂-werthig und im Maximum dreisilbig.

Der einsilbige Strophenauftakt wird stets 1-werthig in die Nebenhebung gestellt; proklitische Anlehnung an den ersten Starkton (Verkürzung auf ein Achtel) entspräch schlecht dem schweren Fluss des
Sh-Rhythmus.

SS 702₁   *hiaz* ｜ *haot oaná* ｜ *gsungå*   SS 718₁   *ås* ｜ *stêit en mein* ｜ *bêtbüachl*
     ×́ ｜ ...   ×́ ｜ ...

Der zweisilbige Strophenauftakt wird nie 2-werthig, also die ganze Eingangssenkung mit zwei Nebenaccenten füllend gesungen. Es ist ein rascher Anlauf, der nur éine Einheit des Taktmaßes dem ersten vollen Takt vorausschicken soll.

  ⌣́|...   SS 582₁ *zwischn | finstăr und | siagst nix*
           SS 564₁ *wăm-măr | ă glei koa˜ | haus hăm;*

  ⌣×̇|...   SS 583₁ *i gê | héa von Berg-|hăm*
           SS 609₁ *i hăn | nix ăss a | häusl.*

Auch der dreisilbige Strophenauftakt wird stets nur mit éiner Nebenhebung gesungen.

  ⌣⌣́|...   SS 115₁ *a greisl | pôlisch, a greisl | deutsch.*

Bei entsprechender Accentlagerung ist auch eine Triole als Strophenauftakt denkbar: ⌣⌣́|...

     Auftaktlose Strophen schließlich sind nicht selten:

         SS 614₁ | *stiglitz und | băchstelzn*
         SS 654₁ | *frischö buam | send ma*
         SS 634₁ | *diandl dei˜ | stolz.*

2. Abschnitt.

Der Periodenbau.

3. Capitel. Langzeilen-Strophe und Kurzvers-Strophe.

Bisher haben wir vom innern rhythmischen Bau des Einzelverses gesprochen, von den Variierungsmöglichkeiten der Taktfüllung. Der Takt aber ist nur metrische Hilfsconstruction, er ist nicht reeller Baustein sprachmetrischer Perioden, sondern ihre Maßeinheit. Wenn wir uns das klarhalten, können wir ungefährdet mit ihm weiteroperieren.

Fassen wir zunächst die kunstloseste Form des Sh, den gemeinen Vierzeiler, ins Aug, so erkennen wir, dass sich in ihm das Sprachmaterial, am Takt gemessen, in Perioden verschiedener Rangordnung gruppiert: Kurzvers, Langzeile, Strophe.

1. **Kurzvers (Kv)** nennen wir die Periode aus zwei Takten; er ist die 'Zeile' des 'Vierzeiligen'. Der Kv erscheint theils ungegliedert, also ohne sprachlichen Einschnitt:

      SS 392₁   *wån s rótkröpfl schréit,*

theils gegliedert, d. h. mit planmäßigem Einschnitt im ersten Takt:

      SS 388₁   *diandl húat di, ' diandl hált di!*

Im gemeinen Vierzeiler hat der gegliederte Kv, der 'Spaltvers', nur untergeordnete Bedeutung; erst bei. Besprechung der Spaltvers-Strophe gehn wir näher auf ihn ein.

2. **Langzeile (Lz)** nennen wir die Periode aus vier Takten. Die Lz kann ebenfalls ungegliedert sein und ist dann wie der Kv Periode ersten Grads:

      SS 582₃, ₄   *wo is denn a áufrichtögs héarz no z dåfráp?*

oder sie besteht aus zwei Kvv, ist also Periode zweiten Grads:

SS 368$_{1, 2}$ *fúxpassn gế i nit,* || *ís mă vül z kált.*

Anm. zu 2. Eine ganz ungewöhnliche, nämlich asymmetrische Form der gegliederten Lz liegt vor bei

Nh 157$_{1, 2}$ ♪ *und glei lústi ʔ* || *ís z jấ dort dróbm auf dä ấlm;*

⌣|×̆××ʔ||×××|×̆××|×̆

Der Viertakter hat hier seine Innencadenz im ersten Takt.

Zur Textfüllung eines Einzellieds genügen weder Kv, noch Lz. Beide treten nur als Glieder einer höheren Periode auf.

3. Periode höchsten Grads ist die Strophe (Str); die Textstrophe besteht beim gemeinen Sh aus acht Takten in verschiedener Gruppierung [1][2].

Von allen Herausgebern wird die Sh-Textstrophe als Vierzeiler geschrieben. Das Volksempfinden gibt dem Recht; in Kärnten z. B. ist eine der landläufigen Bezeichnungen für die Sh geradezu 'Vierzeilige'. Mag die Str als Vierzeiler geschrieben werden, aus vier Éinheiten besteht sie darum nicht immer. Bei Strr, wie

H 130   *s diandl hất an hitschắtn,*
        hatschắtn gáng,
        und so kömmắn zwâ hitschắte,
        hatschắte zsám.   vgl. SS 410; 582; 587

steht die Vierzeiligkeit schlechterdings nur auf dem Papier. Wie weit bei solcher naiver Volksdichtung die Stilisierung im Strophenbau geht, soll im folgenden untersucht werden.

---

[1]) Über Strophenausweitung beim gesungenen Lied vgl. im 5. Capitel die Abschnitte 'Theilwiederholung' ff.

[2]) Einstropher mit weniger als acht Texttakten gibt es nicht. Zwar theilt PH unter Nr. 1015 ein alleinstehendes Reimpaar mit (4 T?). Aus diesem Unicum können keine Schlüsse gezogen werden: die Textaufzeichnung allein gibt nicht einmal Antwort auf die Frage nach dem Grundrhythmus ($^3/_4$ oder $^4/_4$?); überdies muss mit der Möglichkeit gerechnet werden, dass das Aufgezeichnete verstümmelt oder ein Bruchstück sei.

Ganz vereinzelt kommen Strophenkétten vor, deren Gesätze Kv-Reimpaare sind. In dem einzigen hierher gehörigen Lied, das ich kenn, (Nh 202u) wird aber doch wieder die textliche Armuth der Str dadurch ausgeglichen, dass jedem Kv ein Jodler folgt; die gesúngene Str ist also auch hier achttaktig:

|×̆××|×̆××||♩ ♪♪♪|♩ ♪♪♩| a^1
|×̆××|×̆××||♩ ♪♪♪|♩ ʔ ʔ| a^2

(Beachte die mehrsilbigen Textcadenzen!)

Das gleiche Streben, textarme Strr beim Singen in dem Rahmen des 8T einzustellen, zeigen die Kehrstrophen, die éin Kv-Reimpaar mit wechselnder Rhythmisierung wiederholen (z. B. Nh 221; 207).

Drei Factoren haben an der Strophengliederung Antheil: Satzbau,
Rhythmus und Reim. Satzgliederung und rhythmische Gliederung gehn
meist Hand in Hand; sie geben den Ausschlag. Der Reim tritt gewöhnlich
unterstützend hinzu, manchmal aber steht er gegen die beiden andern,
ohne doch das Gebäude zerstören zu können: er ist eine Spielform, und
in der grob zufassenden Hand der Bauern bleibt er unvollkommen, in
seiner lautlichen Qualität ebensosehr, wie als Periodengliederer. Belege
dafür finden sich im folgenden genug.

Wir stellen bei der Besprechung der Str die Langzeilen-Strophe
voran.
Die LzStr ist die gemeine Str: zwei Lzz werden durch einfachen,
stets einsilbigen Reim gebunden. Die Lz ist gleichermaßen rhythmische
und syntaktische Periode; doch gibt es auch Lieder, die bei metrischer
Symmetrie doch unsymmetrische Satzgliederung zeigen, wie die beiden
folgenden:

SS 392

wân s rôtkröpfl schreit
und dö drosl en wâld,
gêt dä bua von sein diandl;
is â neamâ z bâld.

SS 409

dä pfâra wül d tauf,
dä richtâ dö strâf,
und dä jâgâ wül s schussgeld:
füa dö sell nâcht.

Innerhalb der Lz herrscht große Freiheit. Für den Aufbau der Str hat
der Unterschied zwischen gegliederter und ungegliederter Lz nichts zu
bedeuten; oft zerfällt éine Lz in zwei Stücken, während die ándre
zusammenhält:

SS 478

hâñ schon amâl g'âckâ'st,
hâñ schon amâl g'öggt;
hâñ schon amâl gschlâffm bän diandl en bött.

vgl. SS 514; 521; 538; 546; 561 usw.

Strr aus zwei ungegliederten Lzz kommen kaum je vor (vgl. aber das oben
angeführte H 130 und SS 405); wenn schon der syntaktische Einschnitt
am Ende des ungraden Kv fehlt, so stellt sich doch fast immer eine
ziemlich deutliche Colongrenze ein (vgl. ₃, ₄ des oben angeführten SS 478
und ₁, ₂ bei SS 568; 575; 579; 585 usw.). Die Innencadenzen der Lzz
sind frei[1]):

[1]) In der Lz-Cäsur erscheinen alle die mannigfaltigen Cadenz-Auftakt-Combinationen,
die im 2. Capitel (S. 54 ff.) behandelt wurden.

SS 308 *an sprung übǎ d gǎssn, an juchözǎ drauf;*   x² a¹
   hǎst an ǎndǎn buam inn, und sinst mǎchǎtst mar auf. x¹ a¹

nicht selten sind sie rhythmisch gleichartig:

SS 376 *dǎ kóasǎ hǎt áuffǎ gschri⁰m, éa brauchǎt léut;* x³ a¹
   und wea wéad denn dǎ ǎhö gên, is jǎ vül z wéit! x³ a¹

Versteifung der Innencadenzen durch Reim kommt gelegentlich vor:

SS 197 *juchhé hǎn i gsungǎ˜, juchhé hǎn i gschrian;* b a¹
   bei dǎ mitt hǎn i s gnummǎ˜, en nǎchbǎn sei˜ dian. b a¹

Die so entstehende Kreuzreimstrophe um des Doppelreims willen als eine
besondre Form aufzufassen, wär verfehlt: sie ist weiter nichts als eine
Unterart der LzStr. Das folgende Variantenpaar zeigt das deutlich:

SS 25		Var. aus dem Pinzgau.	
zŏ dia bin i gǎngǎ˜,	x	*zŭ dia bin i kemmǎ˜,*	b
zŏ dia hǎt s mi gfreut;	a¹	*zŭ dia hǎt s mi gfreut;*	a¹
zŏ dia gê i neamǎ,	x	*zŭ dia gê i neamǎ,*	b
dǎ weg is mǎ z weit.	a¹	*dǎ weg is mǎ z weit.*	a¹

ebenso das Lied SS 51, bei dem durch das Wiederholen des Eingangs-
verses am Anfang der zweiten ½Str und den dadurch bedingten rührenden
Reim das Langzeilenmäßige der Str-Gliedrung nur verstärkt wird:

SS 51 *und du liadǎlǎs büaschl, du muasst di bökêan,* β a¹
   aus an liadǎlǎn büaschl kǎnn schon á no wǎs wean. β a¹

Es ist oben gesagt worden, dass rhythmische und syntaktische Periode
einander nicht immer decken. SS 478 zeigte die Bindung einer Lz mit
zwei Kvv zu einer Strophe. Von da ist die Brücke zur Kurzvers-Strophe
hinüber zu schlagen. Die Selbständigkeit der Kvv kann so stark hervor-
treten, dass darüber die Lz-Gliedrung verloren geht. Doch müssen alle
stropheformenden Factoren zusammenhelfen, damit ein Gebild entstehe, das
von Merkmalen der LzStr frei sei.

SS 22 *und s díandl is hǎndsǎm,*
   zǎn tǎnzn schen lǎngsǎm,
   zǎn busslgeibm geschwind
   und zǎn hǎlsn schen lind.

5*

Das Textlied.

Aus dieser Musterstrophe können wir die charakteristischen Merkmale der KvStr. ablesen: die KvStr hat vier gelöste Glieder (Kvv), starke syntaktische Einschnitte zwischen den Kvv; sie hat vier feste, durch doppelte Reimbindung versteifte Cadenzen; sie verlangt eine Reimfolge, die die Lzmäßige Gliederung ausschließt, das ist der Paarreim. Der Forderung des einsilbigen Str-Schlusses gemäß muss das Reimschema der KvStr so aussehn: a a b¹ b¹: Cadenzenfréiheit des érsten Reimpaars, Cadenzenzwáng des zwéiten, das den Str-Schluss enthält. Nach der Gestalt des ersten Reimpaars müssen wir also drei Formen unterscheiden:

a) a¹ a¹ b¹ b¹   SS 27   *diandl gib ácht,*
                                ás is heil bei dä nácht,
                                dass d nit fállst, dass d nit schoißt,
                                dass d n kránz nit väloist.

b) a² a² b¹ b¹   SS 22   *und s diandl is hándsäm,*
                                zän tánzn schen lángsäm,
                                zän busslgeibm gschwind
                                und zän hálsn schen lind.

c) a³ a³ b¹ b¹   SS 177   *gelt diandl liabätst mi,*
                                wänst mi megst, kriagätst mi;
                                wänst mi treu liabst,
                                kännst mi hábm, wiast mi siagst.

Die reinste Ausbildung der KvStr könnte in der Vierreim-Str erreicht werden; doch die ist schwer zu baun, und von ihren seltenen Vertretern sind die mehreren im Ausdruck arg unbeholfen (vgl. SS 198; 353). In der Vierreim-Str sind nothwendig die Kv-Cadenzen alle 1v. Ein Beispiel:

SS 693   *bin a lústögä búa,*   a¹
            und göld hän i käd gnua,   a¹
            geit mä koañ diandl zua,   a¹
            weil i gigätzn tua.   a¹

Neben LzStr und KvStr, den zwei symmetrischen Str-Formen, kennt das Sh aber noch eine dritte, unsymmetrische: die 3.3.3.1-Strophe, wie wir sie nach ihrer Cadenzenfolge nennen wollen. Charakteristisch für sie ist ein **rhythmisch unreiner Reim.** Sie sieht so aus:

A 9   *gólt, du schwärzáugätö,*   a³
       gólt jä, dia táugät-ö,   a³
       gólt jä, dia wär i recht,   b'³
       wän i di mécht?!   b'¹

Sicher ist hier, wie so oft beim Sh, die Singweise Schöpferin der Textform. Nehmen wir etwa A 9 zum Muster.

T   D   D   T   T   D   D   T

Wir haben eine der einfachsten Gliederungsarten einer Melodie vor uns: éin Motiv | ♩. ♪ ♪ ♩ | ♩ über fortschreitender Harmonie zweimal gesetzt (4 Takte) und das Ganze wiederholt (8 Takte); alle Innencadenzen aber rhythmisch-melodisch als weiterführende Verbindungsglieder gestaltet. Dieser formal überaus ausdrucksvolle Bau ist mit Worten genau nachgebildet worden. Die hergehörigen Strr sind fast ausschließlich Reimpaar-Strophen; der symmetrischen Gliederung der Weise durch die Harmonienfolge entspricht also beim Text die Gliederung durch die Folge der Reimklänge. Das Ungewöhnliche an der 3.3.3.1-Str aber ist, dass ungleiche Cadenzen durch Reim gebunden sind; in der zweiten Halbstrophe werden stets einsilbige Reimworte verwendet: die Cadenz des dritten Kv steht mit ihrer letzten Senkungssilbe nébentonig im Reimverhältnis mit dem einsilbigen Str-Schluss |×́ ×̀ ×̀ b̗ : |×́ b̗ (vgl. das Muster). Zu den allgemein bekannten quántitativ und quálitativ unreinen Reimen liefert uns also das Sh auch noch rhýthmisch unreine Reime.

Die 3.3.3.1-Str ist die merkwürdigste Str-form des gemeinen Sh; in ihr geht die Beschränkung der Füllungsfreiheit am weitesten. Die Cadenzen laden stets voll aus und verhindern jede Auftaktbildung im Str-Innern[1]; Str-Auftakt beeinträchtigt ihre Gestalt nicht und kommt nicht selten vor (vgl. SS 650). Ja, das rhythmische Vorbild wirkt so stark, dass bei Strr andrer Reimfolge (Dreireim a a x a: SS 194; 445; 468; 959) nicht einmal die Waisen Cadenzfreiheit bewahren:

SS 445	*diandl gê hea zän zaun,*	à³
	lå mi di recht ånschaun,	à³
	wia deinö äugei send:	x³
	schwå̂rš̌z odä̌ braun.	á¹

Die 3.3.3.1-Str scheint mir aber nicht nur eine merkwürdige, sondern auch eine der schönsten Str-Formen des Sh zu sein: keine andre Strophe cadenziert so intensiv wie sie; die starke Schlusswirkung der Cadenzenfolge wird noch unterstützt durch das vorzeitige Eintreten des Reimklangs an

---

[1]) Einzige Ausnahme bei Süß: SS 468.

überragender Stelle. Die Regelwidrigkeit des Reims ist hier kein Mangel, im Gegentheil ein Vorzug. Die Sammlung von Süß bietet mir zwei trefffliche Gegenbeispiele.

SS 464   *und i mecht hålt a jågă sein,*   à³
          hiaz fållt s măr ein: á¹
          denn a jågă braucht nix   b¹
          als a mensch und a bix.   b¹

Diese Str macht den Eindruck, als habe sie den Schluss in der Mitte; das Reimpaar, das rhythmisch den Eingang bilden könnte, hinkt hinten nach. Ich vermuthe, dass das Lied auf eine da capo-Weise gesungen wird, mit Wiederholung der ersten ½ Str am Ende; nur dann kann ihre Form befriedigen.

SS 983   *a bsúnnănö zéit   håbm ma híaz auf dă wélt,*   á¹ b¹
         ᵈass gáo sovl béutl geit   únd so wenk géld.   à³ b¹

Innerhalb der Lzz, wie hier, kommt der rhythmisch unreine Reim überhaupt nicht zur Geltung und wirkt als etwas Zufälliges; ich wenigstens hör sogar die gewiss ganz ungewollte Wagnerische Synkopen-Alliteration *gao : geit : gelt* deutlicher als den fraglichen Innenreim! Die 3.3.3.1-Str vereinigt in sich Merkmale der LzStr und der KvStr: mit dieser hat sie die Gelöstheit der Zweitakt-Glieder (Kvv) gemein und die Reimfolge; mit jener das Lz-mäßig Gebundene der zweiten ½ Str. Aber aus der Vereinigung scheinbar wiedersprechender Eigenschaften ist hier ein neues Ganzes geworden. Anders die Dreireim-Strophen, die wir noch kurz betrachten müssen.

Die Dreireim-Strr sind richtige Zwittergebilde: Mischstrophen; sie entstehn durch Aneinanderfügen einer Lz und eines Reimpaars in beliebiger Reihenfolge. Sie sind selten und können nur den Werth von Zufallsbildungen beanspruchen.

SS 260   *sém-mă nă lústög,   mia lödöngă léut,*   x a¹
         weil koañ wíagn no nit géit   a¹
         und koañ púppai nit schréit.   a¹

SS 335   *wăn koañ jågă nit wâ*   a¹
         und koañ hüattăbuar â,   a¹
         wea mŭat denn dă sénnăren d fléch âfăngá? x a¹

vgl. SS 35; 139; 142; 156 usw.

Kann man dazu neigen, in solchen Reimhäufungen ein höheres Kunstvermögen zu erblicken, so erweist sich eine andre, ganz entsprechende Form als Ausfluss des formalen Unvermögens, diese: x x a a.

SS 520   *wåns miar auf då wélt   a wenk stráfåla géit,*
is s ma wéitår oañ ding,
wån i då̍ʳšthin recht kimm.

Wie diese Str aufzufassen sei, zeigt deutlich folgendes Beispiel:

SS 167   *meiñ schåtz is a sénden   hoch óbm é dar álm,*
håt a góaß und a kúa
und koan Jåkl dåzúa.

Der Sänger benützt eine gebräuchliche Einleitungs-Lz und fügt aus eigener Erfindung gewissermaßen ein Reim-Anakolut an, sodass das Reimwort der ersten Lz ohne Beantwortung bleibt. Um diese Auffassung im Reimschema auszudrücken, müssen wir für x x a a schreiben: x a b b. SS 291; 334; 407; 909 zeigen den gleichen Bau.

Zum Schluss eine Übersicht über die Häufigkeit der besprochenen Strophenformen. Die folgenden Verhältniszahlen sind aus der Sammlung von Süß gewonnen, die 1000 Sh enthält.

Langzeilen-Strophen . . . . 88,9 %
(darunter Kreuzreim-Strr ca. 3,2 %)
Kurzvers-Strophen . . . . 3,6 %
Mischstrophen . . . . 3,1 %
3.3.3.1-Strophen . . . . 3,9 %

Eine ansehnliche Zahl von Liedern bleibt noch übrig, deren Strophe besondere Eigenthümlichkeiten aufweist.

So stark manche davon von der Gemeinstrophe abzuweichen scheinen, glaub ich doch, den innern Zusammenhang bei allen zeigen zu können.

Am besten scheiden wir zwei große Gruppen. In die eine stellen wir die Str-Formen, die bei gleichbleibendem Rahmen (8 Takte) die Füllungsfreiheit einschränken: hierher gehören die Spaltvers-Strophen. In der andern Gruppe werden die Strr zusammengefasst, die den Rahmen sprengen, seis den Versrahmen, wie die Dreiheber-Strophen, seis den Strophenrahmen: hierher gehören die mehrzeiligen Strophen (die 5, 6, 7-Zeiler); in dieser Gruppe werden auch die rein musikalischen Liedvergrößerungen durch Wiederholung von Textstücken oder durch eingeschobene Jodler besprochen werden müssen; ingleichen über die Strophencomplexe (die Liederreihen und die mehrstrophigen Lieder) wird ein Wort zu sagen sein.

4. Capitel. Spaltvers und Spaltvers-Strophe.

ei du liabi Zusl,   gê gib mir a bussl
dâ hintä dä tür;
und iaz muasst di tummln,   denn si tean scho" trummln:
obsd hea geast zu mir?!

wer an äpfl schält,   und er isst n nit;
wer a diandle liabt,   und er küsst si nit,
wer ins wirtshaus gêt,   und er trinkt kan wein:
muass a rechtär pätznlippl sein!

Die Spaltvers-Strophe (SpvStr) ist eine Abart des gemeinen Vierzeilers. Eigenthümlich ist ihr die planmäßige Verwendung gegliederter Kurzverse (Spaltverse). Die Grenze zwischen beiden Formen ist fließend, wie bei einer Dichtungsart, die in so hohem Maß auf gefühlsmäßiger Nachahmung beruht, nicht anders zu erwarten ist.

Eine Definition des Spaltverses (Spv) zu geben ist nicht leicht, weil oft genug im einzelnen Exemplar nicht alle charakteristischen Merkmale vereinigt sind.. Als ausgebildeten Spv bezeichnen wir den, der eine deutliche syntaktische und rhythmische Zweitheilung besitzt. Die syntaktische Zweitheilung in ihrer schönsten Gestalt ist natürlich der vollkommene Gleichlauf zweier Glieder: ganzer Sätze, oder Satztheile; außerdem kann ein Satzgefüge oder auch ein einfacher Satz mit seiner Subject- und seiner Prädicatgruppe die zwei Kv-Hälften füllen.

Die Spvv sind meist schwerer gefüllt als die ungespaltenen Verse und haben mit wenigen Ausnahmen mehrsilbigen Auftakt. Die ohrenfälligste rhythmische Ausbildung des Spv ist diese: ⌣⌣|⌣⌣×,⌣⌣|⌣⌣×; wir werden sie oft finden. Der rhythmische Einschnitt kann durch Reim unterstützt sein; in der gesungenen Str kann er durch Silbendehnung oder Pause besonders hervorgehoben werden.

Verstreute Spaltverse.

Im gemeinen Vierzeiler treffen wir viele Spvv, einzeln oder in Gruppen, an verschiedenen Stellen der Strophe; fast allen fehlt die rhythmische Gliederung; mit ihrer leichten, dreisilbigen Innentakt-Füllung unterscheiden sie sich wenig von den ungegliederten Kvv. Es bedarf deshalb des stärksten syntaktischen Mittels, des reinen Parallelismus, um sie aus ihrer Umgebung herauszuheben. Einige Beispiele werden das klar machen.

1. Vollkommener syntaktischer Gleichlauf, auch ohne metrische Hilfen, ist spaltversbildend:

SS 728₁   *dö tóiflsleut,* ' *tóiflsleut*   *hámt ma meiñ drábánk zkeit;*
SS 44₁   *du spítzbua,* ' *du schlánkl,*   *du spátznfángá.*

2. Ein parallel gebauter Kv hört schon dann auf als Spv zu wirken, wenn seine Glieder durch Conjunction verbunden sind:

SS 1₁   *drei bérg und drei tál*   *und drei diandl-auf amál;*
                            ebenso: SS 188₁; 949;

SS 690₃   *kaod sauffm und práln;*   aber: **grád sauffm,* ' *grád práln;*
GKS I 63, 3₁   *und s fechtn,* ' *und s rauffm.*

3. Satzgrenze im Satzgefüge oder starke Colongrenze allein genügen nicht:

SS 818₄   *und guat liagn is schöñ dennä*   *bán mentschän, bán schénn;*
SS 10₁   *hoaßts álwöng: dea Lump,*   *dea sitzt álwöng bän wiaßt;*
                            ebenso: SS 120₁, ₂; 248₂; 250₃ usw.

Éin Lied will ich mittheilen, in dem Verse der letztgenannten Form (3) häufig[1]) auftreten:

SS 177   *gélt, diandl, liabätst mi,*
          wánst mi megst, kriagätst mi,
          wánst mi treu liabst,
          kánnst mi hábm, wiast mi siagst.   vgl. GKS I 66, 1.

Dass wirs hier nicht mit Spvv zu tun haben, zeigt ein Vergleich mit den am Capitelanfang angeführten Liedern.

Eine wichtige Frage nun ist die nach der Stéllung des Spv in der Strophe. Ein kleingliedriges Gefüge eignet sich sehr gut zur Einleitung einer Periode, schlecht zu deren Abschluss, gar nicht zum Abschließen eines Ganzen (Str-Schluss)[2]). Volksmäßige Dichtung ist in formalen Dingen feinhörig. Wir können uns nicht wundern, dass wir die eben ausgesprochene ästhetische Feststellung beim Sh durchaus bestätigt finden: nicht nur in den ausgebildeten SpvStrr, sondern auch bei den verstreuten

---

[1]) 'häufig' wird in den bayr.-österr. Alpen heut noch im Sinn von 'gehäuft' gebraucht.
[2]) Die gleiche Beobachtung macht G. Neckel bei der Stabreimpoesie der germanischen Frühzeit (Beiträge zur Eddaforschung, Dortmund 1908, S. 5 f. und öfter).

Spvv. Ich untersuch im folgenden die ganze Sammlung von Süß (SS) auf den gefassten Gesichtspunkt hin und füg eine Statistik für PH und GK hinzu.

Süß,
Salzburger Shh.   (1000 Vierzeiler.)

Im Stropheneingang ist der Spv weitaus am häufigsten. Die erste $^1/_2$ Str bietet dann dieses angenehme Bild: ═══; wir haben gespaltenen Vordersatz und einheitlichen Nachsatz:

SS 60 *gê auffö*, ' *gê umhö*,	SS 46 *mia buabm,* ' *mia biabuam,*
äft findst en weg gwiss,	*mia trinkhnt koan wein; ...*
wo feachtn mein vâdän	SS 44 *du spitzbua,* ' *du schlankl,*
seiñ khraut gstândn is.	*du spâtznfângä, ...*

ebenso: SS 6; 13; 267; 388; 393; 434; 442; 511; 535; 554; 594; 657; 690; 728; 742; 980; 998.

Als Vordersatz des Natureingangs[1]), der oft beim Sh die erste $^1/_2$ Str bildet, finden wir manchmal einen Spv verwendet, stets mit bester Wirkung:

SS 61   *drei wintä,* ' *drei summä,*
drei öpfl en bäm:
und wän nä meiñ schätz
bäld von Östärreich kâm!   ebenso: SS 326; 600.

Besonders prägnant wirkt der Spv, wenn die Natureinleitung sich auf ihn beschränkt:

SS 512   *Käšleinärösch,* ' *Pinzgärösch!*
fenstäln, bäl s finstär is,
und a wenk bussl geib̃m:
daos wâ meiñ leib̃m!   ~ SS 526₁ = 527₁; 768.

Der Spaltvers eignet sich ebenso gut als Vordersatz der zweiten $^1/_2$ Str:

SS 736   *mia send leibfrischö buam,*
mia send nett[2]) *ass wia d flech:*
bäl schlâff-mä, ' *bäl kriach-mä,*
bäl hupf-mär auf d hech.   ebenso: SS 1; 28; 141; 459; 831.

Sind beide Strophenhälften von einem Spv eingeleitet, so entsteht ein schönes, symmetrisches Gebilde, das wir als eine der zwei Hauptformen der SpvStr wiederfinden werden: ═══

SS 126 *Scheñ lângsâm,* ' *scheñ stât*	SS 545 *kloañ bin i,* ' *kloañ bleib̃ i,*
hân i hâbän aogmât;	*grôß maog i nit wean;*
scheñ trukhn, ' *scheñ spêa*	*scheñ runkät,* ' *scheñ bunkät,*
send dö nûdl dähêa.	*wiar a hâslnusskean.*

---

[1]) Über den Natureingang in der Volksdichtung vgl. Meyer a. a. O. S. 377 ff. und Steffen a. a. O. S. 20 ff. und öfter.   [2]) gerade.

Vereinzelt kommen auch Spv-Häufungen als Periodeneinleiter vor. Zwéi Spvv am Strophenanfang zeigt

> SS 555 *meiñ vätä,* ' *meiñ muattä,*
> *meiñ schwöstä,* ' *meiñ bruadä,*
> *dö gänzö freundschäft*
> *hämt mä s diandl värächtt.*

Bei dem schön gebauten Vierzeiler SS 183 wiederum ist der dreigliedrige Str-Náchsatz durch zwei einleitende Spvv ausgezeichnet:

> SS 183 *diandl, lä gên!*
> *du bist reich,* ' *du bist schên,*
> *du haost göld,* ' *du haost gwänd,*
> *du haost holz bo dä wänd.*

Die Zusammenstellung von drei gespaltenen Vordersätzen mit eingliedrigem, ungespaltenem Nachsatz kann ich aus Salzburg nicht belegen:

> PH 676 (K) *du bist gróß,* ' *i bin kläñ,*
> *du bist hoch,* ' *i bin gmäñ,*
> *du bist stärk,* ' *i bin schwäch:*
> *i gïb där dénnä nix näch.*

Die Form ist interessant, weil sie in der Versstellung genau der zweiten Hauptart der SpvStr entspricht. Doch dürfen wir nicht übersehen, dass hier und dort mit verschiedenem Versmaterial gearbeitet wird.

Den 40 periodeneinleitenden Spvv oder Spv-Gruppen stehn nur 5 periodenschließende gegenüber; nur einer davon bildet den Str-Schluss; Strophen, deren Nachsätze béide gespalten wären, fehlen ganz. Beispiele:

SS 780 *und s diandl haot a díng,*
is nit schwâr, ' *is nit khring;*
*und zän buam niadähao*ᵇ*m*
*kunnt s nicht räräs nit hao*ᵇ*m.*

SS 188 *zwoa díll und zwoa täl*
und zwoa rössl en ställ,
und zwoa buabmä-r- ê s bött,
där oañ meiñ, ' *där oañ nöt.*

ebenso: SS 170₂; 184₂; 203₂.

Ohne weiter was dazu zu bemerken, füg ich die entsprechenden Aufstellungen aus den Sammlungen von Greinz und Kapferer (Tirol) und von Pogatschnigg und Herrmann (Kärnten) an.

Greinz und Kapferer,
Tiroler Shh I, II. (cca. 850 Strr.)

Spv als Vordersatz éiner ¹/₂ Str   I 2, 2; 23, 3; 24, 1; 56, 1; 105, 3 (∼ SS 299 ohne Spv); 114, 1; 117, 1 f.; II 10, 1; 40, 1; 64, 1; 78, 1; 79, 2 (= SS 326); 87, 3;
I 103, 1₃ (= SS 609); 103, 3₃; II 93, 2₃; 97, 3₃; 132, 2₃;

als Vordersatz béider ' , Strr   II 77, 1 (= SS 545); 95, 1; 127, 1;
Vers 1, 2 Spv   I 67 (Zweistropher mit Doppel-Vierzeilern);
Vers 1, 2, 3 Spv   (II 32, 1 ∼ 90, 2);
Spv am Periodenénde   I 52, 3₂; II 136, 1₄; II 92, 1₂, ₃, ₄.

Pogatschnigg und Herrmann,
Kärntner Volkslieder II.   (1813 Nummern.)

Spv als Vordersatz der 1. ¹/₂ Str   32; 46 ∼ 1664; 75; 86; 99 ∼ 100 ∼ 103; 116; 130; 183;
                                     184; 205 v 2; 210; 234; 347 (= 588); 367; 407; 458; 494
                                     ∼ 912; 502 a; 505; 524; 555; 588 v; 636; 655; 706 ∼ 1722;
                                     822; 831 v; 894 ∼ 942 (= Nh 114, 3; vgl. SS 33); 913
                                     ∼ 1052 ∼ 1053; 941 b; 968 ∼ 969 ∼ 970 ∼ 1306; 971;
                                     972; 1018; 1025; 1071; 1094; 1156; 1172; 1319; 1323;
                                     1382; 1405 v (vgl. 1405); 1444; 1466; 1571; 1601 ∼ 1605;
                                     1646; 1655; 1744; 1753; 1755; 1765; 1768;
            der 2. ¹/₂ Str   237 v; 363; 400 (= Nh 110, 1); 612 (∼ SS 1); 1024; 1026;
                                     1198; 1426;
als Vordersatz béider ¹/₂ Strr   181; 205 (vgl. die Varianten); 641 (∼ Nh 152, 1 f.); 799;
                                     799 v; 1030; 1030 v; 1101; 1284; 1405; (vgl. SpvStr Form A)
Vers 1, 3 Spv   226; 336; 474 (Reim!); 584 (∼ Ll 18, 2); 815; 937 (vgl.
                                     aber 922); 1202; 1304; 1624; 1806;
Vers 1, 2, 3 Spv   676; . . .   .   (vgl. SpvStr Form B)
Spvv am Periodenénde   96₂; 617₄; 1414, 2₄; 1366 (= 1461)₂, ₃, ₄.

Das Ergebnis unsrer Zusammenstellung der verstreuten Spvv nach ihrer Function in der Str als Periodeneinleiter und als Perioderschließer sind die Verhältniszahlen

für Süß 40 : 5, für GK 25 : 3, für PH 95 : 4.

Diese Zahlen beweisen, dass schon der rhythmisch ausdruckslose Spv als eine vom gemeinen, ungegliederten oder undeutlich gegliederten Vers verschiedene Versform empfunden wird. Damit aber der Leser sich überzeugen könne, dass trotzdem eine Eintheilung der gemeinen Vierzeiler nach dem Gesichtspunkt des Vorhandenseins oder Fehlens verstreuter Spvv unmöglich ist, sind in den Tabellen einzelne Varianten und einige Lesarten mit Singweisen angegeben. Die verstreuten Spvv, im Ganzen betrachtet, sind keine gefestigte Form; in éinem Lied kann die gespaltene Form eines Verses mit der neugespaltenen wechseln:

PH 205   *wo i gê, ¹ wo i stê,*   PH 205 v 1   *ob i gê oder stê,*
         tuet mir mei⁻ hérz a so wê;   *tuet mir mei⁻ hérzl so wê;*
         wo i sitz, ¹ wo i lân,   *ob i sitz oder lân,*
         is mei⁻ herz wia stân.   *kânn i gâr ka guet tân.*

ja sogar die Stellung der Spvv in der Str kann veränderlich sein, wie das folgende Variantenpaar zeigt:

PH 336 *bin nit reich,* ' *bin nit schên,*
       hâb ka gschloss, ' *hâb ka ross,*
      âbr a herzl a guats,
      dass i für di béttln kunnt gên.

SS 183 *diandl, lâ gên,*
      du bist reich, ' *du bist schên,*
      du haost göld, ' *du haost gwând,*
      du haost holz bo dâ wând.

und die Singweisen nehmen auf die verstreuten Spvv gar keine Rücksicht (vgl. Nh 110; 54; 63). Schließlich ist noch festzustellen, dass die Verwendung einzelner Spvv nicht auf bestimmte Strr-Formen beschränkt ist: wir finden sie eben so gut in der LzStr wie in der KvStr, in den Mischstrophen wie in der 3.3.3.1-Str.

Bevor wir uns zu den ausgebildeten SpvStrr wenden, müssen wir noch einen Blick auf Rhythmus und Reim der verstreuten Spvv werfen.

Ihre rhythmische Gestalt ist mannigfaltig. Ebenso wie in den SpvStrr werden auftaktige Formen bevorzugt. Wenige Exemplare zeigen häufige Versfüllung und bringen dadurch die Spaltung auch rhythmisch ohrenfällig heraus, wie es bei den SpvStrr die Regel ist:

⌣⌣|×̀ ×̀, ⌣⌣|×̀ ×̀   SS 768 *schenö rôsn,* ' *schenö bloamâ;*
                   ebenso: SS 1_3; 388; 459_3;

⌣⌣|×̀⌣⌣, ⌣⌣|×̀⌣⌣   SS 609 *und a spinnrâdl,* ' *und a böttstattl;*
⌣⌣⌣|⌣⌣⌣,⌣⌣⌣|⌣⌣⌣   SS 135 *a bissl siggârösch,* ' *a bissl saggârösch.*

Die meisten dieser Spvv aber sind rhythmisch wenig ausdrucksvoll oder ganz indifferent. Ihre dreisilbige Innentakt-Füllung ist für kräftige rhythmische Differenzierung zu arm. Ich will damit nicht sagen, dass nicht je einmal beim Singen rhythmische Verschiebungen vorgenommen werden könnten, die eine Pause im Einschnitt erzeugten und somit deutliche Gliederung:

* ⌣×̀|×̀⌣,⌣×̀|×̀   SS 6 *dâr oañ denkts,* ' *dâr oañ moants;* ebs. SS 188_4;
* ⌣⌣|×̀ ⌣,⌣⌣|×̀   SS 980 *meinö strümpf,* ' *meinö schuach.*

Im folgenden stell ich die Formvariationen der silbenarmen Spvv aus der Salzburger Sh-Sammlung (Süß) zusammen. Wie zu erwarten, sind die Verse mit identischen Gliedern stark in der Überzahl.

×|×́×,×|×́×   SS 44; 46; 60; 267; 326; (393); 442 = 545; $555_{1,2}$; 600; 690; 736;
××|×́×,××|×́   SS 28; $183_{2,3}$; 184; 780;
|×́××,|×́××   SS (141_3); 203_2; 434; 511 ~ 512 ~ 526 ~ 527; 535; 594; 657; (728);
           742; 831_3; 998; z. B. *kloañ bin i,* ' *kloañ bléib i; du bist réich,* ' *du bist schên;*
           âlmärisch, ' *pinzgärisch;*

×| ⌣̓,×× |⌣̓   SS 13;

×|⌣̓×, × |⌣̓   SS 126₁, ₂; 170;   z. B. *schen längsäm,* ' *schen stät.*

Häufiger Reim ist bei den Strr mit verstreuten Spvv seltene Ausnahme. Die Sammlung von Süß enthält keinen einzigen Fall. Bei den SpvStfr werden wir ihm oft begegnen, ihn manchmal mit Geschick gebildet finden.

Die Spaltvers-Strophe.

Die SpvStr ist die künstlichste Ausgestaltung des Text-Vierzeilers. Mit ihrer kräftigen rhythmischen Gliederung und ihrer schönen Contrastarbeit ist sie ein überaus reizvolles Gebilde. Es ist nicht leicht, die SpvStr gegen den gemeinen Vierzeiler abzugrenzen, denn wie so oft beim Sh handelt es sich auch hier nicht um eine erkannte und in sich geschlossene Kunstform, sondern um eine Steigerung der gemeinen Form, und das Material bietet eine Überfülle von Übergangsbildungen. Wir hatten bereits im vorhergehenden Abschnitt Gelegenheit darauf hinzuweisen: alle Strr mit verstreuten rhythmisch ausdrucksarmen Spvv können ja als Zwischenstufen angesehen werden. Es mag noch ein Beispiel folgen [1]), diesmal eine fertige SpvStr.

A 15, 1 (S)

hät schö̆ oans gschlägn,   hät schö zwoa gschlägn,
schlägt schö drei und viri:
i sollt aufstën   und sollt hoamgën,
pfiat di gott, mei⁻ liabi!

⌣̆|×̓⌣̓,⌣̆|×̓⌣̆   b b
⌣|× × × |× ?   a
⌣|× ×,⌣|× ×   c c
⌣|× × × |× ?   a

Zu dieser prächtigen Salzburger Str liefern die Sammlungen eine Menge von Varianten und Verwandten, denen in formaler Beziehung allerlei Schönheitsfehler anhaften.

Nh 40 u 4 (K)   PH 1187 (K)

hät äns gschläη, ' hät zwä gschläη,   *schlägt schon äns, ' schlägt schon zwä,*
stēt nô in zweifl';   *stēt noch in zweifl';*
gē, diandle, mäch auf,   *gē, diandle, mäch auf,*
du verdämmter teufl!   *du verdämmter teufl !*

×|×̓×,×|×̓×   b b   ⌣̆|×̓ ?,⌣̆|×̓ ?   x x
×|×× ×|× ?   a   × | × × × |× ?   a
×|×× ×|×   x   × | × × × |×   x
××|×× ×|× ?   a   × × | × × × |× ?   a

---

[1]) Vgl. oben S. 76 f.

PH 1344 (K)

hât âns gschlân, ' hât zwâ gschlân,
um drei krât der hâni:
di kuchldjrn stêt â schon auf
und der sautôni.

×| ×́ ×, ×| ×́ × ×   b b
×| × × ×| × ×   a
×| ⌣× ×| × × ×   x
| × × ×| × ×¹)   a

W 37, 3 (St)

i muass aufstên, ' muass hoamgên,
zän rossstâlltûrĺ :
dâwârtt mi meĩ deandl,
dâ dunnersnigĺ !

⌣×| ×́ ×, ×| ×́ × ×   b b
× | × × × ×| × ⸜   a
× | × × × ×| × ×   x
× | × × × ×| × ⸜   a

Diese Vier sind überhaupt noch keine SpvStrr; man hätt sie einzuordnen unter 'silbenarmer, rhythmisch ausdrucksschwacher²) Spv am Str-Anfang'. Die andern Varianten stehn der Salzburger Lesart viel näher, aber auch sie wirken gegen jene wie Versuche gegen ein Fertiges.

PH 1347 (K)

schlägt schlägt schon âns, ' schlägt schon zwâ,
schlägt schon hâlber viré;
i muass aufstean, ' muass hamgean,
pfiat di gott, meĩ liabé!

⌣⌣| ×́, × ×| ×́   x x
× × | × × × ×| × ⸜   a
⌣ | × × ×, ×| × ×   b b
⌣| × × ×| × ⸜   a

Hier ist der Gleichlauf in beiden Spvv weder syntaktisch noch rhythmisch scharf, so sehr ihn der Text nahlegt.

Noch enger an die Salzburger Lesart schließen sich die letzten vier Varianten.

Nh 40 u 2 (K)

hât âns gschlân, ' hât zwâ gschlân,
schlägt dreie, viré;
muass aufstên, ' muass hamgên,
pfiat di gott, meĩ liabé!

PH 1347 v (K)

hât âns gschlân, ' hât zwâ gschlân,
schlägt drei und vir â;
muoss aufstean, ' muoss furtgean,
pfiat di gott, meĩ liabá!

Nh 40 u 3 (K)

hât âns gschlân, ' hât zwâ gschlân,
get bâld âuf di sunná;
muass aufstên, ' muass hamgên,
pfiat di gott, meĩ Kunná³)!

H 644 (T)

hât oans gschlân, ' hât zwoa gschlân,
schlägt bâld hâlbe droi;
muass aufstên, ' muass hoamgên,
liabs diandl, gschâff s wôj!

Der Vorzug der Salzburger Lesart vor diesen liegt in dem stärker ausgeprägten rhythmischen Parallelismus innerhalb der Spvv, der mit solcher Kraft nur in silbenreichen Versen erreicht werden kann. Dás kann nicht übersehn werden, dass die Spvv der SpvStr überwiegende Víelsilber sind.

---

¹) Die zweisilbige Schlusscadenz wegen des Eigennamens.
²) Mit Ausnahme von PH 1187 bei der von mir angesetzten Messung.
³) Kunigunde.

Die leichtgefüllten Spvv haben keinen festen Platz in der Strophe. Anders die schwergefüllten. Je nach ihrer Stellung unterscheiden wir zwei Formen der SpvStr:

A) die symmetrische SpvStr. Jede $\frac{1}{2}$ Str besteht aus einem Spv als Periodeneinleiter und einem ungespaltenen Kv: ⚏ ⚏. Eine Abart dieser Form ist die Strophe mit vier Spvv; die Verwandtschaft beider beruht auf der Cadenzenfolge.

B) die unsymmetrische SpvStr. Sie besteht aus drei Spvv und einem ungegliederten Kv als Strophenschließer: ⚏ ⚏.[1)

Diese beiden Gruppierungen trafen wir vereinzelt schon bei Strr mit leichtgefüllten Spvv[2)].

Das Formmotiv, auf dem die SpvStrr beruhn, ist der Gegensatz zwischen kleingliedrigem Vordersatz und ungegliedertem Nachsatz[3)]: bei Form A im Rahmen der Halbstrophe, bei Form B im Rahmen der ganzen Strophe.

Eh wir zur Einzelbetrachtung übergehn, muss ich noch eine Beobachtung mittheilen. Die Spvv der SpvStrr sind schwergefüllt und, von nebensächlichen Unregelmäßigkeiten abgesehn, symmetrisch getheilt[4)]; sie sind also im Rhythmus stéts prägnant. Dafür aber haperts bei ihnen oft mit der syntaktischen Gliederung. Solche Mängel sind unmächtig gegen die Ausdruckskraft des Rhythmus, gar, wenn der noch durch andre formale Momente unterstützt wird: Reimhäufung, Contrastierung der Versfüllung. Man vergleiche:

Nh 144, 1	GKS I 120, 2[5)]
mei̯ búa is a schlimmär bua,	*ságt dä Jósl Meier dänn zum sáutreibä:*
er lässt mir jå nía a rua;	*wenn d a schnéid hást, kerl, zünd úñ!*
känn gréinän, schreinän, tuanän, wås i will,	*hät der kälchtolm von an sautreibä*
er is hält nit still.	*går koa̯ mundstückl nit druñ!*

A. Die symmetrische Spaltvers-Strophe.

Die symmetrische SpvStr hat zwei gleichgebaute Halbstrophen, deren Vordersatz aus einem auftaktigen Spv mit mehrsilbigen Cadenzen, deren

---

[1)] Im folgenden ist die symmetrische SpvStr abgekürzt mit 'SpvStr A', die unsymmetrische mit 'SpvStr B' bezeichnet.

[2)] Vgl. S. 74 ff.

[3)] Diesen Gegensatz kennt auch das Volkslied; z. B.

$\frac{4}{4}$ fidibúm bum bùm, | mein géig ist stùmm,
das mácht die schléchte witterùng ...

vgl. S. 73 Anm. 2. Auch in der sangbaren Kunstdichtung ist er nachzuweisen (Binnenreim-Formationen usw.).

[4)] Vgl. die Tafel am Schluss dieser Betrachtung.

[5)] Zweiter Vierzeiler einer Doppel-Str, die vom Pfeifenrauchen handelt.

Nachsatz aus einem ungegliederten 1v Kv besteht. Sie ist aus der Langzeilen-Strophe entstanden durch Differenzierung der beiden Lz-Hälften.

Grundlage des Reimgebäudes ist der einfache $\frac{1}{2}$Str-Reim der LzStr.
Einige SpvStrr beschränken sich auf ihn, lassen also die Spvv reimlos (vgl.
PH 1309; Nh 138u $\sim$ PH 1807 $\sim$ Ll 7, 3)[1]. Außer den $\frac{1}{2}$Str-Schlüssen
bieten aber noch die Spvv Reimstellen an. Die innere Symmetrie der Spvv
drängt zu paariger Reimbindung. $\frac{1}{2}$Str-Reim verbunden mit Binnenreim
innerhalb der Spvv ergibt die Schweifreim-Strophe; ihre gebräuchliche
Form ist $\begin{smallmatrix}b&b\\&a\end{smallmatrix}\Big|\begin{smallmatrix}c&c\\&a\end{smallmatrix}$ (vgl. PH 470; 1538 a, b; GKS I 73, 2; II 18, 1; 95, 1). Reimen
sich überdies noch die Spvv úntereinander, so nimmt die Schweifreim-Str
eine Gestalt an, die dem Kreuzreim verwandt ist: $\begin{smallmatrix}b&b\\&a\end{smallmatrix}\Big|\begin{smallmatrix}b&b\\&a\end{smallmatrix}$ (vgl. GKS I 130, 3).
Dass der schlichte Kreuzreim in den SpvStrr nicht vorkommt, ist nicht
weiter wunderlich, denn bei seiner Anwendung bliebe eine der beiden
steifen, also reimfähigen Spv-Cadenzen reimlos; der Spv aber, dessen selbständige Hälften aufeinander bezogen sind, sträubt sich gegen die einseitige
Auszeichnung einer seiner Cadenzen. Bei manchen Liedern wird die Reim-
wirkung durch allzugroße Textähnlichkeit innerhalb der Spvv beeinträchtigt:
sogenannter rührender Reim ist die Folge davon; im letzten Ende, wenn
ein Spv aus identischen Gliedern besteht, oder gar die Spvv beide identisch
sind, kann man von Reim überhaupt nicht mehr reden. Neben den symmetrischen Reimbildern sind allerlei unsymmetrische denkbar; die ergeben
sich allemal, wenn die Reimfertigkeit des Erfinders für den complicierten
Bau einer Schweifreim-Str nicht ausreicht. Im Ganzen aber macht den
Dichtern das Klingende-Reime-finden[2]) mehr Schwierigkeit, als das Reime-
stellen (vgl. Nh 162, 1 mit der Reimstellung $\begin{smallmatrix}x&x\\&a\end{smallmatrix}\Big|\begin{smallmatrix}b&b\\&a\end{smallmatrix}$). Dem Paarreim ist
die symmetrische SpvStr nicht günstig; er kommt in gutgebauten Strr nicht
vor. Die Reime der Spvv sind ausnahmslos Senkungsreime.

Das Musterschema einer SpvStr der symmetrischen Form kann etwa
so aussehn:

$$\overset{\smile}{\frown}\Big|\overset{\smile\smile}{\times}\overset{\smile}{\times},\overset{\smile}{\frown}\Big|\overset{\smile\smile}{\times}\overset{\smile}{\times} \qquad \text{(b' b')}$$
$$\overset{\smile\smile}{}\Big|\times\times\ \times\Big|\times\ \mathit{2} \qquad \text{a'}$$
$$\overset{\smile\smile}{}\Big|\overset{\smile\smile}{\times}\overset{\smile}{\times},\overset{\smile\smile}{}\Big|\overset{\smile\smile}{\times}\times \qquad \text{(c' c')}$$
$$\overset{\smile\smile}{}\Big|\times\times\ \times\Big|\times\ \mathit{2} \qquad \text{a'}$$

Am Anfang dieser Betrachtung haben wir von den SpvStrr ausgesagt,
dass sie sich von dem gemeinen Vierzeiler durch eine gewisse Gebunden-

---

[1]) Die Lieder, auf die hier hingewiesen wird, sind weiter unten mitgetheilt.
[2]) Gemeint ist 'gut klingende', nicht 'klingende' im metrischen Sinn.

heit der Versfüllung unterscheiden [1]). Strenge Regelung der Versfüllung,
etwa in der Art der Klopstockischen Odenmaße, ist bei einer im Grund
improvisierenden Volksdichtungsgattung leichtesten Genres von vorn herein
ausgeschlossen. Immerhin können wir eine Vorliebe für bestimmte Füllungs-
formen in der symmetrischen SpvStr gerade an einer Stelle beobachten,
wo wir es am wenigsten erwarten, nämlich in den ungegliederten Versen:
die Perioden-Nachsätze bevorzugen léichteste und schwérste — drei- und
sechssilbige — Innentaktfüllungen. Einen Grund dafür kann ich nicht angeben. Beide Formen haben einen eigenen Reiz.

Bei der folgenden Zusammenstellung der symmetrischen SpvStrr wähl
ich eben die Füllungsform der ungegliederten Periodennachsätze als Ein-
theilungsgrund, indem ich die Strophen mit leichtgefüllten Nachsätzen
voraus, die mit schwergefüllten Nachsätzen an den Schluss stell.

GKS II 95, 1 = K 22, 2 (T)

scheaná küabua,   scheaná rossbua,   β' β' [2])
  scheaná oxntreibá —   a'
wenn i schean wâr,   wenn i reich wâr,   γ' γ'
  wâr i oberschreibá!   a'

PH 1309 (K)

bröttl auffe,   bröttl âbe,   x x
  bröttl hinawidá⁓;   a'
kane tittlan,   kane warzlan,   x x
  auwé, wia zwidá⁓!   a'

GKS I 130, 3 (T)

hun a diandl ghâbt,   hu⁓ s gean ghâbt   β' β'
  hu⁓ glabt, es mâg mi;   a'
hun i nâchgfrâgt,   hâts zwölf ghâbt,   b' β'
  da dreizent wâr i!   a'

'üebern Grâbmbâch' (K)

Nb 84, 1

übern Grâbmbâch,   übern Grâbmbâch,   β β
  auf di Pölling gê i;   α'
s gêt kan ândrer bua   übern Grâbmbâch,   x β
  auf die Pölling s wia i.   α'

PH 1102

üebern Grâbmbâch,   üebern Grâbmbâch,   β β
  üeber Pölling gê i;   α'
gêt ka ândrer bua,   gêt ka ândrer bua   (wie oben)   γ γ
  zue mein diandlân wia i.   α'

---

[1]) Vgl. S. 71 unten.
[2]) Vgl. S. 88 Anm. 2.

Die Nh-Lesart steht sprachlich und poetisch höher als die andre: vgl. das anschauliche und gut mundartliche 'auf die Pölling' dort, das farblos topographische 'über Pölling' hier; und: der Bursch braucht wahrlich nicht ausdrücklich mitzutheilen, wás ihn über den Grabenbach auf die Pölling zieht, das errathen seine Zuhörer schon ungesagter! Durch die Theilwiederholung in der zweiten $\frac{1}{2}$Str aber verliert das Reimgebäude ein wenig das Ebenmaaß: die Str zeigt eine Mischung von Schweifreim und Kreuzreim.

GKS I 73, 2 (T)

ei du liabi Zusl, gê gib mir a bussl		b' b'
dá hintä dä tür;		a'
und ias muasst di tummln, denn si tean schö trummln,		c' c'
obsd hea geast zu mir!		a'

Zwölfsilbige Spvv mit lauter viersilbigen Cadenzen wechseln mit fünfsilbigen 1v Kvv ab! In dieser äußersten Contrastierung der gegliederten und ungegliederten Verse drückt sich ein starker Formwille aus. Wegen ihres prachtvollen Baus hab ich dieses Tiroler Lied als Muster an den Capitelanfang gestellt.

'wân i wissn tât' (K)

Nh 162, 3 ~ PH 1140 und 1140 v

wân i wissn tât, wissät, dass der bua kam,		β γ'
tât i s bett aufbettn;		a'
wân i wissn tât, wissät, dass er nit kam,		β γ'
tât i s niadätretn. hôch aufbettn.		a'

Nh 162, 4 ~ PH 1141 und 1141 v

wân i wissn tât, wissät, dass der bua kam,	
tât i d wanglan tüttlan wâschn;	
wân i wissn tât, wissät, dass er nit kam,	(wie oben)
tât i s bleibm s schwârzä lássn.	

Nh 162, 1

jedär hâlterbua hât an ratzlbârt,		x x
nur mei bua, der hât kan;		a'
wân i wissn tât, dass-r-eam passn tât,		b' b'
so kaffät i eam an.		a'

6*

Nh 162, 2

jedär bauernschwâns   hât an rôsnkrâns,   b' b'
äber meî bua, der hât kan;   a'
wân i wissn tât,   dass er bein tât,   γ' γ'
jâ so kaffät i eam an.   a'

PH 1142

wân i wissn tât,   dass der bua kam,   x a'
tät i noch a stöel âbram;   a'
liaß n schmeckn,   liaß n kostn,   x b'²
wâr jâ guat fürn segn tostn.   b'²

Der letzte Vierzeiler will sich dem einsilbigen Strophenschluss nicht
fügen; da PH keine Singweisen gibt, bleibt die Rhythmisierung zweifelhaft.
Auffallend ist die paarige Reimbindung, die sonst bei den SpvStrr nicht
angewendet wird. Das Lied ist in der Form sehr unbeholfen; Merkmale
beider SpvStr-Formen sind zusammengeworfen; das Ergebnis bleibt un-
befriedigend [1]).

PH 470 (K)

und i will di nit,   und i mâg di nit,   β' β'
du bist mir vil s braun;   a'
und deî spitzlpfatl   hât ka âxlnatl,   c' c'
und drum mâg [i] di nit anschaun.   a'

'*bist a scheans diandle*' (K, St, T) [2])

Nh 62c = PH 476 (K)

bist a scheans diandle,   bist a kreimts diandle,   β' β'
äber meî diandle bist du nit;   α
hâst a liabs tân,   hâst a feins tân,   γ' γ'
äber meî tän hâst du nit.   α'

H 208 (St, T)

bist a schöns büebl,   bist a brâvs büebl,   β' β'
äber meî büebl bist nit;   α'
tätst mi aulâchn,   tätst mer s maul mâchn,   c' c'
äber heirâtn tätst mi nit.   α'

Bei Hörmann lautet der erste Vers *bist a schöns büebl, a brâvs b ü*
Ich glaub nicht fehlzugehn, wenn ich annehm, dass dieser Vers aus dem
parallelgebauten verderbt ist. Interessant ist die Variante Nh 192: hier
nimmt das Lied durch Überfüllung des zweiten Verses die rhythmische
Gestalt der unsymmetrischen SpvStr an; da es aber nicht gleichermaßen

---

[1]) Vgl. das Lied *hê meî bua!* unten S. 95.
[2]) Eine Vogtländische Variante theilt Dunger mit: a. a. O. 664.

Go gle

die der B-Form eigenthümliche Reimfolge (Paarreim) übernehmen kann, so bleibt sie auf einer Mittelstufe stehn:

Nh 192 (K)

du bist a schöner bua, du bist a feiner bua,
âber mei⁻ bua bist du dönnǎ nit;
du hâst a schönes tân, du hâst a feines tân,
aber mei⁻ tân hâst du nit.

'*dǎweil ma jung sein*' (K)

Nh 138a

weil mǎ jung sein, sein mǎ lusti,
schaun mǎ nit an iade ǎn;
wǎn mǎr ǎlt wern, wern mǎ frô sein,
wǎn mr-a wéni a weible hǎm.

PH 1807

so lâng mǎr jung sein, seim-mǎr hakli,
schau-mǎr nit an iade ǎn;
wǎm-mǎr ǎlt wern, wer-mǎr frô sein,
wǎm-mr-a weani a tudl wern hǎm.
varr: *wǎm-mǎr de nǎxte beste tudl hǎm.*

Ll 7, 3

wǎm-mr jung sein, seim-mr hagglig, hagglig,
schau-mr nit an iade, nit an iade ǎn;
wǎm-mar ǎlt wern, wer-mr froa sein,
wǎm-mr-a weanig a tudl wern hǎm.

Die beste Lesart bietet Nh; ihr steht am nächsten die zweite Variante der PH-Lesart. Der scheinbar überfüllte Schlussvers der ersten PH-Lesart wird durch die Ll-Lesart erklärt: hier steht das Lied unter einer Sing-weise, die durch Cadenzverdopplung zehntaktig geworden ist; und ausnahms-weis wird der letzte Kv, statt unter der Verdopplung entsprechend wieder-holt zu werden, durch Zerdehnung und Auffüllung auf vier Takte gebracht. Das Textlied verliert damit seine Proportion und tauscht dafür den zweifel-haften Gewinn eines Rhythmuswechsels ins Walzermäßige ein. Überdies hat die Ll-Lesart durch überreiche Füllung in der Strophenmitte die gleiche Veränderung erlitten, die wir eben an Nh 192 gesehn haben.

Auch die Strophen mit ganz gedrängt gefüllten ¹/₂ Str-Nachsätzen, bei denen manchmal bis zu den ¹/₂ Str-Schlüssen ǎlle Taktzeiten in Achtel auf-gelöst sind, entbehren nicht ganz der Contrastwirkung; nur beschränkt sich die dann auf die Abfolge der regelmäßig ungleichen Cadenzen.

86 Das Textlied.

K 148, 1 (T)

diandl von Niadôlandl   mit n saubăn gwandl,
wâdl mössn, sâgt si, mecht s mit mia;
jâ, wenn du wâdl mösst, so mösst du s ôbă n knia,
sŭñst traust dă wâdl s mössn nit mit mia!

b' b'
α' 1
x a'(?) '
α' 1

K 148, 2 (T)

diandl von Außderlandl   mit n saubăn gwandl
is jâ gâor so nett, so schiañ banănd;
und bâld i iar ŭ hi tandl   ân ian fŭarŭtăbandl,
lăcht si grăd a wenk und schaut mi ân.

b' b'
a'
b' b'
a'

Vier tadellos reine Reime auf éinen Klang ist für ein Sh fast
zu schön!

GKS II 18, 1 (T)

und dös pfărrămandl,   dös hăt ălm hăndl
gibt dös plettămandl găr koan frid;
er tăt krăd uichă rödn,   i sojt koan buam mögn,
ăbă s selli, glâb i, tua i nit.

b' b'
a'
c' c'
a'

'tua nă stiller liagn' (K)

Dieser concertmäßig aufgeputzten Nummer für Soloquintett und Chor
liegt eine SpvStr der Form A zu Grund.

Nh 219, 1

tua năr stiller liegn,   tua năr stiller liegn,
tua năr stiller liegn, liabăr Hois;
tua nit ăllweil,   tua nit ăllweil,
tua nit ăllweil umărgrăbbln wia a krois.

β β
a'
γ γ
a'

Eine Abart der besprochenen Strophenform zeigt das Kärtnerlied
ălmăwasserl (Nh 62; PH 837): seine Strophe besteht aus láuter Spvv
mit der Cadenzenfolge der A-Form. Die drei Cadenzen vorm ½Str-Schluss
sind stets 2(2)v und stehn in Reimannäherung aller Art; fest ist der
1(1) ½Str-Reim. Die Strophe stellt ein Gebäude aus lauter selbständigen
'jonicis a minore' dar; die Texte fordern einige Male Joniker a májore,
was aber von der Singweise nicht berücksichtigt wird. Die Sammlungen
von Nh und PH enthalten im Ganzen fünf Varianten des Liedes [1] [2]). Als
Beispiel:

[1]) Nh 62c ist ein selbständiges Lied, das mit dem besprochenen nichts zu schaffen
hat; es ist bereits auf S. 84 mitgetheilt worden.
[2]) Über die sechszeiligen Varianten Nh 62 a 1. 2 und PH 837 vgl. den letzten Abschnitt dieses Capitels: 'Größere Strophen und Mehrstropher mit Spaltversen'.

Go gle

97

Nh 62 b 1 = PH 837 v 1

älmăwásserl,	*kälte wásserl,*	β β
obm hater,	*untn trüeb;*	x α'
hóche berglan,	*frische lüftlan,*	c c
obm sunnschein,	*untn trüeb.*	x α'

Anmerkung. Dass Goethes 'Schweizerlied' (JA I, 91) im Sh-Maß geschrieben ist, darauf hat schon Stolte (S. 27 f.) hingewiesen. Die Strophe entspricht mit ihren acht ¾-Takten dem Vierzeiler des Sh. Wie das Absetzen der Zeilen andeutet, ist die Str eine SpvStr, aber nicht eine der eben besprochenen Art mit vier gespaltenen Versen, sondern eine gewöhnliche A-Strophe: ½ Strr aus Spv + Kv. Die Zeilen 3, 4 und 7, 8 jeder Str sind nicht einzelne Verse (1-Heber) wie Zeile 1, 2 und 5, 6, sondern bilden zusammen je eine rhythmische Einheit. Ich greif zwei davon heraus:

3 ₃,₄ lugt' i Summer-vögle a;
3 ₇,₈ gar z' schön hänt's gethan.

Der rhythmische Bau der Str wäre also besser wiedergegeben, wenn man sie so schriebe:

Ufm Bergli	
bin i gesässe,	x x
ha de Vögle zugeschaut;	a'
hänt gesunge,	
hänt gesprunge,	b b
hänt s Nestli gebaut.	a'

Als einen unvollkommenen Versuch in dieser Str-Form kann man GKS I 22, 1 betrachten, wo der syntaktische Gleichlauf in den Nachsatz der ersten Halbstrophen-Periode hineingetragen ist, ohne aber eine Entsprechung in der zweiten ½ Str zu finden.

GKS I 22, 1 (T)

und a kälbsköpfl,	*und a jungs lampl,*	x x
und a rüarmilch,	*und an sterz:*	x² a'¹
dös tuat ma zsåmmäröstn, gibts den mådlän z'essn,		b' b'
dänn kriaŋ s wiedĕrum a treues herz.		a'

Zur B-Form kann dieses Lied nicht gerechnet werden wegen der rhythmisch-reimlichen Entsprechung der ½ Str-Cadenzen.

B. Die unsymmetrische Spaltvers-Strophe.

Drei auftaktige, mehrsilbig cadenzierende Spvv und ein ungegliederter Kv werden zur Strophe verbunden. Die ideale Form müsste etwa so aussehn:

	a'(²)¹
	a'(²)¹
	b'(²)¹
oder:	b'¹

Die Str hat Paarreim oder eine mit dem Paarreim verwandte Reimstellung [1]. In der zweiten $\frac{1}{2}$Str ergibt der Paarreim nothwendig rhythmisch unreinen Reim. Die unsymmetrische SpvStr ist also offenbar
eine Sprossform der 3.3.3.1-Str; die Spv-Cadenzen sind denn auch meist
dreisilbig gebildet, wie bei dieser. Zum Vergleich setz ich das Schema
der 3.3.3.1-Str her.

$\mid \acute{\times} \ \times \ \grave{\times}$	$\mid \acute{\times} \ \times \ \grave{\times}$					a	
$\mid \times \ \times \ \times$	$\mid \times \ \times \ \times$					a	
$\mid \times \ \times \ \times$	$\mid \times \ \times \ \times$					b'(²)¹	
$\mid \times \ \times \ \times$	$\mid \times \ 2 \ 2$					b'¹	

Die verschiedene Behandlung der sprachlich gleichwerthigen Kv-
Schlüsse beruht auf der verschiedenartigen Auftaktgestaltung beider
Formen: bei der in allen Theilen auftaktlosen 3.3.3.1-Str können die drei
Cadenzsilben voll ausladen, bei der in allen Theilen schwerauftaktigen
SpvStr müssen sie zusammengeschoben werden, um dem Auftakt im Takt-
rahmen Platz zu schaffen. Die tektonische Abweichung der SpvStr von
der 3.3.3.1-Str bewirkt nothwendig Unterschiede in der Reimrhythmik. Bei
den 3.3.3.1-Strr finden sich einzelne Fälle, wo die Cadenz-Dreisilber der
ersten $\frac{1}{2}$Str vom Háuptaccent an (als gleitende Reime) in Reim gestellt
sind; vgl.

A 9$_{1,2}$ *áugătó : táugăt-ó* $.. \mid \acute{\times} \ \times \ \grave{\times}$ a'(³)³   ²) ³)

Bei den SpvStrr kommt das níe vor; ihre Reimcadenzen haben durch-
wegs Senkungsreim, und zwar an allen Stellen, die nicht mit dem Str-
Schluss correspondieren, rhythmisch rein; vgl.

K III 7, 3$_2$ *glóckn klingă̆˘ : séndrină singă̆˘* $.. \mid \overset{\smile\smile}{} \ \smile \smile$ a'(²)²   ³) ⁴)

Je nach der Stellung des Einschnitts im Spv kann der Senkungsreim
einsilbig oder zweisilbig sein:

$\smile \grave{\smile} \acute{\smile} \mid \smile \acute{\smile} , \smile \grave{\smile} \mid \acute{\smile} \grave{\smile}$ a'(²)¹   oder $\smile \acute{\smile} \mid \smile \acute{\smile} , \smile \grave{\smile} \mid \acute{\smile} \smile \smile$ a'(²)²   ⁵)

---

[1] Eine Ausnahme bildet die Liedergruppe K III 7 ~ Nh 41, 1. 3. 4 (vgl. S. 90 f.) und
Nh 176, 2 (vgl. S. 91).

[2] Bei den Reimsiegeln muss außer der Silbenzahl nun auch die Stellung in der
Cadenz berücksichtigt werden. Wir bezeichnen also wie bisher den Senkungsreim allgemein
durch einen gravis neben dem Siegel-Buchstaben; die eingeklammerte Ziffer bezieht sich
auf die Werthigkeit der Cadenz, die andre gibt die Silbenzahl des Reimklangs an. a'(²)³
bedeutet also: 3-werthige Cadenz mit 3-silbigem Reimklang von der Hebung; a'(²)² bedeutet:
2-werthige Cadenz mit 2-silbigem Senkungsreim.

[3] Das ganze Lied ist auf S. 68 mitgeteilt.

[4] Lied und Schema such auf S. 91.

[5] Beispiele für beide Vers- und Reimformen enthält K III 7, 3, das auf S. 91 mitgetheilt ist.

Bei der symmetrischen SpvStr fallen, wie wir gesehn haben, rhythmische und sprachliche Periode stets zusammen. Nicht so bei der unsymmetrischen Form. Hier steht der unsymmetrischen rhythmischen Gliederung manchmal eine symmetrische ½Str-Gliederung gegenüber; die Reimgliederung ist sogar immer symmetrisch. Auch in diesem Bezug entsprechen einander SpvStr B und 3.3.3.1-Str genau. Es ist unnöthig, dieses Verhältnis mit Beispielen zu belegen: die folgenden Lieder können alle in dem einen oder andern Sinn als Belege gelten.

Wir gehn zur Einzelbetrachtung über.

'diandle, mi muasst liabm' (K)

Eine Liedergruppe, deren Gesätze einfachen Paarreim haben oder Vierreim.

Nh 41, 5 = 41 u 2 = PH 341

diandle, mi muasst lia^bm, *bin a zimmermánn,*	⌣⌣｜⌣⌣ ×, ⌣⌣｜⌣⌣ ×	x a'(²)¹
wer dr-a häusle baun *und a dachle drán,*	⌣⌣｜⌣⌣ ×, ⌣⌣｜⌣⌣ ×	x a'(²)¹
wer dr-a wiagle máchn *und a kind dázua:*	⌣⌣｜⌣⌣⌣, ⌣⌣｜⌣⌣ ⌣	x b'(²)¹
du wirst mei⁻ diandle sein und i dem̃ bua!	⌣⌣⌣｜⌣⌣⌣ ⌣⌣｜ × ₂	b'¹

Nh 41 u 3 (~ PH 341 v ~ Nh 41, 2)

diandle, mi muasst lia^bm, *bin a jágerbua,*	(wie oben)	x a'(²)¹
wer dǎ schiassn lernn, *brauchst nix zǎln dǎfuar,*		x a'(²)¹
wer dr-a liad vorsiŋ *und wǎs spiln dázua:*	..｜⌣⌣ ×, ..｜	x a'(²)¹
du wirst mei⁻ diandle sein und i dem̃ bua!		a'¹

'wer an ápfl schält' (K)

Dieses Lied mit fast künstlich gleichmäßiger Versfüllung — die Spvv verwenden ausschließlich éin rhythmisches Motiv ⌣⌣｜⌣⌣ × — hab ich bereits auf S. 72 mitgetheilt. Die Reimstellung ist nach der Lesart Nh 14, 2 = 41 u 1 x a'(²)³ x a'(²)³ x b'(²)¹ b'¹. Fast gleichlautend ist die Lesart bei PH; nur im dritten Vers fehlt eine Silbe. Dieser unscheinbare Unterschied bewirkt aber eine völlige Verschiebung des Rhythmus: der dritte Kv ist kein Spv mehr, die mehrsilbige Cadenz ist verloren gegangen und das zweite Reimpaar ist rhythmisch rein geworden! Man vergleiche mit Text und Schema auf S. 72:

PH 1806

wer an ápfl schält, *und er isst in nit;*	⌣⌣｜⌣⌣ ×, ⌣⌣｜⌣⌣ ×	x a'(²)³
wer a diandle liabt, *und er küsst si nit,*	⌣⌣｜⌣⌣ ×, ⌣⌣｜⌣⌣ ×	x a'(²)³
wer ins wirtshaus gét und trinkt kan wein:	⌣⌣｜⌣⌣⌣ ⌣⌣｜ × ₂	b'¹
muess a rechter pátznlippl sein!	⌣⌣｜⌣⌣⌣ ⌣⌣｜ × ₂	b'¹

Ähnliche Versfüllung aber häufigeren Reim zeigt das Lied 'aufm heu-bodn': eine Verbindung von Paarreim mit Binnenreim ergibt Dreireim in den ¹/₂ Strr.

Nh 14, 1 (K)

aufm heuboᵈn is a diandle oᵇm,	◡̆◡̆| ⤬̆ ⤬̆,◡̆◡̆| ◡̆′ ⤬̆	a′(²)¹ a′(²)¹
woᵃns a schöne wâr, wâr i längst schon oᵇm;	◡̆◡̆|◡̆ ⤬̆,◡̆◡̆| ◡̆ ⤬̆	x a′(²)¹
weils a schiache is, is s ma dllweil gwiss,	◡̆◡̆|◡̆ ⤬̆,◡̆◡̆|◡̆ ⤬̆	β′(²)¹ b′(²)¹
weils âm heuboᵈn oᵇm is.	◡̆◡̆| ⤬̆ ⤬̆ ⤬̆ | ⤬̆	β′¹

Etwas ungelenk mit ihren stockenden Reimcadenzen, aber doch von guter Wirkung ist eine Lesart aus dem Kainachthal:

W 217, 7 (St)

âm heuboᵈn is a mentsch oᵇm;	⤬̆ | ⤬̆ ⤬̆,◡̆◡̆| ⤬̆ ⤬̆	(wie oben)
woᵃns a schöni wâr, wâr i längst oᵇm;	◡̆◡̆|◡̆ ⤬̆,◡̆◡̆| ⤬̆ ⤬̆	
woᵃns a schiachi is, is s ma nô gwiss,	◡̆◡̆|◡̆ ⤬̆,◡̆◡̆| ⤬̆ ⤬̆	
dö âm heuboᵈn oᵇm is.	◡̆◡̆| ⤬̆ ⤬̆ ⤬̆ | ⤬̆ ？	

Wie bei manchen A-Strophen finden wir hier — schöner in der Kärntner Lesart, als in der steirischen — den starken Contrast zwischen den eiligen Spvv und dem großschrittigen Schluss-Kv.

'drum gê i gâr so weit her über d schneid' (K, T)

Neckheim und Kohl bringen von dieser Liedergruppe je drei Gesätze in stark abweichenden Lesarten[1]). Allen gemeinsam ist der refrain-artige Schlussvers. In der Versfüllung sind die Strophen ziemlich gleichartig; ein tirolisches Gesätz fällt durch einzelne überstürzte Taktfüllungen auf (K III 7, 3). Der Kehrvers gibt Anlass zu allerlei hübschen Reimspielereien; er besitzt sogar einen Binnenreim, der — rhythmisch unrein — im un-gebrochenen Lauf des Str-Schlusses leise anklingt. In den einzelnen Ge-sätzen ergeben sich folgende Reimverschlingungen:

x a'	x a'	b'b'	(a') a'	K III 7, 1
b'a'	b'a'	c'c'	(a') a'	(~) Nh 41, 1
b'c'	b'c'	d'd'	(a')'a'	K III 7, 2
b'b'	c'c'	d'd'	(a)'a'	(~) Nh 41, 4; Nh 41, 3 ~ K III 7, 3

Abweichend von dem bei den SpvStrr der B-Form Üblichen ist die Reimfolge von Nh 41, 4 und Nh 41, 3 ~ K III 7, 3: die Kvv untereinander sind nicht durch Reim gebunden, sondern jeder für sich mit einem Binnen-reim verziert. Als Beispiel:

---

[1]) Nh 41, 1 ~ K III 7, 1 und Nh 41, 3 ~ K III 7, 3 sind Einzellieder, Nh 41, 4 ~ K III 7, 2 dagegen Anhänger einer Doppelstrophe; vgl. darüber im Cap. 5 den Abschnitt über Doppelstrophe und Mehrstropher.

Nh 41, 3 (K)

wån der tåg ånbricht,	*d sunn durch d bamå sticht,*	b'(²)¹ b'(²)¹
wån der guggu schreit	*und d vögl stimmen drein,*	c'(²)¹ c'(²)¹
wån di rosn blüan,	*tuan wir zwå uns liabm:*	d'(²)¹ d'(²)¹
drum gê i går so weit her über d schneid!		(a') a'¹

K III 7, 3 (T)

wån då tåg ańbricht,	*di sunn durch di staudn sticht,*	b'(²)¹ b'(²)¹
wån di glockn klingå˝	*und di sendrinnå singå˝,*	c'(²)¹ c'(²)¹
wån di blüamål blüan,	*wer-mar uns zwoa liabm:*	d'(²)¹ d'(²)¹
drum gê i gor so weit her über d schneid!		(a') a'¹

Süß 60, 11 und ♪ 304, 12 (S)

und en Elixhausn,	*då is s gôr zön grausn,*	a'(²)² a'(²)²
essns ê då frua,	*s mittåg und zön jausn,*	(b') a'(²)²
um a hålbö neunö	*setzns d milli einö:*	c'(²)² c'(²)²
so gêts zua, sågt å, bis ê d frua.		b'¹ b'¹

Ein Text mit reicher Versfüllung; das Reimspiel ist ähnlich wie bei den Liedern der eben besprochenen Gruppe; auch der Binnenreim im Schlussvers ist da, diesmal mit starker Wirkung auf gutem Takttheil, überdies vorbereitet in der ersten ½Str.

Die Binnenreim-Formation ist der Tektonik der Strophe nicht günstig; sie lockert das feste Gebäude der SpvStr. Die Kvv haben aneinander keinen Halt. Darunter leidet der Schlussvers: ihm wird aus dem Strophen-Innern keine Reimfrage gestellt, die Reimklänge haben alle schon ihre Antwort gefunden. Da er des Reims nicht entbehren kann, dringt auch in ihn der Binnenreim ein, und wir erhalten im besten Fall eine kurz-gliedrige Str aus vier Reimpaaren (wie die oben mitgetheilte Str Nh 41, 3 ∼ K III 7, 3). Durch den Binnenreim ist aber die Geschlossenheit des Schlussverses gefährdet:

Nh 176, 2¹) (K)

diandle, diandle klans,	*du kriagst wol å-amål²) åns,*	a'(²)¹ a'(²)¹
wåns nit heuer is,	*so is s aufs jår schon gwiss;*	b'(²)¹ b'(²)¹
diandle, diandle klans,	*du kriagst gwiss å-amål åns:*	a'(²)¹ a'(²)¹
wån å dir i nix tua, seint åndre gnua.		c'(²)¹ c'¹

---

¹) Über das Verhältnis der Nh-Lesart zu der von PH 1383 f. mitgetheilten vgl. den letzten Abschnitt dieses Capitels.

²) Nh schreibt ... *wohl amål* ...; da *åmål* mit der ersten Silbe im guten Takttheil steht, würde es dem Sinn zuwider 'einmal' (ein einziges Mal) bedeuten; thatsächlich stecken in dem å- zwei Worte drinn: å ă- 'auch ein-', die aber beim Sprechen oder Singen zu éiner Silbe verschmelzen; ich hab das im Text durch einen Bindestrich angedeutet. In der Lesart PH 1383 hat *amål* 'irgend einmal' keine Schwierigkeit, da das ganze Wort im Nebenton steht: *diandl, du kláns ‖ und du håst amål åns* ...

Durch Satzbau und Reim ist der Schlussvers gegliedert; ganz zerstört ist seine Geschlossenheit trotzdem nicht: der rhythmische Fluss ist stärker als sie beide. Wer die Theilung durch Satzbau und Reim stärker empfindet als ich, erinnert sich hier vielleicht der Liedergruppe *almă-wasserl,* die ich zu den symmetrischen SpvStrr gestellt hab, und hält mir vor, dass die SpvStrr nicht in zwei, sondern in drei Gruppen zu theilen seien: a) Strr mit zwéi Spvv (bei mir Form A), b) Strr mit dréi Spvv (bei mir Form B), c) Strr mit víer Spvv; er wird sicher méine Eintheilung zugeben, wenn er die Musterstrophe *almă-wasserl* (oben S. 87) und *diandle, diandle klans* hintereinander durchsingt oder nur im Rhythmus durchlíest: die rhythmische Wirkung ist offenbar verschieden (vgl. auch die Reimfolge!) und diese Abweichung ist formal bedeutsamer als die gleichartige Neigung zu durchgehender Versspaltung.

'du bist a fescher bua' (K)

Nh theilt zwei Lesarten mit: 176, 1 ∼ 167, 2; man beachte die gedrängte Versfüllung der zweiten Lesart: im Str-Innern sind álle Takte sechssilbig. Die ungleichartige Reimbindung des Liedes zeigt wieder, dass der Binnenreim dem Wesen der SpvStr schlecht entspricht. Die Lesart Nh 176, 1 fügt den zwei Binnenreim-Paaren der ersten $^1/_2$ Str ein Kv-Reimpaar an, die Lesart Nh 167, 2 kommt mit den Binnenreimen noch schlechter weiter, sie stellt in der zweiten $^1/_2$ Str gar nur Reimfrágen, die nicht beantwortet werden, gibt Reimántworten, um die nicht gefragt war.

Nh 176, 1

bist a fescher bua, *du hăst jă schneid genua,*	‿‿ | ‿́ ‿‿ ‿‿ | ‿‿ ×́	a' a'
brauchst nit draussn stên, *kănst jă wol einärgên;*	‿‿ | ‿‿ ‿‿ ‿‿ | ‿‿ ×	b' b'
dbers hintertürl *muasst hamli zubelănn¹):*	‿‿ | ‿‿ ‿‿ ‿‿ | ‿‿ ×	x c'
wăns dă vătă hört, der jăgt di hăm!	‿‿ | ‿‿ ‿‿ ‿‿ | × ⸮	c'

Nh 167, 2

du bist a hübscher bua, *du hăst jă schneid genua,*	‿́ ‿ | ‿́ ‿‿ ‿‿ | ‿́ ‿‿	a' a'
du brauchst nit draussn stên, *du kănst wol eină gên,*	‿‿ ‿ | ‿‿ ‿‿ ‿‿ | ‿‿ ‿	b' b'
du muasst dăs hintre türl *leise zubelănn:*	‿‿ ‿ | ‿‿ ‿‿, ‿‿ | ‿‿ ‿	x c'
wăn di dă vătă hört, er jăgăt di!	‿‿ ‿ | ‿‿ ‿‿ ‿‿ | ×́	d'

Es ist klar, dass der erste Text die richtige Lesart des Schlussverses bringt. Drum wärs verfehlt ins Reimschema des zweiten Textes statt c d ein x x einzustellen: an Kurzvers-Schlüssen und gar am Str-Schluss sind Waisen unmöglich. Vielmehr gleicht die zweite $^1/_2$ Str der untern Lesart jenem Echo, das auf 'eins, zwei, drei!' mit '*gsuffắ!*' reagierte!

---

¹) *zube-* < zu-hin-; *zube-lănăn* also: durch Anlehnen schließen.

Die folgenden Kärtnerlieder bieten formal nichts Neues. Alle haben reiche Versfüllung; das erste verwendet einfache Kv-Reimpaare, die beiden folgenden bilden schöne Dreireim-Strophen, Nh 171, 1 und 197, 1 combinieren Paarreim und Dreireim.

i håb a diandle hias	(Nh 167, 1)	x a` ‖ x a` ⫴ x b` ‖ b′
mei˜ muattä sågäts gern	(Nh 72, 1 ~ PH 18)	a` a` ‖ x a` ⫴ β` β` ‖ β′
und wån di muattä schreit	(Nh 72, 2 ~ PH 1403)	a` a` ‖ x a` ⫴ β` b` ‖ β′
wån di Kartnerbuam	(Nh 197, 1)	x a` ‖ x a` ⫴ b` b` ‖ b′
dort wo der gams inn gwänd	(Nh 171, 1)	x a` ‖ x a` ⫴ b` b` ‖ b′
wåns im winter schneibt	(Nh 171, 2)	a` a` ‖ x a` ⫴ b` b` ‖ b′

Die zwei letztgenannten Gesätze sind möglicherweise keine Einzellieder, sondern Strophen größerer Wildschützenlieder; da ich sie nur aus der Nh-Überlieferung kenne, kann ich die Frage nicht entscheiden und nenn sie mit an dieser Stelle.

***

'auf der Zigulln' (Nh 72, 3 ~ Ph 625 ~ Ll 18, 1) (K)

Ein Lied, bei dem die Spv-Einschnitte zum Theil undeutlich sind, mitunter ganz verschwinden (PH 3); doch ist sein rhythmischer Schwung dem der unsymmetrischen SpvStr so ähnlich, dass es am besten hier seinen Platz findet. Das Lied ist ein gutes Beispiel für das Ungenaue, Unklare, Schillernde, das alle Formen des Volkslieds umgibt.

Nh 72, 3 ♪

auf der Zigúlln[1] *obm*	*håb i méine wälder,*		x a`(²)³
auf der Góritschitzn	*håb i méine felder;*		x a`(²)²
und von Pítzlstettn	*über Mária-Sál*		x b`(²)¹
ghern di díandlän mein bis Ebmtál!			b′¹

Ll 18, 1 ♪

af der Zigúlln	*då håb is meine félder,*		x a′¹(²)
in Púxnstán			
af der Goritschitzn	*då håb is meine wälder;*		x a′¹(²)
von Klágnfúrt und Maria-Sál			x b′¹
ghern álle mádlän mein bis Ebmtál!			b′¹

PH 625

Nach der Nh-Weise:

auf der Ziguln drobm	*då håb is meine felder,*
auf der Goritzschitzn	*då håb is meine wälder;*
und von Bitzlstettn weg bis Maria-Sál	
ghern de diandlän álle mein bis Ebmtál!	

Nach der Ll-Weise:

***

1) *Zigulln* ist zwéisilbig.

Die Nh-Lesart ist eine gute SpvStr; sie wird zur selben Spv-V.˜ ˙¦se gesungen wie die eben erwähnten Lieder *mei˜ muattă săgăts gern* und *und wăn di muattă schreit.* Die Ll-Lesart überrascht durch ungewöhnliche (éinwerthige!) Cadenzformen und arbeitet überdies die Spv-Einschnitte durch Zusammenschieben der überreichen (fünfsilbigen!) Innen-Auftakte ganz stark heraus; mit ihrem prachtvollen Bau steht sie ganz vereinzelt da. Die PH-Lesart gibt nur Text, ihre Form ist nicht eindeutig fest-zustellen; unter jeder der zwei gegebenen Weisen (Nh, Ll) gibt sie ein gutes Bild.[1]

SS 115 (S)

a greisl polisch,	*a greisl deutsch,*		x a′¹
a greisl schwăsz	*und a greisl weiss;*		x a′¹
a greisl weiss	*und a greisl schwăsz,*		x b′¹
	und a greisl fălsch is meiñ schătz!		b′¹

Dieses Salzburger Lied hat große Ähnlichkeit mit der Ll-Lesart des Zigulln-Lieds. Mit den SpStrr der B-Form haben beide nur die Versfólge gemein, nicht aber die Versfórm. Sie stehn abseits, denn sie haben keine Verwandtschaft mit der 3.3.3.1-Str; das äußere Zeichen: sie haben keinen rhythmisch unreinen Reim. Das sind hübsche Versuche, auf einem andern Weg zu einer SpvStr zu gelangen, Versuche, die keine Nachahmung gefunden haben.

Eine Sonderstellung unter den SpvStrr nehmen die auftaktlösen Strr ein. Ihrer sind nicht viel. Mit guter Wirkung werden auch auftakt-lose und auftaktige Perioden combiniert.

Zu den symmetrischen SpvStrr gehört

PH 924 (K)

hin übern kogl,	*her übern kogl,*	α′ α′
	aufe übern berglwăld!	b′
du bist mei˜ biabl,	*i bin dei˜ diandl,*	c′ c′
	ăber zsămkemmăn wer-mers băld.	b′

Vgl. den Kehr-Vierzeiler des Liedes *Lăvnttăl* (Nh 221).

Zu den unsymmetrischen SpvStrr gehört

Süß 18, 75 (S)

hoam soll i gên,	*dă soll i blei*ᵇ*m,*	x	a′(³)¹
kugl soll i nemä˜,	*kögl soll i schei*ᵇ*m:*	x	a′(³)¹
hoam gê i nit,	*dă bleib i nit,*		β′(³)¹ β′(³)¹
	kugl kögl scheibm tua i â nit!		β′¹

[1] Das Lied Ll 18, 2 *wegn mein wischpln, wegn mein sing'* ist keine SpvStr; es gehört zu den Strr mit verstreuten Spvv und ist als Lesart zu PH 584 auf der Tafel S. 76 angeführt.

Der Schlussvers muss verderbt sein; só ist er in den Versrahmen nicht hineinzuzwängen. Singbar wird er, wenn man zwei überflüssige Silben weglässt:

*kögl scheibm tu i nit!

oder: *kugl kögl scheib i nit!

$|\breve{\smile}\ \breve{\smile}\ \breve{\smile}\ |\ \dot{\times}\ \ell\ \ell\ |$

(ebenso)

Ein Zwitter von A- und B-Form ist die Str des Liedes PH 1056:

PH 1056 (K)

hê mei" bua! heunt kêr zua!	$*\,|\ \breve{\smile}\ \dot{\times}\ \ell\,,|\ \breve{\smile}\ \dot{\times}\ \ell\ |$ a'(²)¹ a'(²)¹
ham kimmst jå ê frua gnua!	$|\ \times\ \times\ \times\ |\ \smile\ \times\ \ell\ |$ a'(²)¹
s bett is lår, s mentsch is rår,	$|\ \smile\ \times\ \ell\,,|\ \smile\ \times\ \ell\ |$ b'(²)¹ b'(²)¹
brăntwein kriagst â!	$|\ \times\ \times\ \times\ |\ \times\ \ell\ \ell\ |$ b'¹

Merkmale der A-Form sind die ausgesprochene Symmetrie des Satzbaus und die überaus kräftige, in beiden ¹/₂Strr gleiche Contrastierung im Rhythmus der Kv-Innentakte; Merkmale der B-Form dagegen die unsymmetrische Cadenzenfolge, die Dreireim-Bindung und der rhythmisch unreine Reim [1]).

Wir haben auf S. 77 f. die verstreuten Spvv aus SS nach ihrer rhythmischen Beschaffenheit zusammengestellt; zum Vergleich damit geb ich jetzt eine Übersicht über die rhythmischen Formen der Spvv in den ausgebildeten SpvStrr; die Tafel enthält alle Einzellieder und Lesarten aus den benutzten Sammlungen. Ein flüchtiger Blick genügt, um zu erkennen, wie ganz anders das Bild hier ist: dort mit wenigen Ausnahmen magere Füllungen, hier reiche und überreiche. In unendlicher Variation (Gruppe a und b) tritt die Füllungsform auf, die um jeden guten Takttheil zwei Nebenhebungen im Gleichgewicht gruppiert: eine auf der Auftaktseite, eine auf der Cadenzseite. Mit dem griechischen Terminus wäre dieser Spv-Typus als ein 'Dimeter aus selbständigen akatalektischen Ionikern a minore' zu bezeichnen. Daneben verschwinden fast die paar 'Ioniker a majore' der Gruppe c.

---

[1]) Vgl. das Lied PH 1142, oben S. 84.

Füllungsforme　　Spaltverse in den ausgebildeten Spaltvers-Strophen.

a) Auftaktige Spaltverse mit vollkommenem Gleichlauf.
(Alle Cadenzen sind 2-werthig.)

Str-Form A　　　　　　　　　　　　　　　**Str-Form B**

A 15, 1₃; GKS II 95, 1₁,₃; PH 180₉,₁,₃; PH
1140₁,₃ = 114₁; PH 1142₃; Nh 62c₃ = PH
476; Nh 189u₁,₃ = PH 180₇,₃ = (Ll 7, 3₃);
Nh 219, 1₃; Nh 62a b₁,₃,₆ = PH 887 u. 887v;

Nh 84, 1₁,₃ ~ PH 1102; Nh 162, 1₁,₃; Nh 162,
2₁,₃; PH 470₁;

Nh 41, 5₁,₃ = 41u2 = PH 341; Nh 41u3₁,₃,₃
~ PH 341v, ~ Nh 41, 2₁; Nh 14, 2₁,₃,₃ =
41u1 = PH 180₆₁,₃; Nh 14, 1₃,₃; Nh 41, 1₁,₃,₃
~ K III 7, 1₃; Nh 41, 3₁,₃ ~ K III 7, 3₃; Nh
41, 4₃; K III 7, 2₃;

Stß 60, 11₁,₃; Nh 72, 3₃;

K III 7, 1₃;

A 15, 1₁; Nh 62c₃ = PH 476 ~ H 208; H 208₃;
Nh 219, 2₁,₃; (GKS I 22, 1,); PH 924₃;
GKS I 73, 2₁,₃; PH 470₃; Nh 219, 1₁;

Nh 219, 3₃;
(Nh 192₁₁,₃); K 148, 1₃; Nh 219, 3₁;

Nh 167, 2₁,₃; Nh 167, 1₁,₃; Nh 72, 1₁,₃ = PH 18;
Nh 72, 2₁,₃ ~ PH 140₃; Nh 171, 1₁,₃; Nh 171, 2₃;

b) Auftaktige Spaltverse mit unvollkommenem Gleichlauf.
(Alle Cadenzen sind 2-werthig.)

W 217, 7₁;

GKS I 130, 3₃;

Nh 14, 1₁; (Nh 192₃);

(Ll 7, 3₁);
GKS I 130, 8₁;
Nh 162, 3₁,₃ = 162, 4 = PH 1142₁;

W 217, 7₃,₃;

K III 7, 1₃; K III 7, 2₃;
Stß 60, 11₃;
Nh 41, 3₃; Nh 176, 2₁,₃,₃; Nh 176, 1₁,₃,₃; Nh
197, 1₁,₃; Nh 171, 1₃; Nh 171, 2₁;
K III 7, 3₃;

Nh 41, 5, = 41 u 2 = PH 841; Nh 41, 2, 3 Nh 72, 1,; Nh 72, 2, ~ PH 1403; Nh 171, 2,; Nh 72, 3,; (Ll 7, 8,);

GKS II 18, 1,;

K III 7, 3,;

PH 1807,;

PH 841 v,,; Nh 41, 4,; Nh 167, 1,; Nh 197, 1,;

GKS II 18, 1,;

Nh 167, 2,; PH 18,;

(GKS I 22, 1,);

Nh 72, 3,;
Nh 41, 4, ~ K III 7, 2,

K 148, 1, ~ 148, 2,;
K 148, 2,;

c) Auftaktlose Spaltverse.

Nh 221 ,,; (PH 1056,,);

Süß 18, 75,,;

PH 924,;

Süß 18, 75,;

d) Auftaktige Spaltverse mit (ein oder zwei) einwerthigen Cadenzen.

Nh 62 a b,,,, = PH 837;

(GKS I 22, 1,);

SS 115,;

SS 115,,.

Legende

den gedruckten Sammlungen macht ein Citieren nach ihnen unmöglich; die Übersicht würde ganz verloren gehn.

entsprechenden Verszahlen. Nh 41,,2 = PH 341, gibt an, dass Vers 1 beider Lesarten textlich und rhythmisch gleich ist.

1. Die Spvv der symmetrischen und unsymmetrischen Str sind in getrennte Colonnen gestellt.
2. Die Str sind in der Reihenfolge angezogen, wie sie in meiner Abhandlung geordnet sind.
3. Die Verszahlen sind nach meiner Zeilenzählung zu verstehn. Die große Unregelmäßigkeit des Zeilenabsetzens in
4. Die Gleichheits- und Ähnlichkeits-Zeichen beziehn sich nur auf die Textworte und immer nur auf die einander
5. Jene Str oder Lesarten, die eine Zwischenstellung zwischen den zwei SpvStr-Formen einnehmen, sind in Klammer gesetzt.

Rotter, Schnaderhüpfrhythmus.

7

Mangelhaft überlieferte Spaltvers-Strophen.
Rhythmische Umdeutung.

Es mag auffallen, dass unter den zahlreichen angeführten SpvStrr so
wenige salzburgische zu finden sind. Thatsächlich bringt Süß unter den
tausend Shh seiner Sammlung nur zwei, die in Betracht kommen, nämlich
115 und 32[1]). Dennnoch scheint es mir sicher, dass die Form im Salzburgischen viel verbreiteter ist, als es danach den Anschein haben möchte.

Unter den 'Kinderliedern' theilt Süß zwei schöne SpvStrr mit (Süß
6, 17 und 18, 75[2])), zwei unter den weltlichen Liedern (Süß 60, 11[3])) und
124, 15[4])); außerdem stehn allein schon in meiner kleinen Sammlung zwei
Einzelstrophen (A 15; 15 a) und drei Mehrstropher mit Spvv (A 28; 29; 30).
Dass die Form im Salzburgischen nicht nur békannt, sondern auch érkannt
ist, zeigen die zu dem Steirerlied *i bin a Steirerbua* (A 30) hinzugedichteten
Pinzgauer Strophen, ganz besonders aber die Art, wie sich zwei meiner
Pinzgauer Gewährsmänner mit jenem holprigen Vierzeiler *bin koan untäländä* abgefunden haben (vgl. unten S. 100); ich erinnere auch daran, dass
von den Varianten zu dem Lied *hát schö̃ oans gschlágn* die salzburgische
die reinste Form hat. Den mundartlichen Gassenhauer *is um s roasn, sägt
ä* (Süß 151, 33 ff.) gláub ich als Beleg nicht heranziehn zu dürfen.

Die Herausgeber der Textsammlungen haben an den SpvStrr sichtlich
Schwierigkeiten gefunden, haben vielleicht auch den Rhythmus nicht immer
recht verstanden. Es herrscht große Unsicherheit darin, wie bei den
SpvStrr die Zeilen abgesetzt werden. PH z. B. setzt Nr. 470 und 476
sechszeilig ab, die rhythmisch ganz gleichwerthigen Nrn. 935 und 1309
acht- bezw. vierzeilig: alle vier Strophen sind achttaktige SpvStrr der
Form A; das zwölftaktige 837 wird in sechs Zeilen zusammengeschrieben,
während die achttaktigen Varianten dazu in acht Zeilen auseinander gezogen werden. Ganz unerfindlich ist, warum bei GK das achttaktige
Lied 73, 2[5]) zum 5-Zeiler zerdehnt wird.

Süß hat unter seine 'Schnödahöpfl' nur Vierzeiler aufgenommen.
Dass er keine SpvStrr mittheilt, wird wohl daher kommen, dass er ihren
Rhythmus missverstand und sie dárum nicht als Shh betrachtete, oder, dass
er sie als Mehrzeiler ansah und sie ihm déshalb aus dem Rahmen heraus-
zufallen schienen.

Für den Leser, dem die Weisen nicht bekannt sind, ist es oft sehr
schwer, bei den derart ungleich geschriebenen Strophen den richtigen
Rhythmus herauszufinden. Man nehme etwa PH 18 a b:

---

[1]) SS 115 ist mitgetheilt auf S. 94, SS 32 unten S. 100.
[2]) Süß 6, 17 ist mitgetheilt auf S. 105, Süß 18, 75 auf S. 94.
[3]) Mitgetheilt oben S. 91.   [4]) Mehrstropher.   [5]) Vgl. S. 83.

PH 18   *mei˜ muetter sâgäts[1] gern,*   *der mueter folg i s nit,*
         i sollt a geistlä wern,   *ka geistlä wir is nit,*
         i sollt de diandlän lässn,   *und de diandlän lässn*
         dâs wâr ir begern.   *tue i nit.*

Wer das Liedchen nicht kennt, wird kaum darauf verfallen, es in zwei viertaktigen $\frac{1}{2}$ Strr zu sprechen. Bei einem Vierzeiler von gewöhnlichem Umfang ist man stets geneigt in jeder Zeile zwei Takte zu suchen.

Damit komm ich auf eine eigenthümliche Erscheinung. Wir finden in den Textsammlungen einige Vierzeiler, die äußerlich ganz harmlos herschaun, die sich aber der normal-achttaktigen Messung nicht fügen wollen. Indem ich sie mit Varianten zusammenstell, kann ich es sehr wahrscheinlich machen, dass diese scheinbar Vierzeiligen nichts andres sind als wie Fragmente von SpvStrr.

GKS I 39, 2   *und di Wianer mädlĕn*
                 hâbms nit a sô,
                 di liaŋ af föderbett
                 und nit af strô.   Spv$\frac{1}{2}$Str A!

Das ist kein achttaktiger Vierzeiler, vielmehr eine viertaktige Spv-$\frac{1}{2}$ Str der symmetrischen Form, wie das 'Lied von Allerlei' zeigt:

A 30 a 3 *bei uns inn Pinsgälandl*   *dâ is s â sûnst nit a sô,*
          dâ liaŋs âm féderbett   *und nit auf héu und strô; . . .*   Spv$\frac{1}{2}$Str B.

GKS I 38, 2   *i soll di kellnĕrin liabm*
                 stätt der kuchldian,
                 hät der pfârrer gsâgt,
                 dös mâg i toañ.   Spv$\frac{1}{2}$Str A!

Die volle Strophe, deren zweite Hälfte dieser scheinbare Vierzeiler darstellt, findet sich in vielen Lesarten:

GKS II 17, 2   *bin koa˜ Zillätälä,*   *bin koa˜ Reichnhâllä,*
($\sim$ Nh 216, 3 $\sim$ K 17, 2)   *bin a bauänbua vu˜ Broatnstoañ;*
               a scheani sennrin liabm   *stätt dä untädian,*
               hät dä pfârrä gsâgt,   *dös derf i toañ!*

PH 626   *s Blitzlstettn und Malvergettn,*
           s Sanct Veit und Maria Sâl
           ghert älles mein
           bis Ebmtäl.

---

[1] *sâgät:* 'sähe', nicht 'sagete'.

7*

Textlich eine Variante zu *auf der Zigulln* (vgl. oben S. 93). Ich glaube, dass sie dieser Strophe auch rhythmisch viel näher steht, als es nach PHs vierzeiliger Aufzeichnung scheint; bei vierzeiliger Messung ist besonders die zweite ¹/₂ Str übers Maß holprig:

$$\smile\mid\smile\,\cdot\,\smile\,\smile\mid\smile\, \text{ ?}$$
$$\times\mid\times\,\cdot\,\smile\,\smile\mid\times\, \text{ ? ?}$$
$$\mid\times\,\times\,\times\mid\times\, \text{ ? ?}$$
$$\mid\times\,\times\,\times\mid\times\, \text{ ?}$$

Die letzten zwei Zeilen müssen vielmehr zu éinem 2-Takter zusammengefasst werden, sodass dann aus Zeile 2, 3, 4 die bekannte zweite ¹/₂ Str von *auf der Zigulln* wird; die erste Zeile ist ein guter Spv, Vers 1 fehlt:

$$\smile\mid\smile\,\cdot\,\smile\,\smile\mid\smile\, \text{ ?} \qquad\qquad\qquad \cdot\,\cdot$$
$$\times\mid\times\,\cdot\,\smile\,\smile\mid\times\, \text{ ?} \qquad\qquad\qquad a\ a$$
$$\times\mid\smile\,\smile\,\smile\,\smile\mid\times\, \text{ ?} \qquad (\text{oder ähnlich}) \qquad x\ b$$
$$\qquad\qquad\qquad\qquad\qquad\qquad\qquad\qquad b$$

Bin koan unterländer (SS 32; H 761; A 15, 2; A 22, 2; Nh 216).

Der Vierzeiler bei Hörmann und besonders der bei Süß zeigen merkwürdig schlechte Declamation. Es dürfte sich in beiden Fällen um eine Verstümmlung verwandter SpvStrr handeln.

SS 32		H 761	
bin koan untäländä,		*bin koan unterländer,*	
bin koan öbäländä,		*bin koan öberländer,*	
bin koañ hiasögä nit,		*bin a lebfrischer bua,*	
bin glei sinst a frempä.		*wo s mi gfreut, kêr i zua.*	

In beiden Strophen bilden die drei obern Zeilen eine gute Spv-¹/₂ Str nach der Form A; die letzte Zeile bei Süß muss als halber Spv aufgefasst werden, das übrige fehlt; — die letzte Zeile bei Hörmann dagegen muss den Str-Schlúss bilden, hier fehlt also der Spv der zwéiten ¹/₂ Str.

Tiroler und Kärntner Vierzeiler ähnlichen Inhalts in der supponierten Form sind viel gesungen. Ich verweise auf Nh 216, wovon oben eine Strophe mitgetheilt worden ist (*bin ka Zillertáler, bin ka Reichnháller . . .*). Zwei Pinzgauer, der Maler Trolf in Mittersill und der Möschl Ruop (Bergführer Ruppert Wechselberger) in der Krimml, denen ich die Salzburger Strophe (Süß) vorlegte, fanden beide, unabhängig von einander, den Mangel sofort heraus, und jeder in seiner Weise suchte ihn zu entfernen: jeder baute die Strophe zu einer vollständigen SpvStr aus, indem der eine (Ruop) die letzte Zeile von Süß, wie mir scheint, an den richtigen Platz stellte, während Trolf versuchte, sie als Schlussvers zu verwenden:

Ruop (A 15, 2)   *bin koan untäländä,   bin koan öbäländä,*
   bin koa˜ hiasögä nit;
   bin glei sinst a frempä,   bin koan öbäländä,
   äbä d mentschä hämt an frid!

Trolf (A 22, 2)   *bin koan untäländä,   bin koan öbäländä,*
   bin koa˜ hiasögä nit;
   bin an inländä,   bin koan auländä,
   bin glei sinst a frempá.

In ähnlicher Weise verstümmelt ist eine Lesart des Lieds *i häb nix* *als a häusl,* das PH so mittheilt:

PH 1759   *i häb nix wie a häuserl*
   und a gscheckäte kua,
   und a spinnrädl   2. ½ Str: $|\acute\times\times\times|\acute\times\times$ (!)
   und a bettl dasua. $\smile|\times\times\times|\times$

Die vollständige Strophe findet sich bei SS 609 = GK I 103, 1

Vers ₃, ₄   *und a spinnrädl,   und a böttstattl* $\smile|\acute\times\smile,\smile|\acute\times\smile$
   und a böttl dasua. $\smile|\times$ $\times$ $\times$ $|\times$?

Merkwürdig ist das Überlieferungsverhältnis bei dem Liedchen *schneid* *an birnbaum-.*

PH 1023

schneid an birnbam-,   schneid an buxbam-,
schneid an birnbuxbamän lädn;
mei˜ diandl will an birnbuxbaman
tansbodnlädn habm.

Süß 11, 44

schneid birbam,   schneid buxbam,
schneid birnbuxbamnö lädn,
mein schätz wüll a birbuxbamäs
böttstattl ias häbm.

PH 1763 = H 526 (OÖ)

schneid holzbirnbam-,
schneid buxbamän lädn;
mei˜ bua will a buxbamäs
bettstattl häbm.

SS 755

mein vaodä schneidt bianbam-
und buxbamä lädn;
äft kriagn mr aufn höröst
an tänzbodn, an rä˜n.

Die gebräuchliche Textfassung ist die mit dem Spaltvers im Eingang (PH 1023 ∼ Süß 11, 44); dazu bringt Süß eine spaltverslose Variante, an deren Form ebenfalls nichts auszusetzen ist (SS 755); mit der Lesart PH 1763 = H 526 aber ist nichts anzufangen: gegen die Annahme, dass in der ersten Zeile ein halber Spaltvers fehle ($\smile|\acute\times\times,\cdot|\cdot\cdot$) spricht die Textgestaltung (das *schneid buxbam* hätte hier keinen Platz; überdies wäre der Gleichlauf im Spaltvers leidig verdorben); dagegen spricht auch der

Umstand, dass das Lied in der fraglichen Lesart gleichlautend aus zwei
verschiedenen Landschaften belegt ist; ein Versehn der Aufzeichner scheint
also ausgeschlossen —: doch vermögen diese Gründe das Bedenken nicht
zu verscheuchen, dass eine so mangelhafte Lesart eines Liedes in derselben
Landschaft solle gesungen werden, in der éine oder mehrere gute von Mund
zu Mund gehn.

In solchen Fällen ist es meist nicht möglich, durch innere Argumente
festzustellen, ob der Text beim Niederschreiben verderbt wurde, oder ob
er schon im Volksmund 'zersagt' war; nur éines ist ganz deutlich: dass
diese Art von Verderbnis beim gesúngenen Lied gar nicht vorkommen
kann. Man beachte, dass die fragwürdigen Lesarten álle ohne Singweisen
überliefert sind.

Je einmal scheint wirklich die Umdeutung eines Spaltverses in
einen gemeinen 4-Takter ($\frac{1}{2}$ Str) eingetreten zu sein. Man vergleiche die
folgenden Varianten miteinander:

GKS I 43, 1. 2   *wârst nit áuigstiegn,   wârst nit áergfälln,*
                 hattst meí˜ schwester gheirât,   wârst meí˜ schwâger worn;
                 hattst a häusl ghâbt,   a goaßl â derzua
                 und a milchsupp in áller frúa!

bei GK als zwei getrennte Vierzeiler geschrieben; trotzdem unverkennbar
ein 8-Takter mit Spvv (Form B; vgl. K 47, 1);

PH 465   *wârst nit áuffegstiegn,   wârst nit ábergfälln,*
         wârst nit hoppätatschig,   hättst m̥â besser gfälln.

bei PH als Vierzeiler geschrieben: Spv¹/₂Str B.

Zu diesem Lied bringt Süß eine Variante, die man nicht mehr als
Spv $\frac{1}{2}$ Str messen kann:

SS 455   *hättst meiñ schwöstä gheurat,*
         wârst meiñ schwâgä worn,
         wârst a kloañhäuslä bauä,
         kunntst a kúäl â hâbm.

Geringfügige Verschiebungen im Text können die völlige Veränderung
des Rhythmus möglich machen. Dafür ist ein schönes Beispiel die SpvStr

Nh 176, 2

diandle, diandle klans,   du kriagst wol â-amâl¹) ans,   a a
wâns nit heuer is,   so is s aufs jâr schon gwiss;   b b
diandle, diandle klans,   du kriagst gwiss â-amâl ans,   a a
wân â dir i nix tua, seind ândre gnua!   (c) c

————————

¹) Das ámâl Nhs kann nach Sinn und Versaccent hier nur â amâl (auch einmal)
bedeuten; allerdings zweisilbig!

PH 1383 f.

du diandle, du klans,
du kriagst amål ans,
wåns heuer nit is,
afs jår is s [scho⁻] gwiss.

×|×́×××|×́ ɩ ‖×|×́×××|×́ ɩ   a a

×|××××|× ɩ ‖×̆̆|×××× |× ɩ ɩ   b b

diandle, du klans,
und du håst amål ans,
wån å i dir nix tua,
sein wol åndere gnua.

|××××|× ‖××|××××|×   a a

××|××××|× ‖××|××××|× ɩ   c c

Dabei ist zu beachten, wie die Hauptaccente des Textes in beiden Varianten so eingestellt sind, dass sie beide Male mit den Ikten des formalen Rhythmus zusammenfallen.

Umgekehrt die Umdeutung eines gemeinen 4-Takters ($\frac{1}{2}$Str) durch Verkleinerung in einen Spv-2Takter scheint bei PH 1303 vorzuliegen:

PH 1303   *diandle, willst jungfrau bleibm,*
            muass i s hålt åbåsteign;
            diandle, wia du willst, wia du månst,
            mir ist ålls åns.

PH 1303 v   *diandle, wia du willst, wia du månst,*
            mir is ålls åns;
            wån du willst jungfrau bleibm,   wer wieder åbersteign,
            mir is ålls åns.

$1303_{1,2}$ |×́××|×́××‖×́××|×́×× — > $1303 v_3$ ⏑⏑́⏑|⏑́⏑⏑́⏑|⏑⏑́⏑|⏑́⏑⏑

Grössere Strophen und Mehrstropher mit Spaltversen.

Am Schluss dieser Betrachtung müssen wir noch das Vorkommen der Spaltverse in größeren Strophengebäuden und im mehrstrophigen Lied verfolgen.

Ein Spv-Sechszeiler (12-Takter) tritt uns bei Nh 62 entgegen:

Nh 62 a 1 ~ PH 837 (K)   *ålmåwásserl   frische wåsserl,*
                          obm håter,   untn trüeb;
                          ålmådiandlån   kreimte diandlån,
                          kålte handlån,   wårme liab;
                          stådtådiandlån   fålsche diandlån,
                          wårme handlån,   går ka liab.

Das ist keine organisch gebaute Strophe. Weder beim Text, noch bei der Weise hat der 12-Takter innere Nothwendigkeit; bei beiden guckt

der gemeine 8-Takter deutlich genug vor. Der Inhalt der Wéise ist mit
vier Takten erschöpft; sie wird so oft wiederholt, als Halbstrophen da
sind. Und der Téxt ist wohl aufzufassen als Verkürzung des Mehrstrophers Nh 62 b = PH 837 v, der den poetischen Inhalt auf drei Vierzeiler so vertheilt: Str 1 Natureinleitung, Str 2 Lob der Almdirnen, Str 3
Vorzug der Almdirnen vor den Städterinnen. Hier scheint mir wirklich
der seltenere Fall vorzuliegen, wo der Einstropher durch Zersingen eines
größeren Lieds entstanden ist.

Anders liegts bei den zwei Liedern Nh 86, 1 ∽ PH 1457 und
Nh 86, 2.

Nh 86, 1 ∽ Ph 1457 (K)

du wérst já,   du wérst já
mei͞ diandle nit liabm,
du werst já,   du werst já
so narrisch nit sein;
du werst já,   du werst já
an ändre wol kriagn,
du wáßt já,   du wáßt já,
dás diandle khert mein.

Nh 86, 2 (K)

die stérnlän,   di stérnlän,
di sternlän sein jungferln
si fállän,   si fállän,
si fálln in där nácht,
und mei͞ diandle,   mei͞ diandle,
mei͞ diandle, no jungfer,
i rát dir,   i rát dir,
i rát dir: gib ácht!

Das erste ist ein organischer Achtzeiler (16-Takter) der A-Form,
bei dem die Spaltverse durch wörtliche Wiederholung éines Gliedes gewonnen sind — Text und Weise stimmen genau überein; das zweite ist
eine schwächliche Nachahmung, bei der die Wiederholungen keinen inneren
Sinn haben. Man lese die graden Kurzverse für sich allein, sie ergeben
die einfache Form. Auf die Art kann man aus jédem gemeinen Vierzeiler
einen Spv-Achtzeiler machen!

Im Aufbau der Weise stimmt mit dem vorbesprochenen genau überein das Kärntnerlied Nh 170; im Text unterscheidet es sich von ihm darin,
dass der letzte Spaltvers ohne Textwiederholung gebildet ist. Dadurch
gewinnt die Strophe größere Geschlossenheit; auch wer die Singweise nicht
kennt, kann nicht zweifeln, dass hier die Textwiederholungen organisch
nothwendig sind. Um so auffälliger ist die Variante bei PH:

Nh 170, 1 (K)

gestern auf di nácht,   gestern auf di nácht
hát mi s diandle launig gmácht,
heut in dä früa,   heut in dä früa
is s wieder kömm zu mir,
i dber nix,   i dber nix,
i háb nix gredt mit ir,
weil si mi hált   gestern auf di nácht
launig hát gmácht.

PH 1472 (K)

gestern auf de nácht
hát mi mei͞ diandl launig gmácht,
heunt in der früe
is si kemmän zä mir,
i äbä nix (rep.)
i háb nix gredt mit ir,
weil si mi gestern af di nácht (rep.)
gä so launi hát gmácht.

Das zweite 'rep.' ist gradezu unsinnig und muss gestrichen werden. Die Holprigkeit der PH-Version ist nur damit zu erklären, dass das Lied dem Sammler vorgesägt wurde; beim Singen hätte den Gewährsmann das Gedächtnis nicht so verlassen können.

Die bisher genannten Achtzeiler gehören zu den symmetrischen Spv-Formationen. Eine prächtige organische Ausweitung der unsymmetrischen SpvStr bietet uns dagegen das Salzburger Kinderlied

Suß 6, 17 (8)

Petär Ábrahamärl	*sitzt dort áufm schammärl,*	a'² a'²
bett an klöstägruass,	*tuat eam wê dä fuaß;*	b'¹ b'¹
schwöstä Fi Fa Fendl	*håt a buttähendl,*	c'² c'²
dös is brēsärl mår,	*dös is gwis und wår;*	d'¹ d'¹
so wülls zän ångödenkn	*ån a klöstä schenkn:*	e'² e'²
	is dös mådl' nit a nårr?	d'¹

wo auf fünf rhythmisch gleichwerthige Spvv erst der zusammenfassende ungegliederte Schlussvers folgt. Sehr hübsch ist die Reimgruppierung: fünf Binnen-Reimpaare der Spvv, der Schlussvers durch rhythmisch unreinen Reim überspringend an den vorletzten Spv gebunden und so fest in der Spv-Masse verankert; wirksam sind die Halbstrophen abgehoben, indem auf zweisilbigen Reimklang immer einsilbiger folgt, indem die Vordersätze in lauter Achtel aufgelöst sind, in den Nachsätzen aber die Bewegung an den Reimstellen wohlberechnet unterbrochen ist.

Die kunstvolleren Strophengebäude mit Spaltversen lassen wir am besten hier folgen, obschon unter den hergehörigen Liedern kein einziger Einstropher ist. Die einfacheren Formen sind die zweitheiligen:

Nh 167 (K)   (2 Strr)

1. i håb a díandle hiaz,   dås håb i går so gern,
   dås is bei tåg mei˜ sunn   und bei der nåcht mei˜ stern;
   wån is dås diandle sich,   kummts mä gråd so für,
   i kunnt glei narrisch wern, i glaubäts schier.
      du herzigs diandle,   du bist mei˜ lêbm,
      du bist mei˜ séligkeit   in ålle éwigkeit;
      du herzigs diandle,   du bist mei˜ lêbm,   Spv-4Z B
      du bist mei˜ séligkeit in ewigkéit.   Spv-4Z B als KehrStr.

GLVl II 34 (T)[1)]   (2 Strr)

1. wenn der mónd schön leuchtt,   di grüen wieslen bleicht,
   wenn der wåldbåch rauscht,   mit den blümlän plauscht:
   dånn wird bei der nåcht   s fenstäl ståt aufgmåcht,
   dass mein liaber schåts   findt an plåts. —

[1)] Aus dem Singspiel 'Das Versprechen hinter dem Herd' (vgl. Kohl XXI).

äber iatz, o got,　iatz ist gröfie not,
denn der teufelsbua, der bricht mirs herz;
harbt si, weil i im　　håb koa⁻ bussai gebm,
låsst alloañ mi sitzn in mein schmerz! —
　hárb di nur, hárb di nur,
　bist decht mei⁻ liaber bua,
　der mi nit gråtn kånn,
　weil er amål wird meñ månn!
　harb di nur,　harb di hur,　　　　　Spv-4Z B
　harb di nur zua,　　　　　　　　　Spv-4Z A
　bist decht mei⁻ liaber bua,　　leichtgefüllter 8Z mit åhnl.
　mei⁻ liaber búa!　　　　　Cadenzenfolge als KehrStr.

Beiden Liedern ist das Str-Schema beigegeben; beiden ist gemeinsam, dass die zweite Hälfte der Strophe Kehrstrophe ist. Bei dem Tirolerlied fällt die Länge der Strophe auf (16 Zeilen!) und die Contrastierung der Halbstrophen in der Versfüllung. Beiden Liedern gemeinsam ist auch der schlechte Text. Vom Kärntnerlied vermuthet Pommer, dass ein 'Kunstlied' zu Grund liege [1]); nun, in Kärnten gibts auch unangefochten echte Texte, die ähnlich kraftlos und sentimental sind. Das Tirolerlied aber gehört zum Elendsten, was ich kenn. Schmählich genug, dass solche Machwerke im Tirol umgehn: aber wie konnte Greinz so etwas in seine Sammlung aufnehmen? Seine Absicht war ja, wie aus der Einleitung hervorgeht, nicht, ein Bild zu entwerfen von der erschrecklichen Geschmacksverwilderung seiner Landsleute, da steht vielmehr: „Bei der Auswahl wurde ich von dem Gesichtspunkte geleitet, dass nur Frisches, Ursprüngliches und Volksthümliches Aufnahme finden dürfe ..." Für uns ist dás wichtig, dass nachempfundene, minderwerthige Texte eine starke Vorliebe für anspruchsvolle Formen haben. Auch unter den dreitheiligen Strophen, die nun noch zu nennen sind, überwiegt das Gedrechselte, Sentimentale, Witzarme; das meiste davon gehört zum festen Bestand der Nationalsänger-Truppen. In der Form aber sind diese Lieder zum Theil sehr gut erfunden.

　Nh 221 (K)　　　　　　　　　　　　　　　　　(2 Strr)
1. *Låvnttål!　Låvnttål!*　　　　　2. *Låvnttål!　Låvnttål!*
　schéans tål sågns überåll;　　　*påradis sågns überåll;*
　Låvnttål!　Låvnttål!　　　　　*Låvnttål!　Låvnttål!*
　schéans tål sågns überåll:　　　*påradis sågns überåll:*
　　scheane wieslän,　scheane félder,　　*vile hirschlän,　vile réchlän,*
　　scheane berglän,　scheane wälder,　*vile dörflän,　vile weglän,*
　　scheane bam,　　guater most,　　　*vile diandlän recht rund,*
　　starke leut,　guate kost.　　　　　*liabnt gern,　dås is gsund.*

_____

　[1]) Anm. zu Nh 167; die Vermuthung kann sich nur auf den ersten Text beziehn und auf die Kehrstrophe.

K 24; GKVl I 1 (T)   (6 Strr)

1. *Zillertál, du bist mei" fréud!*
    dä hábm d mádlĕn sàggrisch schnéid!
    dä gibts gámslĕn   zun däjágη,
    dä gibts mádlĕn   zun däfrágη —
    Zillertál, du bist mei" freud!

2. *in Zillertál, dä háts mir gfálln,*
    bei der semrin auf der álm!
    buabm lássts enk sàη: wáns wollts mádlĕn hábⁿm,
    dä gets ins Zillertál,   dä gibts es nách der wál —
    Zillertál, du bist mei" freud!

K 46 (T)   (4 Strr)

2. *und in állä frue,   sobáld dä mórgen lácht,*
   weant di kualä gmolchn,   käs und buttä gmácht,
   hendch weaßt zsámmägsessn,   muaß und buttä gessn,
   náchä wásch-mar álles   in dä hüttn rein,
   denn z álm an órdnung, dös muass sein, juché!

Bei Nh 221 ergibt die Singweise, dass Str 2 besser gebaut ist als Str 1; die Form des Liedes ist so: Einleiter (Spv-4Z B, auftaktlos) + Mittelsatz (Spv-Paar, auftaktig) + Codasatz (schlichte $\frac{1}{2}$Str, auftaktig). Getragen wird die Dreitheiligkeit hier und bei den andern angeführten Liedern von der Liedwéise; wir werden darum erst bei Besprechung der Melodien näher darauf eingehn. Bemerkenswerth ist, dass in den Mittelsätzen die Symmetrie der Spvv am kräftigsten ausgeprägt ist; bei K 24 = GKVl I 1 stehn die Spvv des Mittelsatzes in wirksamem Contrast zu den ungespaltenen Versen der Ecksätze; bei K 46 (5Z!) ist der Spv des Mittelsatzes durch Binnenreim gestützt, in den übrigen Versen dagegen die Spaltung oft undeutlich oder ganz verwischt.

Über den Mehrstropher aus Vierzeilern mit planmäßig eingestellten Spvv ist wenig zu sagen. Mit wenigen Ausnahmen werden in den größeren Liedern die bekannten Strophenformen A und B verwendet. Es ist leicht einzusehn, dass in diesem Verhältnis, wo in éinem Zusammenhang eine große Zahl von Spaltversen gebaut werden soll, ihre Gestalt weniger vollkommen ist, als in der inhaltlichen und formalen Beschränkung des Einzellieds. Wir finden hier häufiger Verse mit unklarem oder ganz fehlendem Einschnitt, doch stets Verse mit demselben Tonfall. Ich zähl die hierhergehörigen Lieder auf.

K 44 = 45 [1])	*wånsd willśt afn huñpfålz gian* (Wildschützenlied)		3 A-4Z
			1 gemeiner 4Z
			1 B-4Z
K III 3 [2])	*wånsd willst gamslån schiaßn* .	*n* .	3 B-4Z
	(*wansd willst ins gamsbirg steign*)		
Süß 75, 7 [3])	*lustög auf dår ålm*	*n* .	7 B-4Z
K 40 = 41 [4])	*lustig iśt*	*n* .	5 A-4Z
K 29 [5])	*kloane kugål giaßn*	*n* .	8 B-4Z
K 37	*s is a freud*	*n* .	4 B-4Z
GKVl I 118	*auf der ålmå drobm* . . . . . . (Almlied) .		4 A-4Z
GKVl I 184	*is då wintå går*	*n* . .	3 B-4Z
K 52 = 53	*es wern die wiesn grüen*	*n* . .	13 B-4Z
A 30	*i bin a Steirerbua*		3 B-4Z
A 30 a [6])	*n n n n n n*		4 B-4Z
Nh 146 [7])	*i bin der Turnhofer*		3 B-4Z
GKVl I 4 [8])	*im Tiroler landl*		3 B-4Z
GKVl I 122	*håb oft di gånze nåcht*		4 A-4Z
Süß 124, 15	*weils nit hoaggl is*		7 A-8Z

Auch unter diesen Mehrstrophern sind einige unechte. Gegen stilvolle Nachdichtungen mit gutem Sprachausdruck wäre ja nichts einzuwenden, wenn sie wirklich volkläufig geworden sind: wie viele Erfindungen
der Dialectdichter (Stelzhammer, Seidl, Castelli u. s. f.) sind im Volkslied
aufgegangen und zum größten Theil gar nimmer aus ihm herauszulösen!
Wenn man aber den Bilderreichthum, den schlagfertigen Witz, das zarte
Gefühl da, die kecke Derbheit dort, und die rechte Mundart der Älplerlieder erkannt und lieb gewonnen hat, da fasst einen gerechter Zorn, wo
man auf solche Wasserbrühen trifft, die nur abgebrauchte Motive bis
zum Überdruss variieren, deren Verfertiger nicht einmal des Dialects
mächtig sind:

GKVl I 184	2₂ *auf der alma hoch*	*liegt der schnee noch* . . .	
	3₁ *uns're kalblan all'*	*in dem wintastall* . . .	
KKVl I 122	1₁ *hab oft die ganze nacht*	*vor'n diandls (!) hütten g'wacht* . . .	

---

[1]) Vgl. A 29; GKVl I 124.
[2]) Vgl. K 39; GKVl II 135; A 28; K 47, 3; Süß 75, 7. 2.
[3]) Vgl. K 40, 1; A 28, 1.
[4]) Vgl. Süß 75, 7. 1: B!
[5]) Vgl. PstL; K 17, 4.
[6]) Vgl. K 148, 3.
[7]) Vgl PstL 3; PH 633; GKS I 12, 2; W 22, 6; A 15 a 1.
[8]) Vgl. K 17; K 23; Nh 216.

Der Mehrstropher ist der impotenten Nachahmung naturgemäß viel mehr ausgesetzt als der Einstropher, denn er steht bei den Nationalsängern in richtiger Einschätzung ihres Publicums hoch im Curs. Der schlecht pointierte Éinstropher ist todtgeboren: beim Méhrstropher genügt die anschauungsärmste Almromantik, wenn nur nach jeder Strophe munter gejodlt und geschnacklt wird. Wieder frag ich: mit welchem Recht werden solche Jammerpoesien in die Volkslieder-Sammlungen aufgenommen? Auch der gewissenhafteste Volkskundler könnte sie zurückweisen, denn die Binsenwahrheit, dass es schlechte Dichter gibt und lederne Versfabricanten, braucht doch nicht grad beim Volkslied umfänglich belegt zu werden, als ob dieser Umstand eben für és charakteristisch sei! Zum mindesten müssten derartige Poesien von den anspruchslosen getrennt in eine eigene Gruppe gestellt werden. Só liegen die Verhältnisse, dass die Landleute eine Art ehrfürchtige Bewunderung haben vor Stadtproducten, und dass ihnen vor diesen der gute Geschmack verloren geht, ihnen ihre eigenen Erzeugnisse minderwerthig vorkommen. Ich habs erlebt, dass Leute, die einen ganzen schweren Rucksack voll guter Volksüberlieferung auf dem Buckel hatten und am Wirtshaustisch mit Auskramen kein Ende finden konnten bis in die späte Nacht, dass dieselben Leute am Tag drauf, als sie etwas besonders Hervorragendes vorbringen wollten, mir Koschats *verlássn bin i* vorsangen! In die gleiche kritiklose Unterschätzung ihrer eigenen Erzeugnisse verfallen die Landleute vor den 'noblen' städtischen Gassenhauern und dem Operettenkitsch. — Von jenen Jammerpoesien mögen viele im Land selbst entstanden sein, von denselben Leuten zusammengestoppelt sein, die es auch besser können; da wirkt die Sucht, den Stadtgeschmack, so wie sie ihn verstehn, zu treffen, die 'Kunstpoesie' nachzuahmen. Da tritt dann das Unvermögen offen zu Tag. Und es kann nicht anders sein. Mein trefflicher, liedkundiger Gewährsmann in der Krimml, der Möschl Ruop, hat mir einmal eine seinige Erfindung mitgetheilt, ein Dank- und Loblied auf die Wohlthäter der Gemeinde Krimml. Er nimmt also einen großen Anlauf und springt mitten hinein in die hohe Kunst: die 'Arie'[1]) componiert er in einer ganz noblen Tonart: f-moll, was er mit berechtigtem Stolz erwähnt — ob die 'braven Herren' das auch gebührend zu schätzen gewusst haben? — Der Text wird schriftdeutsch gedichtet, denn die Mundart ist zu gemein für den feierlichen Panegyrikus; aber die gewählte Sprache macht ihm noch größere Schwierigkeit, als das Greifen der ungewöhnlichen Accorde auf seiner Guitarre — —

---

[1]) Arie als Bezeichnung für Singweise ist mir auch anderwärts im Pinzgau vorgekommen.

1. Hier in diesem Krimmler Thale, $^3/_2$ $\times\times|\underline{}$ $\times\times\times|\underline{}$ $\times$?
   Wo ich geboren bin, —
   Effekht macht schon der Wasserfall,
   Drum ziehn so Viele hin.

2. Fürs Wirkhen und fürs Streben
   Dahier in unserm Land
   Sagt Dank den braven Herren:
   Es gehe Hand in Hand! (u. s. w.)

Ich stell mit Genugthuung fest, dass dieses Lied nicht volkläufig geworden ist. Das bestärkt mich in dem Glauben, dass den Landleuten der
Sinn für Gut und Schlecht noch nicht abhanden gekommen ist. — Nun
vom Möschl Ruop kann ich versichern, dass, wenn er singt, wie ihm der
Schnabel gewachsen ist, dass er da '*állweil triffig und einfällig*' ist:

      und dä Nánni hun i s nit für únguat,
      dä västånd bleibt ia stên;
      si muass a wenk lôsn,
      wås s redn, di zwên.

Doch genug davon! Und noch einige Bemerkungen zum Formalen.
Unter den angeführten Mehrstrophern mit Spvv nehmen die Wildschützenlieder einen großen Raum ein. Manche sind so zersungen, dass es
schwer wäre festzustellen, welche Strophen dem einen, welche dem andern
Lied zugehören. Dabei macht auch der Unterschied in der Strophenförm
wenig aus; sie wird nach Bedarf übersetzt:

   Kv 40, 1

lústig ist, wer dös díng recht woaß,
   wer in gámsbock siacht glei nåch der góaß ...   (in A-Zusammenhang)

   Süß 75, 7. 1

lustög áuf där älm, und wer daos díng recht woaß,
wer an gámbsbock graosn siacht   kraod néi^bm dä goaß ... (in B-Zusammenhang)

oder es werden in éinem Lied Strophen béider Formen gesungen:

   A 29

1. *wån d wüllst än hånpfåls geañ, dä muasst früa aufsteañ,*
   dä muasst aufsteñ vor n täg;
   dass du s aufï kimmst auf densölbm plåts,
   wo dä hån sein pfåls håt.

4. *und däs hånä˜ schiaßn is mei˜ greßte freid,*
   weils bän hånä˜schiaßn krumpi fedän geit;
   jä di spülhånfedän dia hämt s übräll gean,
   gär in dä Wianästädt di greßln herrn.

Go gle

Außerhalb der gewöhnlichen SpvStr-Formen steht die Strophe eines alten Salzburger Hirtenliedes:

Süß 42, 2 (S) (5 Strr) ♪: Süß 291

1. *brüadăr auf und schauts!* *brüadăr auf und laufts!* ‿|‿‿ ×̣ ‿|‿ ×̣ a a
   ăs is ä schein doăt unt băn stăll; ×|‿‿‿‿| × ɔ̣ b
   waos muass daos sein heunt auf amăl ×|‿‿‿‿‿| × ɔ̣ b
   just um mittănaocht so spăt? ‿|‿‿ × × | × ɔ̣ x

Jede Strophe wird von einem einzelnen Spaltvers eingeleitet; die Reimfolge ist bei allen Strophen gleich: Binnen-Reimpaar, Kv-Reimpaar, Waise. — Eine schöne, aber ganz vereinzelte Formschöpfung.

Bemerkenswerth sind die beiden Tiroler Lieder K 10, 1. 2. 3 [1]) und K 50 = 51; sie zeigen uns den beim Einstropher unbekannten Fall der zweizeiligen Strophe. In beiden Liedern sind zwei Spaltverse zu einer Strophe vereinigt. Es läge nahe, diese Zweizeiler als Halbstrophen zu betrachten und je zwei zu einer Einheit zusammenzunehmen; dabei würde die ungrade Zahl der ¹/₂ Strr bei K 10 wenig ausmachen. Dagégen spricht aber, dass die ¹/₂ Strr der fraglichen Vierzeiler keinen stärkeren inhaltlichen Zusammenhang hätten, und dass den Vierzeilern jeder sinnvolle formale Aufbau fehlen würde. Je zwei Spaltverse bilden ein syntaktisches Ganzes; dieses Ganze ist durch Paarreime geschmückt und gefestigt (bei K 10 durch Paarreim der Kvv, bei K 50 durch Binnenreim in den Spvv); zur Herstellung einer höheren Einheit bedürfte es nun eines neuen Mittels: der Differenzierung der Cadenzen; die ist aber nicht angestrebt, und überdies besitzen beide Lieder im Téxt keine schlussfähigen Cadenzen. So gibt uns der Text überhaupt keine vollständige Form, er ist mit der Weise zusammen erfunden und rechnet mit ihren Ergänzungen. Die Weise hat nämlich den gewöhnlichen Umfang von vier Zweitaktern, also den doppelten Umfang der Textstrophe; den Vordersatz jeder Halbweise füllt ein Spaltvers, die Nachsätze werden gejodelt: die gesúngene Strophe hat also die Form einer vollständigen B-Strophe:

K 10 (T)

1. *und di pechersbuabm* *müassn früa aufstian,* ‿|‿‿,‿| ‿ ×̣ x aʼ
   ♪♪|♪♪ ♩,♪♪| ♪♪ ♩
   müassn s hackl nemmĕn, *müassn pechn gian.* ‿|‿‿,‿| ‿ ×· x aʼ
   ♪♪|♪♪ ♪♪,♪♪| ♩

---

[1]) Die Gesätze K 10, 4 und 5 gehören nicht zu dem Lied von den Pechersbuben und sind wahrscheinlich mangelhaft überlieferte 4 Z. Zu K 10, 4 vgl. K 17, 3; zu K 10, 5 vgl. Nh 41, 5.

K 50 = 51 (T)

1. *und inn berglän drinn,   då wont a sennĕrin,*

   a diandl går so guet,   schian wia milch und bluet.

Bemerkenswerth sind diese Erfindüngen auch darum, weil ähnliche dem
Kunstlied ganz fremd sind: der Dichter müss formal Fertiges geben; darum
kann der spätere Componist die Erweiterung der Perioden niemals organisch
aus der Form der Strophe schöpfen.   Der Fall etwa, dass eine fünftheilige
Strophe in der Composition sechstheilig erscheint, ist lang nicht so extrem,
als was wir hier gesehn haben.

Zwei Lieder aus der Sammlung von Greinz und Kapferer machen der
Formbestimmung Schwierigkeit.   Das Wildschützenlied GKVl II 140 ff.
scheint mit SpvStrr zu beginnen: Str 1 und 2, 3 und 4 bilden zusammen
je eine B-Str; dann folgen ohne Ordnung drei Spv $^1/_2$Strr; Str 8 ist ganz
verderbt; und von Str 9 an ist der $^4/_4$-Takt nicht mehr zu verkennen, den
auch das nahverwandte Lied GKVl I 169 ff. ~ K 32 verwendet.   Es sind
hier offenbar zwei Lieder ähnlichen Inhalts ineinander gerathen.   Ähnlich
stehts mit der Spottlitanei GKVl II 70 ff., nur ist hier die Bruchstelle
deutlicher.   Das Lied besteht aus zwei ganz lose, nur durch die Person
des verspotteten Dirndls zusammenhangenden Stücken verschiedenen rhythmischen Baues.   Die endlose Aufzählung der abgewiesenen Freier bewegt
sich in Dreiheber-Strophen:

> 3. *der Cosmas ist ir zu betrüabt,*
> *der Seppl zu wenig verliabt,*
> *der Hansl der ist ir zu znicht,*
> *der Franzl håt warzlĕn im gsicht.*

Wie sich aber der Spott der schier grausenhaften 'Znichtigkeit' des stolzen
Dirndls zuwendet (Str. 14 ff.), da setzen die SpvStrr ein:

> 15. *åm kopf, sågt er,   is s a graus, sågt er,*
> *und schmutzig, sågt er,   wi a sau, sågt er,*
> *stått an hår, sågt er,   håt s an glåtz, sagt er,*
> *und an schnauzer, sågt er,   wi a råtz.*

Es ist mir recht unangenehm, dass ich diesen Abschnitt mit einem
so wüsten Text abschließen muss; doch der Gang der Untersuchung machĕte
es nothwendig.

Wir wenden uns nun den Liedwéisen zu.

II. Theil.

Das gesungene Lied.

5. Capitel. Die Vierzeiler-Weise.

Den ganzen Formreichthum des Schnaderhüpfls erkennen wir erst, wenn wir die Betrachtung auf die Singweisen ausdehnen.

Sehn wir von der ursprünglichen Entwicklung des Sh-Tanzlieds ab, wobei die Annahme die größte Wahrscheinlichkeit hat, dass die Tanzweise die rhythmische Form des Liedtextes bestimmt habe; beim fertigen Sh ist das Verhältnis zwischen Text und Weise dieses: die Texte, in ihrer Gesammtheit, sind einfacher gebaut als die Singweisen. Bei ihnen hat die einfache achttaktige Grundperiode des Tanzes die Herrschaft behalten; beim Singen wird diese einfache Periode vielfach durch Wiederholungen und Zusätze erweitert. Wenn auch die Lieder nicht untanzbar werden, — denn sie bewahren ja dabei stets den Grundrhythmus, — so scheinen doch diese Veränderungen mit der Entfernung des gesungenen Lieds vom Tanz parallel zu laufen. In Kärnten, wo die Entwicklung zum concertmäßigen, tanzfreien und untanzbaren Lied am weitesten vorgeschritten ist, sind die periodenréichen Singweisen überaus häufig.

Der Gebrauch vergrößerter Singweisen ist auf die Gestalt der Texte natürlich nicht ohne Einfluss geblieben. Er hat einzelne Sänger zum Bau größerer, mehrzeiliger Strophen angeregt. Nach dem eben Gesagten kann es nicht auffallen, dass die Kärntner Sammlungen an solchen Formen reich sind, während sie etwa im Salzburgischen fast ganz zu fehlen scheinen.

Anm. Zur Bequemlichkeit auch des musikalisch weniger gewandten Lesers sind im Folgenden die Singweisen in den einfachsten Tonarten notiert, so zwar, dass die Melodie das Notensystem möglichst nicht überschreite. Der Leser wird am besten die Weisen singen und die Begleitaccorde auf dem Generalbass-Instrument greifen (Clavier, Guitarre). Die Weisen können beliebig transponiert werden und werden in der bequem erreichbar höchsten Lage ihrer Eigenart gemäß am besten herausgebracht. In Klammer neben der Quellenangabe ist die vom Sammler gewählte Tonart vermerkt. — Die schlüssellosen Zeilen sind stets im Violinschlüssel zu lesen. Die Orthographie des Generalbasses ist in der Vorbemerkung zum Anhang erklärt. Die Dominant-Harmonie ist in der Regel mit der Septime darzustellen.

Vor der Einzelbetrachtung ist eine allgemeine Feststellung nöthig. Eine erschöpfende Formanalyse der Singweisen ist im Rahmen dieser Abhandlung nicht möglich. Die Eigenart der melodischen Linie, der Harmonienverbindung beim Sh, und seine Mehrstimmigkeit können nur andeutend gezeigt werden: soweit sie auf den rhythmischen Bau der Lieder Einfluss haben. Diese Fragen und besonders jene andre noch nach den landschaftlichen Unterschieden innerhalb der Gattung muss ich zu behandeln mir hier versagen, so interessant sie sind. Ich glaube, der Leser wird mirs nicht zum Vorwurf machen.

Bei der Betrachtung von Volksliedsätzen ist es nothwendig, dass man sich über die einfachste Form der rhythmisch-melodischen Linie klar werde. Nur so kann ein klares Bild des Vorhandenen gegeben werden. Das trifft ganz besonders beim Sh zu, bei dem éine Weise so oft vielen Texten abweichender Versfüllung dienen muss. Zufällige Häufungen in der Füllung müssen herausgestrichen, doppelt gesetzte kleine Notenwerthe zusammengezogen werden. Ein methodischer Fehler wäre es, díe Form der Singweisen unbesehen als ihre eigenthümliche zu setzen, die die Liedersammlungen bieten: sie gibt stets genau die Form des ersten Gesätzes wieder; die aber ist nicht nothwendig zugleich die Eigenform der Singweise. In der kleinen Sammlung meines Anhangs hab ich darum einige Male die Weise anders notiert, als das erste Gesätz, und gleich über diesem rhythmische Abweichungen eingetragen. Ich glaube, das ist der richtige Weg. (Vgl. A 14; 19.)

Ich hab früher betont, dass es keine Sh-Gedíchte gibt, nur Sh-Líeder. Die Texte müssen stets gesungen vorgestellt werden, auch wenn die Weise nicht bekannt ist. Ich hab darum die Textform des Sh aus dem gesungenen Lied abgeleitet und bei der Analyse die Singweisen nie aus dem Ohr verloren. Falsch wär es aber, nun zu sagen: Text und Weise sind untrennbar. Beim Sh ists wie in einem Bienenstock: da besteht die Vielmänner-Ehe; die Weise ist die Königin, die Texte sind die Drohnen. Frau Königin lockt immer neue Brummer an sich und hält sie fest; und die Vierzeiler bleiben auch gewöhnlich in dem Stock, dem sie zugehören. Da gibts dauernde Liebesverhältnisse und windige Minutenliebschaften; auch haben viele Königinnen Lieblingsmänner; — Einehe ist unbekannt in diesem Land.

Die Singweisen haben mehr Freiheit als die Texte. Diese bräuchen die Weisen, um vollständig zu werden; die Weisen aber können nicht nur auf Texte gesungen werden, sie können auch gejodelt werden oder instrumental erklingen. Im inneren Bau stimmen die Weisen keineswegs immer mit ihren Texten überein. Im Umfang genügen einander Melodie- und Texterfindung fast immer; auch im Liedauftakt und im allgemeinen rhythmischen Fall wird leidliche Gleichheit erstrebt: aber oft entsprechen einander die Satzfugen nicht genau, und auf kleingliedrige Weisen werden ebensogut Spaltvers-Strophen gesungen als schlichte Vierzeiler mit ungespaltenen Versen.

Nh 4, 5 (Es)   vgl. A 2; 3; 4; 5.

K 33, 1 (F)   SpvWs mit schlichtem Vierzeiler.

Hugo Riemanns Princip, dass die Gliederung von Vocalsätzen sich allein nach dem Text richte, trifft auf das Volkslied nicht zu. Das Sh zeigt offenbar, dass die musikalische Logik vom Textmetrischen unabhängig ist.

Der schlichte Achttakter.

Viele Sh-Weisen sind wie die Vierzeiler achttaktig und zweitheilig. Sie setzen das Ganze aus zwei paargliedrigen Viertaktern zusammen. Beide Viertakter schließen auf der Tonika. Unter diesen Weisen gibt es solche, bei denen der melodische Inhalt mit dem vierten Takt erschöpft ist; das sind die einfachsten überhaupt, und wir erkennen in ihnen die Grundform: éin Viertakter zweimal gesetzt. Da der Melodie-Viertakter der Text-$\frac{1}{2}$Str entspricht, nennen wir diese Weisen Halbstrophen-Weisen. Bei diesen schmächtigen Sätzen, die aber darum nicht minder erfreulich sind, beobachten wir zwei Möglichkeiten des Harmonien-Fortschritts: 1. das erste Halbsätzchen wird aus der Tonica zur Dominant gewendet, das zweite führt von der Dominant zur Tonica zurück; 2. beide

8*

Zweitakter der Halbweisen schreiten von der Dominant- zur Tonica-Harmonie.

    1. |: T D D T :| = 2 × 4 Takte.   2. |: D T D T :| = 2 × 4 Takte.

Nh 5, 1 (Es)

pfiat di   gott,   mei liabs tåu-bå-le, und es   soll   dir guat   gên;
für di   zeit,   wåsd mi gliabt håst, be - - dånk   i mi   schön.

Nh 33, 3 (C)   vgl. Nh 84.

berg - auf bin   i gån - gån, berg - åb bin i grennt,
då   håt mi   mei dian - dle ån ju - chå - sn kennt.

    Reine 1/2 Str-Weisen sind selten. Fast immer macht sich das Streben geltend, die Hälften organisch zu verknüpfen. Takt 4 soll weiterführen und erst Takt 8 den befriedigenden Schluss bringen. So finden wir Weisen, deren sonst identische Hälften im Auftakt von einander abweichen, z. B.

Nh 88 v (C)

    Auftakte, die nur rhythmisch variieren, wirken nicht verknüpfend; bei der Feststellung der Eigenform der Weise müssen sie vereinfacht werden, z. B.

*A 1, 1. Ws-Hälfte.   2. Ws-Hälfte.

    Viel häufiger als durch Erweiterung des Mitten-Áuftakts ist das Zusammenschließen der Weisen durch Erweiterung der Mitten-Cadénz.

*A 1

Nh 45 (C) vgl. A 4; 5; 6.

Nh 45 kann als Muster für eine ganze Gattung von Weisen dienen. Sie sind das genaue Gegenstück zu den 3.3.3.1-Strophen. Ein zweitaktiges Motiv wird viermal gesetzt, dreimal mit breiter Endung, das viertemal abschließend mit kurzer Endung. Sowie jene Texte durch den Reim, so sind diese Weisen durch die Harmonie symmetrisch getheilt. Die Vordersätze der Halbweisen sind identisch, die Nachsätze nur im Schlusstakt verschieden. Die Weisen dieser Gruppe werden mit auftaktlosen Gliedern gebildet wie die 3.3.3.1-Strr und haben dann dreiwerthige Gliedschlüsse (vgl. das Muster); oder sie haben auftaktige Glieder mit zweiwerthigen Schlüssen (vgl. A 2; 3; 7). 3.3.3.1-Weisen und 3.3.3.1-Texte vereinigen sich oft zum Lied, sie sind aber nicht auf einander angewiesen.

Weiter ab von den ½ Str-Weisen stehn die Weisen mit motivfremdem Schlussglied (2-Takter) oder mit stereotyper Schlussclausel. Ein Beispiel:

Nh 24 (C) vgl. A 8; 10; 11.

Wie bei den Texten, so werden auch bei den Weisen Spaltglieder-
Perioden gebaut; wie dort finden wir zwei Formen: die symmetrische
(SpvWs Form A), das sind $1/2$-Str-Weisen mit identischen Hälften; die
unsymmetrische (SpvWs Form B), das sind Weisen mit drei symmetrischen
Spaltgliedern (2-Taktern) und dem unsymmetrischen Schlussglied. Der
Unterschied zwischen beiden Formen ist bei den Weisen gering, im formalen Sinn sogar unwesentlich. In Bezug aufs Harmonische sind beide
gleichtheilig. Sie bauen mit éinem Motiv (1-Takter) für die ganze Weise
oder mit zweien, und zwar einem für den Vordersatz, einem für den
Nachsatz der Halbweise. Die Baumotive haben den jonischen Fall: Auftakt und weibliche Endung[1]. Der liedschließende Zweitakter kann wie
die übrigen spältig sein; für den Liedschluss muss der Motiv-Eintakter
schlussmäßig gekürzt werden: er bekommt männliche Endung[1]. Bei
manchen Weisen wird der Schluss-Zweitakter nicht motivisch, sondern mit
einer aus dem Motiv entwickelten Schlussclausel gebildet.

Nh 67 (H)   SpvWsB   zwéi Baumotive und Clausel.

Schon die wenigen angeführten Beispiele lassen erkennen, dass das Umsetzen einer SpvWs aus einer Form in die andre keine Schwierigkeit hat. Nh 67 würde mit einem A-Vierzeiler etwa so gesungen werden:

*Nh 67   vgl. K III 11, 2. 6; A 29, 4.

Thatsächlich sind auch einzelne Weisen in Doppelform überliefert. Man vergleiche K 148[1]) mit A 30: die Tiroler Variante hat A-Form, die Salzburger hat B-Form.

Der Sh-Sänger beschränkt sich nicht auf Tonica und Dominant. Er kennt und verwendet auch die Subdominant. Die Kärntner vor allen lieben sie. Es ist nicht der schlichte Subdominant-Dreiklang, der spielt bei den einfachen Weisen keine große Rolle, sondern der Subdominant-Sextaccord[2]), das ist nach der landläufigen Terminologie der Sextaccord der zweiten Stufe: f-a-d in C-dur. Er steht im Wechsel mit dem Dominant-Nonenaccord oder als sein Stellvertreter.

Nh 45 (C)

[1]) Oben S. 118.
[2]) Nach Riemanns Terminologie.

Nh 48 (B) ¹)

Durch die dritte Harmonie wird die Ausgestaltung der Weisen viel reicher. Zu den einfachen Folgen |: T D D T :| und |: D T D T :| treten neue: |: S T D T :| und |: T S D T :|, auch |: Sd T D T :| ²) und ähnliche ³). Umfang und Gliederung der Weisen ändern sich nicht.

Wir entfernen uns weiter von den ½ Str-Weisen, indem wir uns zu den Weisen mit variierender zweiter Hälfte wenden. Réin melodische und réin harmonische Veränderung ist selten; ich gebe für jedes ein Beispiel.

Nh 10 (C)   vgl. A 1.

K I 17 (A) ⁴)

---

¹) Nh 48 bietet uns sogar ein S⁶₅ [das ergibt über der Dominant D ¹₉¹ (das bei K I 17 thatsächlich erklingt)] statt des einfacheren S⁶ (D⁹), das aus dem Überschlag leicht zu gewinnen ist; Takt 2 würde dann lauten d² a² f² d².

²) Wir bezeichnen die Harmonie des Taktanfangs mit großen Buchstaben, alle übrigen mit kleinen. 'Sd' bedeutet also, dass innerhalb éines Taktes die Harmonie von der Subdominant zur Dominant fortschreitet.

³) Vgl. Nh 7; 8; 14; 15; 16; 17; 18 usw.; K 134.

⁴) Mit Schlussclausel.

Meist treffen beide zusammen: Melodische Veränderung in der zweiten Halbweise auf veränderter Harmonie.

Nh 68 (D)   vgl. A 15.

Nh 32 (F)

Nh 76 (D) [1]

Die letzte Weise ist merkwürdig gebaut. Die erste Halbweise ist ganz kleingliedrig, ohne deutlichere höhere Einheiten; die zweite Halbweise setzt einen Zweitakter, der in das Motiv ausläuft, einem Formelschluss gegenüber.

Ausnahmebildungen sind noch zu nennen. Sie vermögen nicht die Gruppierung umzustoßen.

Eine Weise ohne harmonischen Ruhepunkt in der Mitte ist

---

[1] Mit Schlussclausel.

Nh 21 (C)

Die Weise ist zugleich ein Beispiel für einen Verlauf ohne Motiv-Wieder-
holung.

Hin und wider trifft man beim Sh auf einen ⁎-Accord. Gewöhnlich
wird die Tonica in den Bass gesetzt, auch da, wo das geschulte Ohr den
⁎-Accord erwartet.

Nh 162 (C)   SpvWs A

Damit sind die Spielarten des schlichten Achttakters noch nicht
erschöpft. Eine letzte haben wir noch zu nennen, die äußerlich betrachtet
nicht mehr in diese Gruppe gehört: das sind die Achttakter mit Theil-
Wiederholung.

Wie beim Lied allenthalben ist auch den Sh-Sängern die Singart mit
Wiederholung der Schlussperiode durchaus geläufig. Alle schlichten Achttakter können so gesungen werden und in vielen Landschaften (Kärnten!)
ist diese Singart die gebräuchlichere, fast herrschende geworden (vgl. Nh).

Nh 69, 4 (C)

Solche Nachsatz-Wiederholung hat etwas rein Zufälliges an sich; der
dritte Viertakter wird aber ein Theil der Weise, wenn die Melodie bei der
Wiederholung verändert wird.

Nh 190, 2 (A) vgl. A 16 ∽ Nh 77; Nh 173.

du schwarz-au - gäts dian - dle, wia stellst äs denn än,

dass di liab aus dei - ne äug - län so gru - se - len kän,

dass di liab aus dei - ne äug - län so gru - se-len kän.

Doch ist die Theil-Wiederholung, auch die variierende, niemals innerlich nothwendig. Harmonisch und metrisch sind alle Weisen mit Theil-Wiederholung zweitheilige Achttakter, deren zweite Hälfte doppelt gesetzt ist, aber nicht doppelt gesetzt zu werden bräucht, um das Ganze vollständig zu machen. Darum sind sie principiell zu scheiden von den organisch dreitheiligen (da capo-Form mit Ecksätzen und Mittelsatz).

Die systematische Gruppirung der Sh-Weisen ist nicht leicht. Das kommt daher, dass die charakteristischen Merkmale bei den einzelnen Exemplaren in fast allen denkbaren Mischungen auftreten. Wir haben Weisen {mit gleichen / mit ungleichen} Hälften} {mit zwei / mit drei} Harmonien} {mit zwei- / mit ein-} taktigem {taktigem} Baumotiv} {mit einem / mit zwei} Baumotiven} {mit / ohne} Motiv-Wiederholung} {mit / ohne} formelhaften Schluss} {ohne / mit} Theil-Wiederholung. Wollte man allen Merkmalen gleichmäßig gerecht werden, so müsste man fast jede Spielart siebenmal nennen: unleidliche Wiederholung, und zwecklos, weil so kein klares Bild entstehn würde. Ich hoffe, meine Leser auf dem etwas holprigen Bergpfad besser geführt zu haben, als auf einer zu flach angelegten endlosen Serpentinen-Straße.

Ich bitte, das eben Gesagte im Gedächtnis zu behalten. Bei allen noch zu behandelnden Formen liegen die Verhältnisse genau gleich. Dazu kommt noch, dass die Sh-Weisen, so klar sie gegliedert sind, so leicht

auch ihre Gestalt wandeln. Da wird ein neues Gesätz erfunden, dem
Sänger klingt eine alte Weise im Ohr und unversehens ist eine Variante
mit neuem metrischem Gewand da:

Nh 20, 3 (As)

und wds braucht denn der   já-gerbua? a já - ger braucht nix,
dls a schwârsau - gáts dian-dle, an hund und a   büx.

Nh 14, 2 (C)

wer an   ôp-fl schält und er   isst n nit, wer a   diandle liabt und er   büsst si nit,

wer ins wirtshaus gêt und er trinkt kan wein, muaß a rechter pâtenlippl   sein.

Der Widerspruch zwischen dieser Feststellung und der entgegen-
gesetzten, dass Singweise und Text oft schlecht zusammenpassen (S. 114
unten), besteht wirklich. Das ist nicht verwunderlich. An der Erfindung
betheiligen sich Leute sehr verschiedener Geschicklichkeit und die Überlieferung hält Feineres und Gröberes fest. Ich bin überzeugt, dass der
Form-Instinct gánz Unförmliches oder Stilfremdes ausscheidet: trotzdem
sieht sich die Gattung recht grell-bunt an!

Vierzeiler-Weisen mit Jodlern.

Ohne Entsprechung außerhalb seines Wirkungsgebiets, dem Sh allein
eigenthümlich unter den Volksliedern ist die Singart der Texte auf Weisen
doppelten Umfangs. Dieser Gebrauch, halb zu singen, halb zu jodeln, muss
denen, die den Alpengesang nicht kennen, ganz merkwürdig vorkommen.
Wir erblicken in ihm einen schlagenden Beweis für die directe Abstammung
der Sh-Weisen vom Instrumentaltanz.

Der Instrumentaltanz bietet dem Gesang zwei Tanztypen: den
Ländler (Steirischen) und den Steirischen Walzer; der eine mit acht-

taktigen Gesätzen, der andre mit sechzehntaktigen. Das Durchjódeln von
Tanzweisen, anstatt des Durchspielens ist gebräuchlich; ebenso das Vier-
zeiler-Improvisieren auf Tanzweisen. Da liegt es nicht fern, bei den
Sechzehntakt-Weisen des Steirischen Walzers Vers und Jodler zu vereinigen;
gar da, wo die Weise melodische Gegensätze enthält.

Die gebräuchlichen Singweisen mit Jodelstücken sind die zweitheiligen
16-Takter. Die Text-Unterlage bleibt die alte: ein achttaktiger Vierzeiler.
Die Art, wie Text und Jodler vertheilt werden, ist verschieden: entweder
antworten sie einander in der viertaktigen Periode oder in der achttaktigen oder in der sechzehntaktigen. Je nach der Vertheilung von Text
und Jodler sprechen wir von **Weisen mit Halbstrophen-Jodlern** (wenn
abwechselnd ein Viertakter (Lz) gesungen, dann einer gejodelt wird), von
Weisen mit Kurzvers-Jodlern (wenn abwechselnd ein Zweitakter (Kv)
gesungen, einer gejodelt wird) und von **Weisen mit Strophen-Jodlern**
(wenn der Vierzeiler die eine, der Jodler die andre Hälfte der Weise
füllt).

Wie die formgebenden Tänze, so zeigen auch die Liedweisen im Aufbau einen bedeutsamen Unterschied: bei der Achttakt-Weise erfüllt sich
der harmonische Fortschritt im Rahmen des Zweitakters; bei der Sechzehntakt-Weise aber erst im Rahmen des Viertakters. Die 16TWs ist also
nicht eine doppelt gesetzte 8TWs, ihr größerer Umfang ist nicht zu-
fällig, aufs Halbmaaß zurückführbar, sondern nothwachsen. Im Bezug aufs
Harmonische ist bei der 16TWs der Viertakter Periode gleicher Rangordnung wie bei der 8TWs der Zweitakter. Das Gesagte wird leicht klar
werden, wenn wir zwei möglichst ähnliche Weisen im Geripp miteinander
vergleichen.

*A 9　　　8TWs

*A 18　　　16TWs

Die Baumotive sind in beiden Fällen Zweitakter. Die harmonische
Entwicklung spielt sich ohne Rücksicht darauf in der Hálbweise ab: dort
im Zweitakter, hier im Viertakter. Die 16TWs besteht also nicht aus

vier zweitheiligen Viertaktern, sondern aus zwei zweitheiligen Achttaktern (die im obigen Beispiel identisch sind).

Ich beschreibe, als die weitaus häufigsten und zum tanzfreien Vierzeiler-Singen bevorzugten, die Weisen mit **Halbstrophen-Jodlern** zuerst und stelle Beispiele voran.

K 73, 1 (F)   (Weise mit Spaltgliedern.)

~ A 23; vgl. A 18; 19; K 118; 151; Nh —; Kob 8.

T   T   T   D

bfiat di   gott schea - ne   ål - må, bfiat di   gott du scheañs gläut, tra - la-la,
bfiat di   gott du scheañs dia - nål, jå   du håst mi   gfreut, tra - la-la,

D   D   D   T

drai hol - låro,   drai hol - låro,   dre   a   di   ri!

K 84, 1 (G)   Vgl. A 20; 21; K 132; Nh 52; Kob 25.

T   T   D   D

im   mai, båld di   kä - fål fliaŋ,   is s nim - må   kålt,

D   D   T   T

di   re ho - dě - rei hol - di   dre hol - di - o;

T   T   D   D

ʔ   dia - nål   i   mecht di gean,   wåst må zkrecht ålt,

D   D   T   T

di   re hol - di - rei hol - di - - o ——————— !

K 111, 3 (B)   Vgl. K 107; 109; 129; 135; 136; Nh 131; Kob 7.

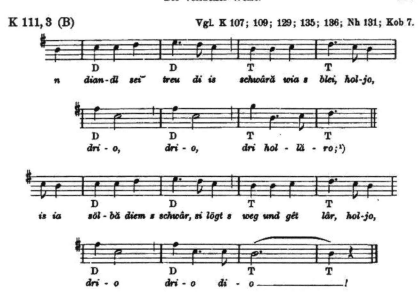

n   dian-dl sei˜   treu di is   schwârä wia s   blei, hol-jo,

dri - o,   dri - o,   dri hol - lä - ro;[1])

is ia   söl - bä diem s schwâr, ri lögt s   weg und gêt   lâr, hol-jo,

dri - o   dri - o   di - o _____ !

Wie die angeführten Beispiele zeigen, sind die 16 T mit ½ Str-Jodlern richtige Halbstrophen-Weisen. Die Halbweisen haben gleichen Vordersatz und gleichen (K 73) oder ähnlichen (K 84; 111) Nachsatz. Unwesentliche Ungleichheiten, meist rhythmischer Natur — durch die zufälligen Versfüllungen bedingt — bleiben außer Acht. Da die Vordersätze der Weisen stets Textfüllung haben, trifft die Abweichung der zweiten ½ Str von der ersten stets den Jodler. Nach der Harmonienfolge sind zwei Gruppen zu bilden: Weisen mit éintaktiger Schlussharmonie; Weisen mit zwéitaktiger Schlussharmonie. Die Weisen der ersten Gruppe (K 73) wandeln meist so ab:

|: T T T D | D D D T :|,

haben fast immer identische Hälften und stets vollen Liedschluss. In der zweiten Gruppe (K 84; 111) gibt es, ähnlich wie bei den Achttakt-Weisen zwei Möglichkeiten: den Liedanfang auf der Tonica oder auf der Dominant; also:

|: T T D D | D D T T :| und |: D D T T | D D T T :|

---

[1]) Die Jodlsilben der Kohl-Lesart sind ungeschickt gewählt und sind oben dem gemeinen Gebrauch gemäß geändert (vgl. K 132).

Die Weisen dieser Gruppe bilden den **Liedschluss stumpf**, eine Erscheinung, die beim reinen Textlied nie vorkommt. Es trifft ja auch bei
den Liedern mit Jodlstücken der stumpfe Schluss niemals den Text, sondern
stets den Jodler. Die Ursache für die stumpfe Endigung dieser Weisen
ist leicht zu finden: im Liedschluss wird das Aushalten der Endharmonie
über zwei Takte in der Melodie vermieden. Der stumpfe Liedschluss
bedingt die Verschiedenheit der $1/2$Ws-Nachsätze.

Im Klang reicher werden die Weisen durch Verwendung der Subdominant-Harmonie, z. B.

       D D T T | D D T T ‖ D D T T | S⁸ D T T   A 25
       |: S⁸ D T T | D D T T :| Nh 2; 195

und durch Harmoniewechsel innerhalb eines Takts. Kleine Abweichungen
von den üblichen Harmonienfolgen kommen natürlich auch unter den Weisen
dieser Gattung vor, z. B.

       |: T Sd T T | D D T T :|[1])   Nh 161   oder
       T T D D | D D T T ‖ T T D D | D D D T   Nh 145; K 90 ∼ 91; 100,

letzteres eine Vermischung der Formen 2a und 1. Vgl. noch Nh 1; 217;
K 118; 96; Kob 35.

Texttheil und Jodltheil der $1/2$Ws werden gern gegensätzlich behandelt: ruhige mehr cantable Linie des Vordersatzes; starkspaltiger Jodl-
Nachsatz rein instrumentalen Charakters. Als Beispiele die oben angeführten K 111 und Nh 145; ferner A 20.

Beachtet man, dass dieses Gegeneinander-Abheben der Halbsätze
weder in der Tanzbewegung noch in der instrumentalen Tanzbegleitung
begründet ist, so wird der Schluss erlaubt sein, dass diese Weisen Lied-
erfindungen sind; tanzbar sind natürlich auch sie und werden auch zum
Tanz aufgespielt[2]). Ein Zweites noch unterstützt diese Vermuthung:
auch einzelne Weisen mit der Harmonienfolge des schlichten Achttakters
werden als Sechzehntakter mit Jodl-Nachsätzen gesungen[3]). Dass man hier
die Doppelsetzung der Melodie nicht als überflüssig, langweilig empfindet,
liegt ohne Zweifel an der Contrastierung der Viertakter im Sinne des
Sing- und Jodlmäßigen. Manche von diesen Weisen haben so wildbewegte
Jodler, dass einer, der den Alpengesang nicht kennt, zweifeln möchte, ob
eine menschliche Stimme solche Clarinetten-Bocksprünge überhaupt aus-
zuführen vermag.

---

[1]) Vgl. S. 120 Anm. 2.
[2]) Vgl. vorn S. 14 und A 24.
[3]) Vgl. Nh 54; K 140 ∼ Nh 87; K 18; (114 ∼ 115); A 24.

Nh 54, 3 (F)

D — T — D — T
hån â - mål gliabt zwâ-mål gliabt, kån noch a - mål wern, duli - ê!
auf dêr åb - ghaz-tn feu - er - stått brennts so - vl gern, duli - ê!

D — T — D — T
ri du - li - ê du-li-ê du-li du-li dul-i - ê!

Weniger wirkungsvoll sind die Weisen mit Strophen-Jodlern. Doch kann auch hier Contrastarbeit die Wirkung sehr steigern (Nh 40).

Nh 36, 1 (D) Vgl. Nh 60; K 77; II 4 = II 24¹); Kob 34; 47.

T — T — T — D
grean is di hol - lästaudn, weiß san di blûa,
hol - la di - e di - e, hol - la di - e,

D — D — D — T
schean seint di schwårm augn, treu seint si nia;
hol - la di - e di - e, hol - la di - e!

Die 16-Takter mit Kv-Jodlern unterscheiden sich von den zwei vorgenannten Formen nur durch die Vertheilung von Text und Jodler: die wechseln miteinander von Zweitakter zu Zweitakter. Contrastarbeit ist bei diesen Weisen die Regel.

A 26 (Weise mit Spaltgliedern.) Vgl. K 127

T — T — D — D
und s diandl en Rei - tä - win - khl, hol - lä - rê holli - o-di - ô,

¹) Bei K II 4 = II 24 geht der Jodl-8T voraus.

Rotter, Schnaderhüpfrhythmus.

9

gât   â   gean   en   dŭ dŭn - khl, hol - lă - rê   hol-li - o-di - o;

â - bär   i   tua   băn   tăg,   hol - lă - rê   hol-li - o-di - o,

weil i ê dă dŭn - khl nit   măg,   hol-dja - hô ———————!

Das Beispiel zeigt uns ein Exemplar der zweiten Gruppe mit stumpfem Liedschluss. In diesem Fall schrumpft der Jodler auf éinen Takt zusammen.

Ist eine Weise mit Kv-Jodlern auf der harmonischen Basis der Achttakt-Weise aufgebaut, dann genügt zu ihrer Textfüllung ein Zwei-zeiler, eine Strophenform, die unter den reinen Textliedern nicht existiert. Eine andre Merkwürdigkeit stellt sich da manchmal noch ein: dass die Strophe mit mehrsilbig voller Cadenz schließt. Diese überhängende Cadenz wird aber vom folgenden Jodler gedeckt, der mit éinsilbig voller Cadenz den wirklichen Liedschluss bildet[1]).

K 123, 2 (G)

hin   übern grâbm, hear übern grâbm, dri   ri-dl djo-i ri   di-ri - o,

buam müassn wâs z nar - ră-zn hâm,   dri   ri-dl hu-i - o!

Trotzdem wirkt der Schluss nicht voll befriedigend; auch bei Strophen-kétten, die zu solchen Weisen gesungen werden, bleibt das Gefühl, als müsse immer noch ein Gesätz folgen — ad infinitum. Solche Weisen

¹) Vgl. vorn S. 50 f.

werden auch, doppelt gesetzt, als Vierzeiler-Weisen benutzt. Vgl. die Texte von K 123 und Nh 202, 1. 2.

Andre 16-Takter mit Kv-Jodlern beginnen mit dem Jodler und schließen mit den Kurzversen des Textes ab. Ich geb als Muster das weit verbreitete Lied *wån der auerhån bålzt*.

Salzkammergut (D)[1]   Vgl. PJJ II 188; Nh 208; 128 ff.

Die Lieder mit den Jodlern als Perioden-Einleitern können ebensogut als Jodler mit Texteinschub aufgefasst werden. Wie sehr bei ihnen der Jodler zur Hauptsache werden kann, zeigt die Singart des mitgetheilten *hollårô!*: die Weise wird öfters hintereinander gesungen und jedesmal um einen Ton höher angestimmt. Die ganze Aufmerksamkeit ist dabei auf den Jodler gerichtet, den der Einzelsänger in die höchste ihm erreichbare Höhe treibt; der Chor aber wiederholt unentwegt den éinen Vierzeiler[3]. Pommer hat daher ganz recht, wenn er ein so gebautes Lied in seine Jodlersammlung aufnimmt (PJJ II 188).

Jodler werden im ganzen Sh-Gebiet mit großer Vorliebe auch selbständig gesungen, als richtige 'Lieder ohne Worte'.

Der selbständige Jodler (Lied-Jodler) ist ebenso wie das Sh ein Tanzlied. Beide sind verschiedene Ausdrucksformen des nämlichen Tanzes. In Grundrhythmus und Periodenbau stimmen sie völlig überein. Im Melodischen aber hält sich der Jodler nicht in den engeren Grenzen des

[1] Zu den zwei notierten Stimmen tritt noch ein Bass, der einfach Tonica und Dominant angibt. Das Lied wird wohl stets ohne Instrumental-Begleitung gesungen.

[2] Oder e″ = D².

[3] Ähnlich ist es bei Nh 208.

9*

Textliedes; er bevorzugt in höchstem Maaß das Zackige, Unsangliche der Instrumentallinie. Daher kommt es auch, dass sein Tempo um so viel langsamer ist als das des Sh-Lieds, langsamer noch als der Tanz selbst. Er liebt schwere Füllungen und complicierte Rhythmen (1), seine eigenartige Polyphonie kennt sogar Complementär-Rhythmen und nützt sie aus (2). Er überschreitet die Füllungsgrenzen des Textlieds (3—6 Silben) nach oben (1) aber auch nach unten (3); — mit einem Wort: die menschliche Stimme wird hier wie jedes andre Musik-Instrument behandelt. Ich geb einige Beispiele.

1) PJJ II 23   (Weise mit lauter Spaltgliedern.)

3) PJJ II 4

di - ri   di - å   i - ri   di-å-i - ri,

di - ri   di - å   i - ri   di-å-i - ri,   ri———!

Das letzte Beispiel (PJJ II 4) mag noch der Feststellung dienen, dass auch der 16-Takter des 'steirischen Walzers' unterweilen als Jodler auftritt.

Wir wollen nun die Berührungspunkte von Sh und Jodler weiter verfolgen. Die Lieder, deren Perioden aus Textstücken und Jodlstücken zusammengesetzt sind, haben wir bereits besprochen. Eine andre sehr beliebte Singart ist die, dass der Jodler als geschlossenes Ganzes an das Textlied herantritt und mit ihm ein größeres, mehr oder minder festgefügtes Gebäude bildet. Die Stellung, die ein solcher Jodler im Lied einnimmt, entspricht vollkommen der einer Kehrstrophe: er wird beim Mehrstropher oder bei der losen Folge von Vierzeilern, die zu éiner Weise gesungen werden, jedem Gesätz angehängt. Wir nennen ihn Kehrjodler.

Die Textweisen bedürfen in den seltensten Fällen eines Kehrjodlers zu ihrer Vollständigkeit: entweder bei mehrsilbigem Strophenschluss, — bemerkenswerth ist K III 13, dessen Kehrjodler nur vier Takte spannt; hier ist es offenbar, dass der Jodler keinen andern Zweck hat, als den rhythmisch genügenden Liedschluss herbeizuführen; — oder wenn die Textweise am Strophen-Ende moduliert (K III 6). Von diesen Ausnahmen abgesehn, sind die Textlieder geschlossene Formen, die melodisch und rhythmisch, selbstverständlich auch inhaltlich, sich selbst genügen. So finden wir denn auch nicht selten in den Sammlungen den Vermerk: selten gesungener Jodler. Man wird nicht fehlgehn, wenn man annimmt, dass auch die vielen andern Lieder mit Kehrjodler, denen dieser Vermerk nicht beigefügt ist, zuweilen oder an anderm Ort auch ohne Kehrjodler gesungen werden.

Bei den Kehrjodlern dagegen können wir zwei Gruppen unterscheiden.

1. Der selbständige Kehrjodler. Er ist ein freier Liedjodler und hat keinen innern Zusammenhang mit dem Textlied (K 17; 23; 113; I 7;

I 30; Nh 136; 197). Wie zu erwarten ist, finden wir die selben Jodler in den Jodler-Sammlungen aufgezeichnet (PJJ II 47 ∼ A 10; PJJ II 27 ∼ K 56); sie werden also auch allein, als Jodllieder gesungen.

2. Der unselbständige Kehrjodler. Der Kehrjodler kann dadurch ein engeres Verhältnis zum-Textlied gewinnen, dass er mit einer Neben-harmonie beginnt (K 22; 37; 128; Nh 6; 20; 51; 74; 116). Zwar kann auch ein solcher Jodler für sich bestehn (PJJ II 46), doch wirkt er im Anschluss an ein Lied wie etwas Zugehöriges. Für mein Gefühl werden diese Jodler erst voll wirksam, wenn sie Anlehnungsgelegenheit finden; — etwa dieser:

PJJ II 61a　　　　　　　　　　　　　　　　　　　　Vgl. PJJ II 27b

Stärker ist der Zusammenhang, wenn Textweise und Jodler motivisch verwandt sind (K I 26; III 16); wenn der Jodler mit dem Auftakt des Text-lieds beginnt, um erst im weiteren Verlauf sich zu typischer Jodllinie zu gestalten (K 44 = 45); wenn der Jodler die Textweise im Rhythmus jodl-mäßig variiert (K 33 = III 20; K III 23); oder gar, wenn der Jodler im Contrapunkt zur Textweise erfunden ist. Ein Beispiel für diesen letzten Fall ist

K 131 (F)

Text-Weise:

Jodl-Weise:

Neben Kehrjodlern, die mit der Textweise verwandt sind, finden wir auch solche, die direct auf die Textweise gesungen werden: nach jedem Gesätz wird die Weise auf Jodlsilben wiederholt (K I 22; III, 5; Nh 81; 117).

Als Beispiele sind bisher nur achttaktige Jodler gewählt worden; sie stellen die Normalform dar. Neben ihnen kommen auch größere Gebäude vor: 12-Takter (durch Wiederholung der zweiten Jodlerhälfte [1]); 16-Takter (durch Wiederholung beider Hälften des Achttakters[2], oder durch Doppeltsetzung des ganzen Achttakters[3])); manchen Liedern werden auch zwei verschiedene Jodler angehängt[4]; oder der Kehrjodler ist in da-capo-Form ausgebildet[5]). Gebilde, die sich von der viertaktigen Maaßeinheit des Tanzes entfernen, wie 10- und 14-Takter, lassen wir vorläufig außer Acht.

Bei manchen Liedern ist die Verknüpfung von Textweise und Kehrjodler dadurch besonders innig, dass Wiederholungen von Texttheilen in den Jodler hineintreten, — bei K III 2 etwa vertritt der dritte Kv des Vierzeilers den Vordersatz des zweiten Jodl-Viertakters — oder über ihn hinaus ans Weisen-Ende treten[6]).

Dass zwischen Sh und Jodler kein tieferer Gattungsunterschied besteht, erkennen wir am besten, wenn wir beachten, wie einerseits die gleichen Weisen bald für dieses, bald für jenes verwendet werden, andrerseits die Vertheilung von Text und Jodler unter éiner Weise wechseln kann. Ich stell eine Reihe von Varianten nach diesem Gesichtspunkt zusammen.

(Die Tabelle steht auf der nächsten Seite.)

Bei den Achttakt-Weisen wechseln Textlied und Jodllied. Beide Füllungsarten sind gleichberechtigt, gleich gut. Interessant ist das Verhältnis bei den Sechzehntaktern. Der Tanz liefert die Melodie: die kann durchgejódlt werden (Liedjodler), denn der Jodler kann ebenso gut eng, sangbar tänzeln, als unbändig, instrumentmäßig springen. Werden dagegen auf eine Sechzehntakt-Weise Shh gesungen, und ist die Weise contrastlos in ihren Theilen, dann kann die Füllung auf jede Art geschehn: mit Str-Jodlern, mit 1/2 Str-Jodlern, mit Kv-Jodlern (vgl. aus der Tabelle K III 14 ~ Nh 60); ungebräuchlich ist nur éine: die Füllung mit zwéi Vierzeilern (vgl. K 93). Bietet aber die Singweise guten Contrast, dann müssen alle Füllungen als ungeschickt abgelehnt werden, die ihm widersprechen. Ich

---

[1]) K 112.
[2]) K 79.
[3]) K 111.
[4]) K 137; I 32.
[5]) K I 46. Zur da-capo-Form vgl. Cap. 7.
[6]) Nh 66; 197.

geb dafür ein Beispiel. Der innere Bau der Weise A 24 ist nicht miss-
zuverstehn; sie fordert als Textweise die Füllung mit ½ Str-Jodlern.
Gleichwohl legt ihr ein Kärntner Sänger Doppelstrophen ohne Jodler unter:

Nh 147, 2[*])   *diandle spréis di nit só,*   *aus n tråd wird a strö,*
                aus de blümlän a heu: *nur vir wochn is mai!*

                nur vir wochn is mai,   *und wia gschwind sein s vorbei,*
                håt di schönheit an end,   *nåchå schau, wer di kennt.*

Der Salzburger Sänger ist ohne Frage der stilfestere Überlieferer gewesen.
     Schließlich müssen wir noch mit der Möglichkeit rechnen, dass eine
Weise im Sinn der gewählten Vertheilung zugerichtet wird. Das können
wir am deutlichsten beobachten an den Varianten K 126 und 127.

(Vgl. S. 135)   **Achttakt-Weisen**

Sh		Jodler		
K I 22		= K I 22	Kehr-J	
K III 5		= K III 5	„	„
Nh 81		= Nh 81	„	„
Nh 117		= Nh 117	„	„
K 33 = III 20	~	K 33 = III 20	„	„
A 13		~ PJJ II 75	Lied-J	
K 22 ~ 66	~	„ 120	„	„

Sechzehntakt-Weisen

Sh		Sh		Jodler		
Nh 40	mit Str-J	. . . .		~ K 79	Kehr-J	
. . . .		K 93	Doppel-Str	~ PJJ II 110	Lied-J	
A 24	mit ½ Str-J	~ Nh 147	„ „		„	„
K 135[¹)]	„ „ „	. . . .		~ PJJ II 186	„	„
~ Kob 53	„ „ „					
A 18	„ „ „	~ K 77	mit Str-J			
Nh 83	„ „ „	. . . .		~ K II 14	Kehr-J	
~ H 6 ~ K 132	„ „					
K III 14	mit ½ Str-J	~ Nh 60	mit Str-J	~ PJJ II 176	Lied-J	
		~ PJJ II 176	„ „			
A 26	mit Kv-J	~ K 126	mit ½ Str-J	~ PJJ II 4	„	„
~ K 127	„ „ „					

---

¹) ~ Dunger a. a. O. Ws 16 (4Z mit TheilWhlgen; ohne Jodler).
²) Die Abweichung der Kärntner Singweise von meiner Aufzeichnung (A 24) ist so
gering, dass der Kärntner Text ohne Fehler der Salzburger Weise unterlegt werden kann.

K 126, 5 (F)

der huat ist von hua - ter, di fö - dern von huñ²),

T¹) T D D

holl-lä - ri - a - di - o, hol-lä - re i di - o;

D D T T

von dian - dl der bu - schn geat nia - mäd nix uñ,

T¹) T D D

holl-lä - ri - a di - o, hol-di - o ——— !

D D T T

K 127, 1 (C)   Vgl. A 26

Einer   4-stimmig

in Dux, an schian tdl, hälli - d i - ri-a-di - d,

T T D D

hät dä reif gschddt a - mdl, hälli - d i - ri-a-di - d;

D D T T

send di men-tschä vä - brennt, hälli - d i - ri-a-di - d,

T T D D

weil si gd so braun send, o-dä wds ——— ?!

D D T T

¹) Kohl unterlegt im vierstimmigen Satz den 1. und 9. Takt mit Sst.
²) huñ ist Hahn, nicht Huhn!

K 126 hält die Text-$^1/_2$Str geschlossen und formt dem entsprechend die Vordersätze der Weise in einheitlichem Fluss; die Jodler heben sich durch Kv-mäßige Theilung davon ab. Weise uud Füllung decken sich gut. Anders K 127. Hier haben wir den kräftigsten Gegensatz von Zwei-takter zu Zweitakter: jeder Zweitakter ist vom nächsten durch starken Einschnitt getrennt; die Texttheile sind rhythmisch und melodisch ganz einförmig, in tiefer Lage, die Jodler aber hoch und lebhaft bewegt; dabei sind aber doch die Stücken durch Motiv und Harmonik fest zusammen gefügt. Gesteigert wird der Contrast in dem in seinem Aufbau sicher originalen Satz von Liebleitner noch dadurch, dass der Text einstimmig, die Jodler aber vierstimmig erklingen. Die Fassung mit den Kv-Jodlern ist sicher die schönere und ist auch die landläufige (vgl. A 26 und PJJ II 4 [1])); auszusetzen ist aber auch an der andern nichts.

K III 18 ist in diesem Zusammenhang noch zu erwähnen. Das Lied ist als Zweistropher mit Zweizeilern aufgezeichnet. Die Weise ist so gebaut:

|: Vordersatz   Nachsatz   :| [2])
|: Text-4T   +   Jodl-4T   :|
|: T T Td T   S⁴ T D T :|

wobei Vordersatz und Nachsatz als Texttheil und Jodltheil schön in Gegen-satz gestellt sind. Das Auffallende ist, daß der ganze Vordersatz, als Jodler wiederholt, dem Nachsatz vorangestellt ist. Die Texttheile sind auf diese Art von dem nun geschlossenen Liedjodler gewissermaßen aus dem Lied hinausgedrängt und der Contrast zwischen Singlinie und Jodl-linie geht verloren.

Wir haben im Vorausgehenden beobachtet, wie Text und Jodler im selben Lied neben- und durcheinander gesungen werden, einander auf alle Art ersetzen können, haben Weisen gefunden, die bald als Textlieder, bald als Jodllieder erscheinen; — das Merkwürdigste aber bleibt noch zu sagen übrig: wir treffen Text und Jodler im mehrstimmigen Gesang gar auch gleichzeitig ausgeführt!

*PJJ II 49

---

[1]) Als Liedjodler, jedoch mit der gleichen Gliederung; mitgetheilt oben S. 133.
[2]) Kohl notiert die Schlussperiode fälschlich als Siebentakter. Vgl. Cap. 8 (am Schluss).

Das ist eine der ganz einfachen, allbekannten Sh-Weisen, die bald als 4Z-Weise, bald als Liedjodler oder Kehrjodler ertönt. Ihre Form ist die eines Sechzehntakters mit $^{1}/_{2}$Str-Jodlern; so bei K 84 und 71. Pommer führt Singarten aus verschiedenen Gegenden an: aus Unken, Lofer, Gastein, Mondsee, Rottenmann, Vorau (PJJ I 61; II 49; 96; 205); davon sind I 61 und II 96a reine Liedjodler. Zu den andern Nummern aber bemerkt er, dass die Oberstimme 'gewöhnlich' (49), 'hie und da' (205) oder 'wohl auch' (96 b) einen Vierzeiler singt. Allen dreien ist gemein, dass die Haupt-stimme gejodelt wird und dass die Begleitstimme mit dem Sh erst im 5. Takt einsetzt.[1]) Der Vierzeiler füllt also den Nachsatz der ersten und den Vordersatz der zweiten Weisenhälfte; eingerahmt und getragen wird er vom Jodler. Setzt man Jodler = Instrument, so kann man so sagen: wir haben hier nicht ein Lied mit Instrumental-Begleitung, sondern einen Instrumentalsatz mit einer begleitenden Singstimme. Als Beispiel diene

PJJ II 96b (F)

Vgl. PJJ II 176

Kehrstrophen.

Wir kehren zur systematischen Darstellung zurück und werfen, an den Kehrjodler anknüpfend, einen Blick auf die Kehrstrophe.

Bisher haben wir die Betrachtung auf die Erscheinungsformen des Einstrophers beschränkt und wollen vorläufig nur bemerken, dass die Kehr-

---

[1]) Die Mehrstimmigkeit mit succesiven Stimmeneinsätzen ist beim Liedjodler sehr häufig.

strophe, wie allenthalben im Volkslied auch in unsern Gegenden im geschlossenen Mehrstropher auftritt (Nh 207; K 11; 39 ∾ III 3).

In Verbindung mit dem Einstropher tritt uns die Kehrstrophe in derselben Form und Verwendung entgegen, wie der Kehrjodler, doch ist sie viel seltener als dieser.

Wie man den Ursprung des Kehrjódlers auf den Tanzboden verlegen möchte, so scheint die Kehrstróphe in engem Zusammenhang mit dem Absingen (Singstreit) zu stehn. Wenn zwei Burschen sich im Singstreit maßen, mag der Chor der Zuhörenden sich nicht immer ruhig verhalten haben, das allgemeine Interesse machte sich in einem, jedem neuen Vierzeiler angehängten Gsätzl Luft, eben in einer Kehrstrophe. Das hatte für die Wettkämpfer den Vortheil, dass sie ein wenig Zeit gewannen, neue Reime sich zurecht zu legen. Solche Kehrstrophen sind denn wohl ein Ausdruck übermüthigen Kraftbewusstseins, ein Ausdruck der noch unterdrückten Rauflust oder der Aufmunterung.

K I 14	... *und d mâßkrüag send vül z kloañ,*
	gê lâss mǎr ǔns a hǎlbi eiñtoañ ...
A 27	*hiaz hǎlts! ǎlles khearts ǔnsǎ!*
K 133	*muass mǎr â, muass mǎr-â blaue hosn mǎchn lǎssn â! ...*
Nh 207	*buabmǎ seids lustig! frü auf, frü auf, frü auf! ...*

Aus den gedruckten Sammlungen lässt sich das Wesen der Kehrstrophen nicht deutlich entnehmen, schon weil die Herausgeber es stets unterlassen, die Vierzeiler-Reihen gegen die Mehrstropher kenntlich zu machen. Ich versuche daher, in einigen Strichen wiederzugeben, wie ich die von mir aufgezeichnete *hiaz-hǎlts*-Weise (A 27) im Pinzgau hab singen hören.

Eine bunte Reihe von Vierzeilern, alten und neuerfundenen, wurde auf verschiedene Achttakt-Weisen von den Burschen im Einzelgesang gesungen, dazwischen trat immer der Chorus mit dem *hiaz hǎlts!* Nicht lange, so hatte sich ein Wettsingen zwischen zwei Burschen entwickelt. Das Wichtige dabei ist: 1. die Selbständigkeit der einzelnen Vierzeiler, 2. die Möglichkeit des Wechsels der Singweise, was die Selbständigkeit der einzelnen Lieder wesentlich erhöht, 3. der Gegensatz zwischen Einzelgesang und Chorgesang. Dieses dritte Merkmal mag ja wohl oft verloren gegangen sein, wenn man der gedruckten Überlieferung Glauben schenkt; — doch darf dabei nicht vergessen werden, dass wahrscheinlich der größte Theil der mitgetheilten Lieder den Sammlern nur einstimmig vorgelegen hat, dass also die mehrstimmigen Sätze zwar stilecht, aber doch unoriginal sein können.

Die Kehrstrophen sind dem Text nach Vierzeiler oder gedoppelte Zweizeiler (Nh 205) und können in jede tanzmäßige Periode eingestellt werden, die der Vierzeiler zu füllen vermag. Die Kehrstrophen zu A 27, Nh 207 stehn unter einfacher 8 TWs; die zu K 133 ist in da-capo-Form ausgeführt; die zu K I 14 wächst aus einem Jodler heraus, sie stellt eine Umkehrung der Form '16 T mit $\frac{1}{2}$ Str-Jodlern' dar. Diese Kehrstrophe und die achttaktige zu Nh 97 *schmálz in der buttn*, die nach Pommers Anmerkung hie und da an Stelle des achttaktigen Kehrjodlers gesungen wird, geben beredtes Zeugnis für die nahe Verwandtschaft zwischen Kehrjodler und Kehrstrophe.

Liederreihe, Liederkette, Mehrstropher.

Das Material unsrer Untersuchung bildeten bisher Einstropher. Die Shh sind wohl Einzelwesen, aber sie haben starke Neigung zur Geselligkeit. Sitzen die Burschen beisammen am Wirtshaustisch oder die Nachbarsleute beim Heimgarten, und sind sie singlustig, dann jagt eins das andre; — soviele auf éine Weise, als den Sängern einfällt. Um der Praxis des Sh-Singens gerecht zu werden, müssen wir nun zwei neue Begriffe einführen: die Liederreihe und die Liederkette.

Liederreihe nennen wir eine Masse von Vierzeilern, die auf éine Singweise planlos hintereinander weg gesungen werden, ohne Zusammenhang des Inhalts (I) und der Form (I). Ähnlichkeit der Stimmung ist oft da und gern treten Gesätze zusammen, die wesensverwandte Gelegenheiten behandeln (I). Die Associationen, die ein Gesätz ans andre reihen, sind aber ganz äußerlicher Art, und wir finden immer wieder Shh nebeneinander

I)   K 22   (Liederreihe)

1. *hun i nít a schöaňs díanäl,*   LzStr   x
   hát s nit a schöaňs gwandäl*)?   a*)
   si hát sacrischi wädl   x
   und holz bei dä wänd.   a

2. *schöaná küabua, schöaná rossbua,*   SpvStr   a a
   schöaná oxntreibá;   b
   wenn i schöaň wâr, wenn i reich wâr,   a a
   wâr i öbäschreibá.   b

3. *já, a lustigá bua,*   KvStr   a
   dea braucht oft a pár schua,   a
   und a traurigá nárr,   b
   dea hát láng an oan pár.   b

*) Die zweisilbige Form *gwandäl* wird von der Singweise gefordert, statt des zu erwartenden Reimklangs *gwänd.*

stehn, deren Pointen sich reiben (I) oder einander widersprechen (II 6, 7). Formgleichheit oder -ähnlichkeit ist häufig (II 1—4; 5 f.), aber nicht nothwendig.

Liederkette nennen wir eine Folge von Einstrophern, die auf éine Weise gesungen werden und sich alle auf éinen Gegenstand beziehn. Der Zusammenhang kann auf den Inhalt beschränkt sein, wie das oft beim Absingen der Fall ist (A 10 a), häufig aber wird er durch die poetische Form unterstützt: durch gleiche Liedanfänge (III), oder durch ein Spielmotiv (IV). Oft sind in Liederreihen kleine Liederketten (V), Varianten (VI), auch Doppelstrophen (VII), enthalten. Verschiedene Lesarten éines Liedes (A 16, 6. 6 v) sind auszuscheiden, denn die stehn nicht beim Síngen zusammen, sondern nur in den Sammlungen. Gleichheit der metrischen Form ist bei den Gesätzen der Liederketten die Regel.

II) Nh 22 (Liederreihe)

1. *s diandle hån i gfrägt,*	LzStr	0a	b¹
ob i kömmän derf heunt:		2a	a
jå håt si gsågt,		0a	b¹
wån der mond nit z hell scheint!		2a	a
2. *gê i zu mein diandlän,*	LzStr	1a	x²
so richt i mi zsåmm;		1a	a
an juchätzer muass i		1a	x²
åls vorreiter håm.		1a	a
3. *zwå kölschwårze federn,*	LzStr	1a	x²
a weiße druntár:		1a	a
a traurigå bua		1a	x¹
måcht ka diandle muntár.		2a	a
4. *diandle måch s fensterl auf*	LzStr	0a	x²
und alle tör;		0a	a
heunt kummt a lustiger		0a	x²
brennůerbua her.		0a	a
5. *heut is schon såmstis nåcht,*	3.3.3.1-Str	0a	a²
weil mir mei⁻ herzle låcht,		0a	a²
heut gêt s no lustig zua:		0a	b³
heunt kimmt meiñ bua!		0a	b¹
6. *wia må meiñ herzle springt,*	3.3.3.1-Str	0a	a³
wån der bua zu mir kimmt,		0a	a²
wån er bein speltenzaun		0a	b³
einěr tuat schaun.		0a	b¹
7. *áufmåchn túa i nit,*	LzStr	0a	x³
i bin di gróaße;		0a	a²
dås muass di klåne tuan:		0a	x²
saudirn, gê hoaß se!		0a	a³

Vom Mehrstropher unterscheidet sich die Liederkette dadurch, dass jedes ihrer Gesätze einen abgeschlossenen Liedinhalt hat, und dass Zahl und Reihenfolge der Gesätze wechseln kann.

Das Eigenleben der Reihen und Ketten ist örtlich und zeitlich eng begrenzt: weitergegeben werden die Éinzellieder, aus denen sie bestehn. Und da auch Text und Weise nicht fest miteinander verwachsen sind, so entstehn immer neue Vereinigungen aus der unerschöpflichen Menge der Shh.

'Liederreihe' ist der umfassende Begriff. Wir rechnen die Liederketten stets zu den Reihen, wo beide nicht ausdrücklich in Gegensatz gestellt sind.

Zwischen den Textsammlungen und den Liedersammlungen ist ein bemerkenswerther Unterschied. Jene (SS, PH, W, GK, H) überliefern uns die Shh als das, was sie eigentlich sind, als Einzellieder: diese (Nh, K, Ll, Kob) überliefern sie uns in Reihen, wie sie da und dort gesungen werden. In dieser zweiten Aufzeichnungsart, die der Praxis näher steht, liegt doch ein arger Fehler: sie berücksichtigt nicht das Zufällige, das im Gegen-

---

III)   Nh 87 (Liederkette)

1. *bin a lustigä bua*
   bin a Karntner lei lei;
   wo a schöns diandle is,
   is a Karntner däbei.

2. *bin a lustigä bua,*
   känn scheañ drübersingĕn;
   mäch ka falterle auf,
   tua lei drüber springĕn.

3. *bin a lustigä bua,*
   brauch går oft a pår schua;
   und a traurigä nårr
   håt går läng auf an pår.

usw: bei Nh 12 Gesätze
Vgl. A 7

IV)   K III 11 Zungenfertigkeits-Shh (Liederkette)

2. *und an wintermäntl   mit an bútterfassl,*
   und a rüar²schafft   mit a båssgeign,
   und a nudlsuppm   mit a mistgåbl
   hån i nia gessn auf d nåcht.

3. *a bissl windisch   und a bissl deutsch,*
   und a stückl suppm   und a lackl fleisch,
   und a stümpfl wein   und a glasl wuršt,
   und a elln biar hilft für n duršt.

usw: bei K 6 oder 7 Gesätze

V) Vgl. A 19, 2—4; 20, 2 f.; 20, 6 ff.

VI) Vgl. A 16, 4 ff.; 19, 5 f.; 22, 3 f.; 25, 3 f.; Nh 41, 2. 5. u 3¹); 162²).

VII) Vgl. A 14, 4 f.; K 63, 1 f.

---

¹) In dieser Nummer ist eine Liederkette mit einer andern (Mehrstropher?) durcheinander gerathen.

²) Die ganze Kette besteht aus Varianten.

satz zum Mehrstropher charakterisches Merkmal der Liederreihe ist. In keiner dieser Sammlungen hab ich auch nur einen Hinweis gefunden, in keiner den Versuch, Einstropher-Reihen und mehrstrophige Lieder äußerlich kenntlich auseinander zu halten. Der Grund hiefür liegt sicher darin, dass die Sammlungen mit Singweisen keine einheitliche Grundlage haben: sie wollen áuch ein Bild des vorhandenen Liederschatzes geben, aber in erster Linie wollen sie, was gewiss aller Anerkennung werth ist, gutes Material für die Liedertafeln liefern — und für diesen Zweck braucht man Fertiges, nicht Werdendes. Der ungeheure Variantenapparat und die vielen Randbemerkungen, die eine wissenschaftlich genügende Ausgabe nöthig haben würde, haben da keinen Raum. Der volkskundliche Werth leidet unter dem pädagogischen Zweck.

Der Vergleich der Textsammlungen mit den Liedersammlungen und in diesen der Vergleich der Einstropher-Reihen untereinander lässt keinen Zweifel, dass der Weg der Entwicklung vom Einstropher zur Strophenreihe und zum Mehrstropher geführt hat und nicht umgekehrt vom geschlossenen großen Lied durch Zersingen zum Zerfetzen und zur Auflösung in einzelne Strophen und Strophengruppen[1]).

Den ersten Schritt zum größeren Lied bildet die Doppelstrophe[2]). Wie sich das Vierzeilersingen zum Singstreit zuspitzt, so kann es dabei auch zum kurzen Wechselgesang kommen: dem Zuruf, der Aufforderung, der Frage folgt die Antwort auf dem Fuß.

PH 12ab

Er: *diandle, wås falt dä*
     wås schaust so schlecht aus?
     håst n bubm in der nåchbårschaft
     ôdär in haus?

Sie: *nix in dä nåchbårschåft,*
     und å nix in haus;
     glei weil i kan buebm hån
     schau i schlecht aus.

SS 881f.

und wånnst mit dein diandl
so hoagl wülst sein,   .
und åft nimm a papiarl,
und wickl dä s ein!

zum einwickln wå mä s
wol dennä z wenk schén;
åfä just mit an iadn buabm
lå i s nit gån.

Oder: einem sich selbst genügenden Vierzeiler wird ein zweiter angehängt, der nichts wesentlich Neues enthält; der ist dann fast immer dem ersten durch Textwiederholung ganz nahgerückt.

---

[1]) Steffen, a. a. O. S. 44 ff. weist das gleiche Verhältnis ausführlich nach für den schwedischen Låt.

[2]) Vgl. Steffen, a. a. O. S. 24 f.

SS 268 f.   *bfúat di gott, diandl,*   *und wån d Sålzach ausdrückašt*
          hiatz bin i dahī",   *und biñ no nit dao*
          und wån d Sålzach ausdrückăšt,   *åft derfst dă s schon denkn,*
          åft kimm i um dĭ.   *da-i di neamă maog.*

                                                       vgl. SS 515 f.; 660 f.; 721 f.

Die Entstehung einer Doppelstrophe ist stets so zu denken, dass an einen bestehenden Vierzeiler ein anderer, inhaltlich unselbständiger gefügt wird. Der erste Vierzeiler ist immer geschlossenes Einzellied und tritt als solches auch allein auf (vgl. SS 199 mit 918 f.); der andre aber hat den ersten zur Voraussetzung und ist ohne ihn Torso. Wenn dagegen das Verhältnis der Beiden dás ist, dass jeder, unfertig, des anderen bedarf und beide zusammen erst ein Ganzes ergeben, dann liegt nicht eine Doppelstrophe, sondern ein Zweistropher vor, die kleinste Form des Mehrstrophers.

SS 994 f.   *bei hiazögă zeit*   *î wån i kneïcht wå gwên,*
          send dö bauän so gscheid;   *i hiatt eams drât;*
          sö saognt gléi zăn an kneïcht: *hiatt meiñ packei zsåmm bundn,*
          hiatz wâ s hoamgên just kreïcht.   *wâr aokråtzt schên stâd.*

                                                         vgl. SS 897 f.

Dádurch unterscheiden sich die Doppelstrophen von den Varianten, soweit eine Verwechslung überhaupt möglich ist: bei diesen ist jedes Gesätz Einzellied. Varianten geben densélben Gedanken mit kleinen Änderungen des Wortlauts wieder;

SS 775 *und dö henn und dă hån*   SS 776 *und dö henn und dă hån*
        schaunt sö gå͞r so gern ån;   *schaunt sö ållöweil ån;*
        und dă kimmt dă kapaun dăzua,   *und åft kimmt dă kapaun*
        låßt ean koañ rua.   *und låsst s neamă zsåmm schaun.*

                                                         vgl. SS 797 f.

oder aber: sie haben jede einen eigenen Gedankeninhalt. In diesem Fall, wo sie am éhesten der Doppelstrophe ähneln, gehn beide Vierzeiler von gleicher oder (meist im Reimwort) variierter Eingangs-$\frac{1}{2}$Str aus.

SS 621 *i mecht ia nit feind sein,*   GKS II 103, 3 *und i kunnt eam nit feind sein,*
        den stutzei, den kloan,   *den Toifai, den kloan,*
        weil s ållömål woant,   *weil s åbei a so nett ummăputzln,*
        wån i såg, i muass hoam.   *zutzln, ummănutzln ku͞ um oan.*

                                                         vgl. SS 850 f.

Bei der Doppelstrophe aber ist durch Textgleichheit oder -ähnlichkeit der einander zugekehrten $\frac{1}{2}$Strr oder wohl auch nur der Eckverse feste Fügung erreicht. Zusammenfassend:

Doppelstrophe: erster Vierzeiler Einzellied; zweiter Vierzeiler Anhanger. Erster Vierzeiler alléin ein Ganzes; zweiter Vierzeiler nur eine zweite Hälfte.
Varianten: jeder Vierzeiler selbständiges Einzellied.
Zweistropher: jede Strophe nur Liedtheil; beide zusammen erdacht.

Am Ende der Entwicklungsreihe steht der **Mehrstropher**, das umfängliche Lied. Aus der großen Menge der überlieferten Stücke nur zwei Beispiele, um zu zeigen, dass der ganze rhythmische Reichthum des Sh in es eingegangen ist, nicht etwa nur die Dreisilber-Strophe.

Süß 82

1. *bin ê s fischn ausgángă̆*
en Aumülnắ băch
an fisch hăn i gsehă̆",
den fisch făr i ndch.

2. *hiatz hăn i meiñ ăngl*
glei dăni¹) gschmissñ,
ê dă̆ vordnöŋ²) schnuar
hăt ă̆ glei ăñbissñ.

3. *hiatz ziach i n hălt zuawă̆,*
und schau n a wenk ăn,
ăft măcht ěr an schnöblă̆
is mă̆ wiedă̆ dăvon.

4. *ê dă̆ sămstanăcht drauf*
bin i wiedă̆ năchgfărn,
i denk mă̆ hălt ăllweil,
den fisch muass i hăbm.

5. *dă̆ schmeiß i meiñ ăngl*
zăn zwoatn măl aus,
hăt mă̆ glei wiedă̆ bissn
kimmt mă̆ neamă̆ mear aus.

6. *wăs is s für a fisch gwên,*
wia hăt ă̆ sö gnennt?
a kreuzsaubă̆s diandl,
hăñ s selbă̆ nit kennt.

7. *i săg jă̆ mein vădăn*
koañ wachtl dăvoñ,
und denk mă̆, dea fisch
gêt mein vădăn nix ăñ.

Ein hübsches Liebesliedchen, abgewandelt in sieben Sh-Strophen. Die ganze Anlage des Liedes ist Sh-mäßig; der Inhalt könnte ohne Müh in éinem Vierzeiler erschöpft werden.

K 52   1. *es wean di wiesen grüen,*   *es däucht mi gắr so schiĕn,*
          dass di leutlăn wiedrum   *auf di ălbe giĕn;*
          und a neues liadl   *hăb (i) măr³) ă erdăcht,*
          wia mă̆ s drobn auf der ălbe măcht.

          2. *in sunntig nămittắg,*   *dă̆ iŝt di böŝte zeit,*
          dă̆ sein di mădlă̆ᷓ jăŝt   *ălle zueberreit,*
          si passn auf di buabn,   *dö auf di ălbe giĕn,*
          und an iade glaubt, si wăr so schiĕn.

          3. *auf n ălmwög,*   *dă̆ stiĕn si kuttnweis,*
                usw.   13 Strr

---

¹) *dăni:* da an hin = hinaus, hinüber.
²) *vordnögn:* voranigen = vorn dran (an der Angelruthe) hängenden.
³) Kohl schreibt *hob'ñ mar,* was unsprechbar ist und falschen Sinn gibt; nicht 'haben wir' ist gemeint, sondern 'hab ich mir'.

Der stärkste Contrast zum Vorigen; und doch auch dieses aufgebaut auf der rhythmischen Grundlage des Sh: hier haben wir eine schwergefüllte SpvStr.

Es ist kein Zufall, dass in der Betrachtung über die Doppelstrophe als Beispiele ausschließlich Nummern aus den Textsammlungen benutzt worden sind. Aus den Weisensammlungen kann man ja Schlüsse auf die Zusammengehörigkeit von Gesätzen nur in beschränktem Maaß ziehn. Mehrstropher, Liederketten, Einzellieder — alles das sieht, wenn es zur selben Weise gesungen wird, in diesen Sammlungen gleich aus: Gesätz 1, 2, 3 usw. Das entspricht ganz der Art, wie die Lieder dem Sammler in die Feder dictiert werden: verlangt er Texte, dann wird ihm Zusammengehöriges als solches erkennbar gegeben; verlangt er Weisen, dann werden ihm allerlei Gesätze mitgetheilt, die dem Gewährsmann eben einfallen, wahllos Zusammenpassendes und Fremdes.

K 122 *wegn koañ kua und koañ kălm*
gê-n-i nit auffi gen ălm:
wegn a sendărin liabm
gê-n-i auffi a diĕm.

koañ nů schianăs lebm
af dă welt kañ s nit gebm,
as wia drobm auf dăr ălm
bei di kŭa, bei di kălm,
wo dăs gams ummăspringt
und di lerch so scheañ singt
und dă bua ăft sein dianăl
an ălmsträußăl bringt.

Diese zwei Lieder, die eben so viel gemein haben, dass in beiden von Kühn und Kälbern die Rede ist, stehn bei Kohl ganz verträglich unter éiner achttaktigen Weise als Gesätz 1, 2 und 3.

Oft sogar bleibt die Länge der Gesätze (zwei Vierzeiler oder ein Achtzeiler) zweifelhaft. Der Achtzeiler hat als gesungenes Lied keine formbildende Kraft[1]); mit ihm werden keine neuen, größeren Formen gebaut, die sich schon äußerlich von den Vierzeiler-Weisen abhüben. Der volle Sechzehntakter, an den zunächst zu denken wäre, ist keineswegs Eigenform des inhaltlich geschlossenen Achtzeilers; er ist, wie wir wissen, eine der gebräuchlichen Ausdrucksformen des gemeinen Vierzeilers. Weiter: Doppelstrophen und Zweistropher werden nicht ausschließlich als zwei Gesätze auf Vierzeiler-Weisen gesungen, sondern auch auf Sechzehntakt-Weisen, die dann als reine Textweisen behandelt sind. Die schlichten Vierzeiler umgekehrt werden bisweilen, zu zweien gekuppelt, unter Sechzehntakt-Weisen gestellt. — Wir sehn auch hier wieder, dass die Singweisen das Gegebene sind, und die Texte, mit mehr oder weniger Geschick, untergelegt werden.

---

[1]) Das Gleiche ergibt die Untersuchung der dreitheiligen Singweisen: Cap. 7.

10*

Die folgende Zusammenstellung aller in Frage kommenden Lieder
aus der Sammlung von Kohl soll das Verhältnis veranschaulichen:

	|: 8TWs :|	|: 16T m. ¹„StrJ :|	8TWs + 8TWs	16TWs
éine Doppel-Str	83, 1 a b	126, 1 f.	II 17	93
	83, 2 a b ·	73 •	II 22, 2 a b	
	137, 1 f.	81	II 22, 3 a b	
	I 17			
éin Achtzeiler	122, 2 f.	—	—	143
éin Zweistropher	92, 3 f.	—	I 27, 3 a b	—
zwei Vierzeiler	regelm.	regelm.	II 22, 1 a b	¹)

Die Tabelle zeigt uns in Colonne 3 etwas Neues: zwei suitenmäßig
aneinandergehängte Tanzgesätze, die als reine Textweisen verwendet
werden²). Die uns bekannte Entsprechung dazu sind die Vierzeiler-Weisen
mit Kehrjodler³).

6. Capitel.   Die Dreiheber-Strophe.

H 646 ∼ PH 1363b ∼ Nb 93, 2

> *i kánn eam nit feind sein   den wouzěrl, den klan,*
> *weil s álléweil want,   wán i ság, i gé ham.*
> *drum bleib-má beisámmǎ°,   so láng áls s uns gfreut,*
> *bis dǎ gugu und s rotkröpfl schreit.*

```
× | ́× × × | ́× × ‖ × | ́× × × | ́× ?        a
× |  × × × | × ‖ × × | × × × | × ?           a
× |  × × × | × × ‖ × | × × × | × ?           bᵛ
‿ |  × × × | × × × | × ? ? | ? ?             bˢᵗ
```

PH 1143a ∼ Nb 111, 1

> *wán i dás saggrische diandle nit hätt,*
> *schláfát i heunt no allán in mein bett,*
> *fálln mä bä där árbät de äuglän net zue,*
> *wár i in mein dörfle dǎ lustigste bue.*

```
 ́× × × | ́× × × | ́× × × | ́× ? ? |        a
| × × × | × × × | × × × | × ? ? |          a
| × × ‿ | × × × | × × × | × ? ? |          b
| ‿× × | × × × | × × × | × ? ? |           b
```

---

¹) Diesen Fall kann ich nicht belegen, doch ist er nach dem ganzen Bild der Überlieferung nicht unmöglich.
²) Dasselbe, gedoppelt, mit 4 Shh als Textunterlage: Ll 4a.
³) Vgl. vorn S. 133 f.

Diese zwei Lieder sind zweifellos als einheitliche Formen aufzufassen: Sechzehntakt-Strophen. Sie heben sich deutlich von dem ab, was wir Doppelstrophe genannt haben: das eine durch die Differenzierung der Cadenzen (v v v st), die ein Auseinanderfallen in zwei gleichartige Einheiten ausschließt; das andre durch das Fehlen irgendwelcher Kurzvers-Grenzen und durch den festen, inhaltlich-syntaktischen Zusammenschluss des Ganzen. Aber beiden hangen die Eierschalen des gemeinen Achttakters noch recht gut sichtbar an. Beide werden auf sechzehntaktige Vierzeiler-Weisen gesungen, deren Jodltheile durch Textfüllung ersetzt sind. *I kånn eam* ist überdies ganz ähnlich aufgebaut wie eine Doppelstrophe. Der einfache Achttakt-Vierzeiler dazu findet sich bei Süß und in einer entfernteren Variante bei Greinz-Kapferer:

SS 621   *i mecht ia nit feind sein,*
           den stutzei, den kloan,
           weil s dllömdl woant,
           wån i sdg, i muass hoam.

GKS II 103, 3   *und i kunnt eam nit feind sein,*
           dem toifai, dem kloan,
           weil s åwei a so nett ummäputzln,
           zutzln, ummänutzln ku̅ um oan.

Die stumpfe, einschnittlose Schlusszeile des Sechzehntakters muss auf das Vorbild des Jodlers zurückgeführt werden, an dessen Stelle in der Weise sie steht [1]. Zur stumpfen Schlusszeile von Nh 150, 2 kann ich die volle Form nachweisen:

Nh 150, 2.   *jå weil i a Klågnfurtner bin.*
Ll 17.   *jå weil i a lustiger Krapfelder bin.*

Strophen der eben beschriebenen Form sind recht spärlich. Zum ersten Muster gehören: Nh 93, 1; 150, 1 ~ PH 1481; Nh 150, 2; zum andern: K 122, 2. 3; PH 1457 ~ Nh 86, 1; Ll 17 ~ PH 623; (Nh 86, 2).

Und doch steht neben dem gemeinen Achttakter des Sh ein richtiger Viertakter-Vierzeiler, der offenbar in manchen Gegenden gern gepflegt wird. Seine Baueinheit ist die ungegliederte (oder unsymmetrisch gegliederte) stumpfe Viertakt-Zeile

---

[1] Vgl. vorn S. 128 und das höchst interessante PJJ II 49: ein st 16 T als Liedjodler, auf dessen Oberstimme Shh gesungen werden. Die Singstimme beginnt mit dem zweiten 4 T und wiederholt unter dem st Schluss-4 T der Weise den letzten Kurzvers als Schwellvers mit drei Hebungen:

PJJ II 49, 1
drobm auf der ålmå   *då gfreut si mei̅ gmüat,*
wo di ålmrosn wåxn   *und der enzian blüat,*
dórt, wo der enzian blüat.

$$.. \; | \overset{\prime}{\times} \times \times | \overset{\prime}{\times} \times \times | \begin{vmatrix} \overset{\prime}{\times} \times \times \\ \times \times \, \textit{2} \\ \times \, \textit{2} \; \textit{2} \end{vmatrix} \textit{2} \; \textit{2} \; \textit{2}$$

Von der gleichlangen Periode der achttaktigen Strophe unterscheidet sich dieser Vers dadurch charakteristisch, dass er nur drei Hebungen besitzt.

Dreiheber-Strophen

Ia. Vierzeiler mit ungleichen Cadenzen

añ dirndle, zwâ dirndlan mâg i nit	PH 621 = Ll 16, 3
älleweil kânn mân nit lustig sein	H 24 [K]; GKS II 104, 2
äm sonntâg wird s sackĕrisch lustig wern	PH 758 = Nh 140, 4
auf m bûchl, dâ bin i gséssn	W 219, 3
(beim) läterlan steig i nit auffi	PH 763 ~ Nh 140, 2 = Ll 25, 1; M 175, 1 ♪;
	M 175, 2 ♪; W 178, 1 = Huschak 131, 4; SA 46
bin jâ meiñ lebtâg nit traurig gwest	W 24, 8 = SA 71. 13 a
dâs dirndl wâxt auf wie dâs groamätl	W 388 ♪ = 459. 20, 1 = M 169, 3 ♪
(dâs wegĕrl) is rânig, is stânig¹)	H 458 [K, T] ~ (PH 1614) ~ Nh 209, 2 ~
	Schk 5) ~ (PH 1069)
der âne stĕt drobm auf der läter	PH 1228v ~ Nh 120, 3 = Ll 25, 2 = W 133, 8
	= Huschak 151, 2 = M 175, 3 ♪ ~
	PH 1228; SA 45. 100
der vâter lauft gschwind um ĕn steckn	Ll 25, 3
dirndl, dass d schön bist, dâs woaß i schon	W 388 ♪ = 459. 20, 3
dirndl, dass d kerschn gern ist, dâs woaß i schon	W 388 ♪ = 459. 20, 4
dirndle, i sâg dir s, i sâg dir s	PH 644
diandle schau, wenn di in winter friert	H 362 [St]
dirndle, tua nit a so blenkäzn	PH 661 = Nh 121, 1
dirndl, wânn du mi nit liabm willst	PH 1674
dirndl, wie gfällt dir der neue bua²)	PH 689 = 1724 = Nh 123, 2 ~ W 40, 6 ~
	(Nh 95)
dirndl, wo hâst denn deiñ kammĕrle	PH 1161 = Nh 121, 3
„ „ „ „ „ liegestätt	~ W 38, 1 = M 169, 1 ♪ = Huschak 151, 1
	= H 624 [T] = K 72, 4
wânns bettstattl untn auf der sträßn stand	M 169, 2 ♪
di sonnseitn hât mir der schauer derschlâgn	Nh 123, 1 = W 135, 2; Huschak 133, 3
drei hât mir der jäger derschossn	W 67, 6
ei du meiñ dirndl, dâs sâg i dir	SA 22. 91
ei du meiñ kropfĕter (Jäckl)	PH 1028 = Nh 121, 4 ~ K 174, 3

Anm. Die Lesarten sind nach der Textverwandtschaft geordnet. Herkunftsland ist nur dort angegeben, wo es sich nicht aus dem Quellensigel von selbst ergibt; ebenso die Feststellung, ob mit Singweise überliefert. Varianten abweichender Form sind eingeklammert; die Einzel-Anmerkungen weisen auf sie hin.

M = Konrad Mautner, Steirisches Raspelwerk, Wien 1910.

SA = Seidl, Almer (Ges. Schriften, Wien 1879, Bd. 4) (Steiermark).

¹) Vgl. S. 167 f.   ²) S. 165.

Wir nennen deshalb die aus solchen Versen gebaute Strophe Dreiheber-Strophe (3 HStr). 'Dreiheber' ist kein rhythmisch eindeutiger Begriff;

---

hâb jå mein lebtåg kañ guat nit tån[1])	W 24, 6 = 242, 1 $\sim$ (Nh 169, 2)
håst denn mein dirndl nit gsechn	W 46, 3
heuer geits decht amål kerschn å	K 72, 3
hinter mein våter sein (städl)[2])	Ll 16, 5; W 37, 4; (K II 19, 1); (K II 19, 2)
hockt a kloans vögêrl åm tånnenbaum	GKS I 13, 3
nåñ mein bua, dås is koañ nåchtigåll	W 66, 2 = GKS I 13, 3
i hâb hålt mein häusl auf n roan gebaut[3])	PH 803 = Nh 142, 1 = M 243, 1 $\flat$ $\sim$
	(Schk 4 $\flat$ [K, mitgeth. S. 166] = H 486 [K])
	$\sim$ (Nh 94, 1); GKS I 55, 2
jetzt hâb i mein häusl (ins tål) gebaut[3])	Nh 142, 2 = M 243, 2 $\flat$; (Nh 94, 3)
i woaß nit, soll i auffi, soll i åbi[4])	Schk 2 [K, mitgeth. S. 159] $\sim$ (Nh 209, 1 $\sim$
	PH 1107)
mein dirndl hât an kropf auf der seitn	K 174, 1
mein häusle, dås stêt auf sibm spreizn[5])	Schk 1 [K, mitgeth. S. 158] $\sim$ (SS 537 =
	H 1002 [S])
mein häusle stêt drobm auf der leitn[6])	Nh 140, 5 $\sim$ (W 32, 6 [B])
mein schatzêrl, dås hât mi verlåssn	W 161, 5 [OÖ]
mein schåts is glei druntn auf der Donau	Huschak 149, 1
mein våter, der is a klåns bäuerle	Nh 140, 1
oamål noch gê i nåch Voridorf	Spaun 45
ô du mein liaber gott våter	W 354. 16 $\flat$
schöner is nix åls a schwoagerin	W 55, 4
s häusêrl is hochmachtig auffibaut	W 216, 8
s dirndl hât gsågt, i sollt auffi steign[7])	W 16, 1 = K 99, 2 = Strolz $\sim$ (Nh 187 =
	PH 1229)
s dirndl hât (schwårz)braune äugêlan	PH 132 = Huschak 160, 4 = Nh 121, 2 $\sim$
	H 596 [T, K, S] = K 99, 1 = Strolz =
	W 187, 7 [B] $\sim$ GKS I 55, 3
s dirndl kunnt unmöglich reich gnug sein	K I 10
sitzn zwoa täubêrl auf n tånnenbaum	W 138, 1 (Var. zu *wånn i auf n* ... PH 236)
våter, gebts über, gebts über[8])	PH 1746 = Nh 120, 1 $\sim$ PH 1747 = G 43, 3
våter, wånn gebts amål über	PH 1745
våter, wånn gebts mir denn s hoamatle[9])	PH 1745 v = Nh 120, 2 = W 248, 4 [OÖ] =
	K 72, 1 = GKS II 41, 1 $\sim$ W 388 $\flat$ =
	459. 20, 2
wånn i auf d nåcht zu mein dirndl gê[10])	W 350. 4 $\flat$
wånn i (auf n Zamlsberg kirchn) gê[11])	PH 236 = Nh 143 b, 1 $\sim$ H 257 [T] =
	GKS II 41, 2 $\sim$ (Huschak 153, 1);
	W 118, 1; W 138, 1
wånn i mein dirndl in der kirchen sê	K 72, 2; (Var.: *sitzn zwoa täubêrl* .. W 138, 1)
wånn i å srissn und slumpêt bin[12])	PH 985 = Ll 16, 4 = M 243, 3 $\flat$ $\sim$
	SA 23. 2 $\sim$ (Nh 169, 1)

---

[1]) S. 170.	[2]) S. 167.	[3]) S. 166 f.	[4]) S. 167 f.	[5]) S. 169.	[6]) S. 180.
[7]) S. 171.	[8]) S. 160.	[9]) S. 159.	[10]) S. 160.	[11]) S. 169.	[12]) S. 170.

warum wir trotzdem aus ihm den Namen der Form ziehen, wird aus dem
Folgenden klar werden.

wånn i meiñ dirndl åm liabstn håb	PH 560
wånn i meine (dirndlan) beinånder hätt[1])	PH 627 = Nh 140, 3 = Nh 143 b, 2 = Ll 16, 1
	= H 108 [K] = G 9, 2;
	Ll 16, 2 = W 241, 8
wia-r i ins wirtshaus nur kommĕn bin	SA 71. 13 b
wånn oaner an stoanign åcker håt	W 247, 6
wia-r-i a kloañs büabĕrl bin gwesn	K 174, 2

Ib. Vierzeiler mit lauter einsilbigen Cadenzen

a jågdkårtn håbts enk schon glöst	W 251, 2 [B]
auf der tirolischen ålm[2])	(K I 23)
bin nachtn zur kropfĕtn gång	W 213, 3 f.
brauchst nix her auf mi z blickñ[3])	PH 1673 ∼ (Nh 204, 1) ∼ (Ll 3 a, 1)
(dås dirndl) håt an sacrischn zorn[4])	W 351. 6 ♪ ∼ (Nh 220) ∼ Schk 3 [K, mit-
	geth. S. 164]
der bua, der a schwoagerin håt	W 27, 5
der kaiser is herzog in lånd	W 1, 2 (Kreuzreim)
ha, schreiber, wås tuast bei mein bett	W 258, 3 [B]
i brauch nit mêrer wia-r-oañs	M 61. 2, 4 ♪
im sommer, då wåt i durch s grås	K 89 = Strolz ∼ H 255 [T, S]
koañ bussĕrl gib i mêr her	W 129, 5
liab nå lei, liab nå lei mi[5])	PH 640 ∼ (641) ∼ (Nh 152)
wånn di glinzĕlä, glånzĕlä blüan	SA 64. 79
wås is denn mit n knechtlan, wås, wås	PH 152

(Zu S. 180 ff.)	II. Zweizeiler
a lustiger bua bin i noch	W 19, 7
an knecht hätt i schon, an wenigern[6])	W 251, 6 [B] (Bruchstück)
bua, du wirst schon hålbĕt z an nårrn	W 25, 2 [B]
der Egger, der Scheima, der Jons	M 61. 2, 5 ♪
derfst nit so lüagn und so pråln	W 57, 5
du derfst mä nit fuattern mein braun	M 61. 2, 2 ♪
gfreut mi nix åls meiñ rosnkrånzkreuz	W 180, 3
meiñ schåtz håt a só gsågt zu mir	W 361. 37 ♪
meiñ schatzĕrl hoaßt Annamirl'[7])	W 355. 20 ♪
meiñ weib håt mi mit n schürhackl ausgjågt	W 255, 2
und lustig is s oanäweg z ålm[8])	K 138 = Strolz

Außerdem: SA 17. 68;   25. 97, 98, 99;   57. 50;   64. 80;   65. 84, 85;   66. 90;
74. 18;   171. 4, 5, 6.

---

[1]) Vgl. S. 155.   [2]) S. 165.   [3]) S. 172 f.   [4]) S. 164 f.   [5]) S. 169.
[6]) S. 179 f.   [7]) S. 163.   [8]) S. 163.

Die gebräuchliche Form der 3HStr ist der Vierzeiler, ohne Ausnahme zweitheilig, und unter den Vierzeilern die Strophe mit mehrsilbig cadenzierenden Vordersätzen und einsilbig cadenzierenden Nachsätzen; also:

1. Vers dreihebig	Cadenz:	mehrsilbig	Reimfolge:	x oder	a
2. „		ein- „		a	b
3. „		mehr- „		x	a
4. „		ein- „		a	b

PH 1161	*diandle, wo hȧ́st denn dei˜ kámmerle,*	x(²)²	
	diandle, wo hȧst denn dei˜ bett?	a¹	
	über zwoa stiglăn muesst aufĕsteiŋ,	x(²)²	
	druntn-auf der gȧssn stêt s net!	a¹	vgl. Tafel Ia, S. 150 f.

Die andre Gestalt des Dreiheber-Vierzeilers unterscheidet sich von der ersten nur in der Cadenzenfolge: alle Cadenzen sind einsilbig. Diese Vierzeiler sind, die einzige Kreuzreim-Strophe W 1, 2 abgerechnet, durchaus Reimpaar-Strophen.

W 27, 5	*dă búa, der a schwóagărin hȧ́t,*	a¹	
	der hȧt ȧllĕwal buttă zăn brot;	a¹	
	mei˜ schȧtz is a rȧᵇmfȧlschă bua,	b¹	
	er hȧt mit oan deandl net gnua.	b¹	vgl. Tafel Ib, S. 152

Die 3HStrr haben starke Neigung zur Dipodicität. Das hängt mit der Cadenzform zusammen. Doch ist die Dipodicität durch die Cadenzen

(Zu S. 173 ff.) III. Neubayrisch

ȧber unser sau farlȧ̆t scho˜ mê[1])	M 61. 2, 3 ♪
a lustiger Steirer bin i[2])	W 4, 1
bin gȧngen umădum um dȧs haus[3])	(PH 1537) ∼ (Nh 104, 1) ∼ (105, 1) ∼ (106, 1)
draußn unter n feignbirnbaum[4])	Nh 186
es stêt a kloans häusĕrl ȧm roan[5])	M 141, 2 (Mehrstropher)
fein sein, beinȧnder bleibm'[6])	K 156 = GKVl I 42 f. (Strophenkette)
gê nimmer zun Laure in (schnitt)[7])	PH 1617 ∼ (Nh 104, 2) ∼ (105, 2)
hȧn amȧl a schöns dirndl ghȧbt i[8])	PH 1021 = Nh 106 b; (vgl. GKVl I 168 ∼ PH 1020: 3H-Mehrstr.)
s dirndl mit n rotn miedĕr[9])	mitgeth. S. 174 [S, B]
unser herr pfȧrrer, woaßt wol[10])	W 355. 18 ♪ = SA 66, 95 ∼ (Nh 105, 3)
wȧnn i von Voitsberg weggé	SA 171 f. (Mehrstropher)
wo sand denn heunt mê meine küa[11])	M 61. 2, 1 ♪

IV. Mehrstropher (Vgl. S. 182 ff.)

1) S. 175. 2) S. 177. 3) S. 176 f. 4) S. 177 f. 5) S. 183. 6) S. 183. 7) S. 177. 8) S. 177. 9) S. 174. 10) S. 175 f. 11) S. 178.

nicht wirksam genug gestützt, da die stärkst dipodische Cadenz, die
klingende $\angle \times$ ganz fehlt, und ist nicht gattungsmäßig durchgeführt. Und
was das Entscheidende ist: gesúngen werden die 3 HStr mit gleichstarken
Hebungen. Bemerkenswerth ist der Umstand, dass in der ganzen Überlieferung die zugehörigen Singweisen niemals im ⁶/₈- oder ⁶/₄-Takt notiert
sind, also nie in dem der Dipodie entsprechenden zusammengesetzten Takt.
Vergleicht man gemeine Shh mit Dreiheber-Liedern, so merkt man auch,
dass ihr Unterschied nicht im Gewichtsverhältnis der Hauptzeiten liegt,
sondern lediglich in der Cadenzform[1]).

Überblicken wir das vorhandene Material, so drängt sich uns die
Wahrnehmung auf, dass in den 3 HStrr die vielfältigen Füllungsmöglichkeiten des Sh-Rhythmus lang nicht in dem Maaß ausgenutzt werden wie
beim gemeinen Vierzeiler. Von geregelter Füllung im Sinn der Kunstdichtung kann ja auch hier nicht gesprochen werden. Auf die regelmäßige
Abfolge der Cadenzen auch an reimloser Stelle ist schon hingewiesen
worden. Bezüglich der Innentakte ist festzustellen, dass die leichteste
Füllung, der Dreisilber, beinah Alleinherrscher ist; selten einmal stößt uns
ein echter Viersilber oder Fünfsilber auf (W 255, 2; 255, 4; 459. 20, 4);
Sechssilber sind überhaupt nicht zu finden. Der Auftakt ist zwar frei,
aber silbenarm; auftaktlose Verse, auftaktlose Strophen sind die Regel;
sonst ist der Auftakt einsilbig; zwei- oder dreisilbige Auftakte sind seltene
Ausnahmen.

PH 152   *wås | is denn mit n knéchtlän, wås, wås?*
              håt a | klä˜ läbl brot, wås is däs?
              is | glei wia mä s nemĕn will, will,
           is mit an | schreiberlän å nit går vil.

Der gepaschte Tanz.

Die 3 HStrr bieten uns manche Schwierigkeiten. Die wichtigste
Frage ist diese: sind die dreihebigen Verse als volle Dreitakter oder
als stumpfe Viertakter aufzufassen? Um sie nach Möglichkeit über-
zeugend zu beantworten, müssen wir mit großer Vorsicht an die Überlieferung herantreten: die liefert uns beide Formen nebeneinander.

Wir wollen von einem concreten Fall ausgehn.

Das weitverbreitete Kärntnerlied *wån i meine diandlän beinånder hätt*
(PH 627) wird zu verschiedenen Weisen gesungen, unter anderm zu diesen
beiden:

---

[1]) Weitere Bemerkungen zu dieser Frage am Schluss des Capitels.

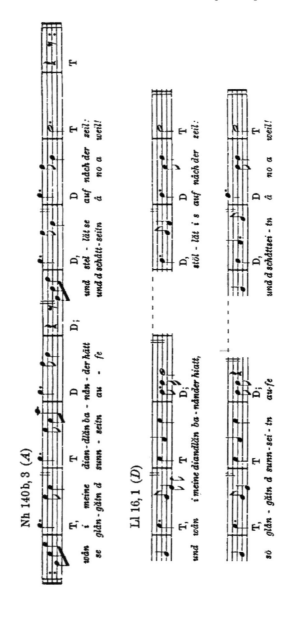

Nh 140b, 3 (A)

Ll 16, 1 (D)

*A 31

Zunächst: Nh 140b ist ein Sechzehntakter; Rahmen und Harmonienfolge der Weise entspricht genau den Verhältnissen des gemeinen Sh-|:8T:|; die Dreiheber sind als stumpfe Viertakter behandelt. Interessant ist Ll 16: diese Weise ist nächstverwandt mit einem allverbreiteten Sh-16T, dessen zugehörige Variante etwa so aussehn müsste:

Daraus wäre die Dreitakter-Weise durch Verkürzung der Periodenschlüsse entstanden. Zunächst wäre also der alte Rahmen beibehalten und erst endlich durch den Wegfall der Pausentakte auch er verengt worden. Diese Argumentation ist kein papierenes Rechenexempel; ich weise darauf hin, dass die Versuchsweise (A 31) in jeder Viertakt-Periode den cadenzierenden Harmonieschritt vom zweiten zum dritten Takt ausführt und dass jeder dritte Takt auch melodisch für seine Periode schlussfähig ist.

Eine Reihe von Umständen lässt es als sicher erscheinen, dass die Entwicklung wirklich diesen Weg gegangen ist.

Der Anstoß zur Formwandlung muss vom T a n z ausgegangen sein.

Es macht keine Schwierigkeit sich vorzustellen, dass in einer Gegend der Ländler so ausgeführt worden sei, dass immer die Enden der Viertakt-Perioden von den Tänzern durch Stampfen, Klatschen, Schnalzen [1] markiert wurden. Die Weise zu einem solchen Tanz konnte, dieser Eigenthümlichkeit nachgebend, sich leicht so gestalten, dass die Melodie die Stampfzeiten freiließ. An Stelle der vollen Viertakter traten stumpfe:

$$ \|\!: \; \text{♪ ♩ ♩ | ♪ ♩ ♩ | ♪ ♩ | ∧ | ∧ ? ? } \| \text{♪ ♩ ♩ | ♪ ♩ ♩ | ♪ ∧ ∧ | ∧ ? ? } :\!\| \; [2] $$

Dass die Cadenzenfolge bei den Liedern dieser Form fast ausschließlich |: mehrsilbig — einsilbig :| ist, braucht nicht von der besonderen Tanzart herzurühren, denn damit ist nur wieder das allgemeine Gesetz des Strophenliedes erfüllt, dass die Vordersätze der Perioden schwerer cadenzieren sollen als die Nachsätze. Aber das Zusammenschieben mehrsilbiger Cadenzen auf zwei oder gar einen Werth, das bei den 3 HStrr mehrfach belegt ist (vgl. oben Ll 16), diese Erscheinung wird erst durch die Tanzform verständlich: Stampfschritte werden nicht einzeln eingelegt, sondern zu zweien, dreien hintereinander.

Dass die geforderte Tanzform keine Zweckconstruction ist, sondern wirklich besteht, geht aus den folgenden Mittheilungen hervor. Liebleitner: „Ich habe im Sommer des Jahres 1881 einem Bauerntanz in Ober-Österreich beigewohnt, und da klingt mir eine Ländlerweise im Ohr, die hat so gelautet:

$$ \text{♪ | ♪ ♩ ♩ | ♪ ♩ ♩ | ♪ ♩ ? | ? ? .} $$

Die Pausen wurden durch Stampfen der Beine und Klatschen ausgefüllt, auch tönte ein Horn und der Brummbass mit." Schüttelkopf (Lavantthal):

---

[1] Man denke an den Schuhplattler.
[2] Wir bezeichnen die Stampfzeiten mit dem *sfz*-Zeichen ∧.

„Tatsächlich werden diese Pausen von den Tanzsängern wirklich eingehalten, wohl auch durch Händeklatschen (Gepaschter Tanz) oder Fuß-
stampfen markiert." Liebleitner bemerkt noch: „die Tanzbewegung war
sehr originell, nie mehr habe ich Ähnliches gesehen und gehört ... diese
Form dürfte sehr alt sein." Das Bild der Überlieferung widerspricht dieser
Annahme nicht. Schon in Seidls 'Almern' sind Stücke enthalten, die einen
solchen Tanz voraussetzen [1]). Doch wird man einen klaren Überblick erst
gewinnen können, wenn die werdende Quellenausgabe der österreichischen
Volkslieder und -tänze abgeschlossen vorliegen wird [2]).

Das Gefühl für die Eigenart des gepaschten Tanzes scheint im Lied
nie recht festgesessen zu haben. Das muss aus der grossen Unsicherheit
in der Formgebung geschlossen werden. Die gedruckte Überlieferung gibt
aber hierin die thatsächlichen Verhältnisse sehr mangelhaft wieder. Sie
färbelt das Bild noch fleckiger, als es in Wirklichkeit ist.

Zu der Variantengruppe, deren einfachste Form so anzusetzen ist:

*K 72 (G)

T,   T   D   D;   D,   D   T   T

gehören die Weisen

K 72; M 168.2 [3]); Schk 2 [4]);	
Nh 140a; 140b; 142	mit Viertaktern notiert;
Nh 120; 143b; 204; M 242;	mehr oder weniger consequent
Ll 16; 25; K I 10	mit Dreitaktern notiert.

Die Verschiedenheit des Rahmens beruht hier in den meisten Fällen auf
einem orthographischen Fehler.

Nh 143b (G)

T,   T   D;   D,   D   T

---

[1]) Vgl. S. 150, Anm. Die Sammlung reicht vor das Jahr 1895 zurück.
[2]) 'Das Volkslied in Österreich', Quellenausgabe, unternommen vom K. k. Unterrichts-
ministerium.
[3]) KMautner, Steir. Raspelwerk, Wien 1910.
[4]) Mitgeth. S. 159.

Die Fermaten über den Periodenschlüssen bei Nh 134b sind nicht der Willkür des Sängers entsprungen; sie sind nothwendig, um die Perioden voll zu machen. Als echte Fermaten müssten sie so aufgelöst werden:

♩ ♪♪ 𝅗𝅥 | = | ♪♪♩‿♩ |, hier aber bedeuten sie | ♪♪♩ |♩ 𝄾 𝄾 |.

Das Gleiche gilt von Nh 123 und K I 10, bei denen die zum Theil vergessenen Fermaten unbedingt ergänzt werden müssen.

Nh 120 und Ll 25 haben Dreitakter ohne Fermaten. Auf eine Anfrage bezüglich Ll 25, 2 antwortete mir Liebleitner: „Es hätte eigentlich so aufgeschrieben werden sollen:

♩ |♩♫♩. ♫♩. ♫♩ |♩ ♩ 𝄾 |𝄾 𝄾 ♩ |♩♫♩. ♫♩. ♫♩ |♩ 𝄾 |𝄾 𝄾 ~
dr a - ne stet drobm auf dr la-tr,   dr ån - dre stet hin - tr dr tür,   ~

meine Frau und ich singen das Lied schon 15 Jahre lang und haben die Pausen unbewusst immer eingehalten." Das Versehn kann beim hastigen Niederschreiben leicht unterlaufen, da man meist versweis absetzt und dann wohl manchmal die Pausen am Vers-Ende mitzunotieren vergisst.

Bei allen diesen Liedern — es sind mehr als Zwei-Drittel der überlieferten Singweisen mit Neun-Zehntel der untergelegten Texte, und daher der Schluss auf die nur in den Textsammlungen enthaltenen Strophen durchaus zulässig — bei allen diesen Liedern ist also der Rahmen des formgebenden Tanzes erhalten geblieben. Ja wir finden auch im Lied noch Spuren des gefüllten Stampftaktes.

Der verstorbene Bürgerschul-Director und eifrige Sammler Balthasar Schüttelkopf (Schk) in Wolfsberg im Lavantthal (Kärnten), dem ich das verderbte Lied Nh 94 vorgelegt hatte, schrieb mir (Dec. 1907): „Ein Natursänger, den ich nachfolgendes Liedchen singen ließ,

Schk 1	Lavantthal (K)
meī häusle, dås steat af siŏm spreizn	×|×́×××|×́×××|×́×× ∧ |∧́ 𝄾
und prauchèt noch nettå a vir;	×|×××|×××|× ∧∧ |∧ 𝄾
wånn s mi hålt zün niĕsn tåt reizn	×|×××|×××|×× ∧ |∧ 𝄾
so fållèt s wol dönnå af mir.	×|×××|×××|× ∧∧ |∧ 𝄾

schnalzte die Pausen leise mit den Fingern," und Liebleitner: „Dieses Liedchen [*dcr åne stét drobm auf der låter*, vgl. oben] ließe sich also auch als Ländler spielen; dabei würden die Pausen durch Stampfen und Jauchzen der Burschen oder durch die Bassgeige, vielleicht auch durch ein Horn ausgefüllt." Die hier angedeutete instrumentale Begleitung [1]) der Stampf-

---

[1]) Ähnlich beim Mehrstropher K 171; hier ists eine Clarinette.

schritte zeigt sehr schön eine Variante zu Text Nh 209, 1, Weise Ll 25, die mir BSchüttelkopf mittheilte:

Schk 2   Lavantthal (K), (Jan. 1908)

T,   T   D   D;

i   woaß nit, soll i   auf - fi, soll i   å - bi,
di   dian-dlän sein   dro-bm, sein   drun-tn,

D,   D   T   T;;   T

o-dr   soll i   på dr   mit - tn pleiᵇm stean;
på dr   mit-tn sein s   ü - br - åll schean.

Bis in die Singstimmen wirkt bei einigen Liedern der Stampftakt; die begleitenden Unterstimmen wiederholen in der leeren Zeit die Cadenzsilben [1]):

K 72, 1   ebenso M 168. 2; 242

Überschlag Ansänger

vå - tä, wån geist mä denn s hoa-mätle, hoa-mätle,

Bässe

In gut liedhafter Art sind diese Füllsel auf die Zwischencadenzen beschränkt und fehlen bei den Hauptcadenzen ($\frac{1}{2}$ Str-Schluss und Str-Schluss).

Ich sagte erst, das Gefühl für die Eigenart des Gepaschten Tanzes sitze nicht fest. Die Fermaten deuten darauf hin, dass die Verse der 3 HStr manchmal auf dem Instrument mit nur drei reellen Takten begleitet werden. Deutlicher noch wird die Form-Unsicherheit, wenn man sieht, dass den Weisen falsche Texte untergelegt werden. Bei den Dreiheber-Liedern müssen wegen der langen Pausen nothwendig die Fugen von Weise und Text übereinstimmen, wenn der Tanzrahmen nicht vernichtet werden

---

[1]) Ähnliche Erscheinungen kommen auch beim Mehrstropher vor: K II 12, oder sonst mit tanzfremder Scherzabsicht: K 174.

soll. Treffen die beiden in den Fugen nicht zusammen, so muss ohne
Unterbrechung Vers an Vers gehängt werden. In diesem Fall entwickeln
sich leicht in der Singweise rhythmisch-melodische Überleitungs-Gänge[1]),
und das Resultat ist ein Lied mit reellen Dreitaktern. So W 350, 4
~ K 99. Die Weise fordert einsilbige Schlüsse, wie sie eine andre, ferner-
stehende Variante (Nh 220) thatsächlich zeigt; hier jedoch sind beidemal
Texte mit mehrsilbigen Cadenzen der ungraden Verse untergelegt:

W 350. 4

♪ ~ K 99 (Strolz)[2])

T   D   T;   S   D   T
wän   i auf d nächt zu mein dian-dl gê, ‖ klopf   i beim fen-sterl stât dn,   ~

Reelle Dreitakter kann im einzelnen Fall auch die Melodieführung
eines Liedes bewirken. So Nh 120: am ½Ws-Schluss (bei *) erreichen
Ansänger und Überschlag T3, steigend von D3 her. Der Auftakt wächst
unmittelbar aus der Cadenz hervor (bei **); er erst führt die Septime
hinunter: ein Verweilen an dieser Stelle ist unmöglich. Der Sänger hat
dann mit gutem Symmetriegefühl auch bei den übrigen Periodenschlüssen
die Pausen weggelassen, obgleich der Text sie zuließe.

Nh 120, 1 (Es)

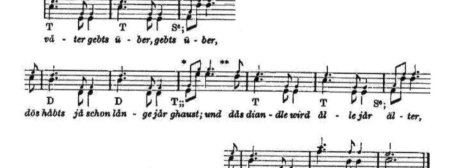

T   T   S[e];
vå - ter gebts ü - ber, gebts ü - ber,

D   D   T;;   T   T   S[e];
dös hâbts   jå schon lân - ge jår ghaust; und dås dian-dle wird âl - le jår   äl - ter,

D   D   T
wås nutzt mä denn nå - chå dås haus?

_____

[1]) Vgl. auch W 355. 20.
[2]) Die Kohl-Variante stammt aus dem Aufsatz von Strolz (aaO.) aus dem Jahr
1807, gehört also zu den frühst überlieferten Stücken.

Am allerstärksten spürt man die Unsicherheit der Sänger, wenn man die Variantengruppen der Liedtéxte betrachtet. Bei manchen Liedern weichen die verschiedenen Singarten im Aufbau weit von einander ab. Éin Sänger sucht die ihm unbehaglichen stumpfen Viertakter durch Theilwiederholungen im Text zu vollen zu machen; ein andrer zerdehnt die stumpfen Cadenzen zu vollen, oder gar zu klingenden, was ihm sonst nie einfällt. Ein andrer zwängt die dreihebigen Verse in den Zweitakt-Rahmen des gemeinen Shs. Bei diesen mittelalterlich robusten Proceduren wird manches Lied zum Krüppel. Wir müssen das im Einzelnen verfolgen und werden in den meisten Fällen die rechte Form der Lieder feststellen können [1]).

Nun, nachdem wir den Formwillen erkannt haben, der in den 3HStrr und in ihren Singweisen arbeitet; begrenzt haben, was uns als Norm, was als Ausnahme und Verderbnis erscheint: können wir in wenigen Strichen eine Analyse der Singweisen geben.

Wie sonst nirgends im Sh-Gebiet gewinnen wir bei den 3HStrr den Eindruck, dass die ganze Gattung auf éine Tanzweise zurückgeht. Ihre metrische Form ist die einer sechzehntaktigen Wiederholungs-Weise mit vier stumpfen Halbsätzen; der erste Halbsatz geht von der T- zur D-Harmonie, der zweite von der D- zur T-Harmonie zurück, alles mit paarigen Folgen; Cadenzenfolge |: mehrsilb. st — einsilb. st :|.

$$ \text{|: T T D (D) | D D T (T) :|}^{2)} $$
$$ \text{\tiny $\frac{2}{3}$st} \qquad \text{\tiny 1st} $$

Die hergehörigen Singweisen, nach ihrer Verwandtschaft geordnet, sind [3]):

K 72 *[PJJ II 176 : Sh-16T]* ~ M 168.2 ~ Nh 140 b
„ „ ~ Ll 16 *[A 31 : Sh-16T]*   „ „ ~ Nh 140 a ~ Ll 25 ~ Schk 2[4]) ~ M 242
„ „ ~ Nh 120   ~ Nh 142 ~ Nh 143 b
     „ „ ~ Nh 121   „ „ ~ K I 10
                      „ „ ~ Nh 204 *[Ll4:8T]*

Die gewählte Reihenfolge darf nicht die Meinung erwecken, als hielt ich K 72 für die geforderte 'Urfassung'; ich hab sie lediglich als die einfachste

---

[1]) Diese Form kánn das 'Individuallied' sein (JMeier), muss es aber keineswegs; wie denn überhaupt ein Reconstruiren auch im Bereich der 'Volkläufigkeit' möglich und nothwendig ist.

[2]) Einzige Abweichung: Nh 120 |: T T S (S) | D D T (T) :|

[3]) Cursiv in Klammer stehn Melodie-verwandte Weisen andrer Form.

[4]) Mitgeth. S. 159.

vorangestellt. Die Mutter-Weise kann ebensogut melodisch reicher gewesen sein und neben anderen auch inhaltsärmere Nachkommen gehabt
haben.

Ausgeschriebene Beispiele dieser Variantengruppe hab ich im Vorausgehenden bereits mitgetheilt (K 72; Nh 134b; Ll 16; Schk 2; Nh 120).

Erwähnen muss ich hier die Singweise K 174 ~ K 9 ~ A 33. Sie
hat in Cadenzen- und Harmonien-Folge denselben Aufbau wie die besprochenen, aber einen ganz anderen Stil der Melodie. Ich halt die schlicht
erzählende, Morithaten-mäßige Gestalt von A 33 für die ursprüngliche; sie
ist dann auch ins Lyrische zu stilisiert worden und hat bei äußerer Formgleichheit einstrophige Texte[1] an sich ziehn können.

Die Weisen W 388. 20 und M 174. 1 sind am Schluss des Abschnitts
'Neubayrisch' besprochen.

Eine andre kleine Gruppe von Singweisen, sehr ungleich in den
überlieferten Gestalten, — sie enthält Vierzeiler und Zweizeiler; Stücke
mit lauter einsilbigen und Stücke mit alternierenden Cadenzen; Stücke mit
reellen Dreitaktern und Stücke mit Viertaktern — umfasst gleichfalls fast
nur Melodie-verwandte Weisen:

a)   W 361. 37 (2 Z) ~ W 355. 20 (2 Z)
b)   ~ Nh 220 *[Schk 3²]* : *v 16 T]* ~ K 99 (Strolz) ~ W 350. 4

Diese Weisen gehn offenbar alle auf dieselbe Grundlage zurück:

a)   T D T (T) | T D T (T)   b)   T D T (T) | S D T (T)
         1 st   1 st   1 st   1 st

dieselbe Grundlage, auf der die Weisen des Neubayrischen aufgebaut
sind. Mit diesen haben sie ein charakteristisches Merkmal gemeinsam:
dass sie mit einem Schlusssätzchen beginnen (erster Viertakter: Schluss
mit der Hauptzeit auf dem Grundton über der Hauptharmonie). Sie müssen
verstanden werden als selbständig gesetzte Stirnsätze ursprünglich dreitheiliger Weisen. Diese Deutung wird durch den Umstand unterstützt,
dass die fraglichen Weisen denen des Neubayrischen auch melodisch nah
verwandt sind und dass sie auch als selbständige Achttakter-Zweizeiler
vorkommen[3]. Das folgende Beispiel möge in diesem Sinn verglichen

---

[1] Ob einstrophig von Ursprung an, oder durch Zersingen, ist in solchem Fall gleich-
gültig.

[2] Mitgeth. S. 164.

[3] Vgl. die Abschnitte 'Neubayrisch', 'Zweizeiler' und im 7. Cap. 'Dacapo-Weisen'.

werden mit der Weise zu *dwär insä sau farlšt scho⁻ mê* (M 60 f.), die unten auf S. 175 mitgetheilt ist.

W 355. 20

T   D   T;   T   D   T

meiñ schat - zl hoaßt An - na - mi - rl, hât a kröp - fl wiar a sei - il-krüa - gl.

Ein andres Beispiel (W 350. 4: 4Z) steht vorn auf S. 160.

Harmonie-verwandt mit dieser Gruppe sind die zwei Weisen Nh 123 ~ W 354. 16; doch ist ihre Melodie eigenwillig geschürzt und weicht im 8. Takt zur Dominant aus: T D T (T) | T S⁶ D (D) ‖ T D T (T) | ^T_S D T (T). Es entsteht so ein schönes, selbstgenügendes Ganzes, ein Sechzehntakter aus innerer Nothwendigkeit, der Ergänzung nicht mehr verlangt.

Eine dritte kleine Gruppe Melodie-verwandter Singweisen stellt die Weise über die Harmonien T D D | D T T ‖ T D D | D T [T]. Das sind Weisen mit reellen Dreitaktern, die mit dem Paschtanz nichts zu thun haben. Wir haben hier Lieder mit Schwellperioden vor uns; ursprünglich Zweitakter, die zu Dreitaktern zerdehnt sind (T D > T D D). Es wär ihrer hier nicht zu erwähnen, wenn nicht auch Paschtanz-Gesätze sich in diese Gesellschaft verirrt hätten: K 89 (Strolz); W 351. 6 ¹).

Für sich allein steht K 138 *und lustig is s oanäweg z älm*, das Kohl aus der Sammlung von Strolz (1807) übernommen hat. Ein Zweizeiler. Kohl harmonisiert den Notenköpfen entsprechend |: Dt Td T :|. Das c² im ersten Takt, das die Harmonie des zweiten vorwegnimmt, klingt außerordentlich schlecht.

Vierzeiler.

Allgemeine Feststellungen über die Vierzeiler sind nach dem Ausgeführten keine mehr zu machen, wir haben uns also hier nur mehr mit einzelnen Liedern textkritisch zu beschäftigen. Es ist nicht möglich, alle verglichenen Varianten in extenso mitzutheilen; ich verweise darum den interessierten Leser auf die citierten Sammlungen. Die Quellenhinweise für alle verglichenen Fassungen sind in den Tabellen auf S. 150 ff. gegeben.

---

¹) Mitgeth. S. 172; vgl. auch Cap. 8.

11*

* dås diandl håt an sacrischen zorn,
dass ir s fenster verndglt is worn;
is nix mêr bei n fenster kukû,
is dlls schön verndglt, meiñ dû!

```
x | x́ x ⌣ | x́ x x | x́ ? ? | ? ?
⌣ | x x x | x x x x | x ? ? | ? ?
x | x x x | x x x x | x ? ? | ? ?
x | x x x | x x x x | x ? ? | ? ?
```

W 351. 6: Die Form des Textes ist der oben angesetzten gleich, die Weise notiert aber mit Dreitaktern. Text und Weise scheinen mir nicht ursprünglich zusammen zu gehören (vgl. die Textunterlagen der Varianten ŽS 193. 50 und Nh 215).[1]

Nh 220: hier ist das Lied ganz zuschanden gesungen:

dås diandle håt an sickrischn zurn,
jå weil hålt ir fenster verndglt is wurn;
is niz mêr bei n fenster gugu,
is dlls schön verndglt, meī du!

Auch das Einfügen von Pausentakten kann den organischen Fehler (Vers 2) nicht beheben.

Schk 3: Eine Variante, die mir BSchüttelkopf mittheilte, versucht den Schaden durch Wortwiederholungen zu bessern; äußerlich wird der Verlauf dadurch glatter:

Schk 3   Lavantthal (K), (Jan. 1908)

T   T,   T   T;
dås   dian-dle, dås   dian-dle håt an sagg - rischn   zorn,
is   nix mêr, is   nix mêr pån fön - ster ggu-ggu,

D   D,   T   T;;;   T   T
jå   wal   ir dås   fön - ster věr - nå - glt is   worn;
is   dlls schon věr - nå - glt, věr-   *nå - glt, meī du!*

Auch hier gehn Text und Weise nicht recht zusammen: diese fordert unbedingt stumpfen Schluss; die volle Cadenz am Lied-Ende ist ein schwächliches Anhängsel. Die melodische Curve macht es wahrscheinlich, dass die Weise als 16 T mit ¹/₂ Str-Jodler erfunden ist; der

[1]) Die Singweise ist im 8. Capitel besprochen; vgl. auch S. 171 f.
[2]) Bei der Wiederholung auch a statt h.

Text mit seinem Doppelstrophen-mäßigen Aufbau würde sich dieser
Vertheilung gut fügen:

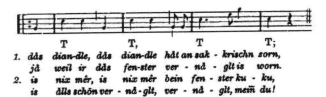

T,   T,   T   T;

1. *dås dian-dle, dås dian-dle håt an sak - krischn zorn,*
   jå weil ir dås fen-ster ver - nå - glt is worn.
2. *is nix mêr, is nix mêr bein fen - ster ku - ku,*
   is ålls schön ver - nå-glt, ver - nå - glt, meiñ du!

D   D,   T   T;;   T T,

hol-lä-rei ti-ri - ê,   hol-lä-rê ti-ri - ô!   hol-lä-rô ——!

> *diandl, wia gfållt dir der neue bua,*
> *gfållt er dir wol oder nit?*
> *hiatz amål gfållt er mir freili wol,*
> *åber wia lång wåß i nit!*

PH 689 = 1724 ~ W 40,6 geben Texte mit guter Form; keine Singweise.
Nh 123 notiert mit Dreitaktern und Fermaten.

Nh 95 setzt den Text Doppelstrophen-artig unter eine schlichte 16 T-Weise,
die zum Überfluss ihre Zweitakter scharf von einander trennt. Der
Ausgleich wird auf ebenso einfache wie derbe Art bewirkt:

diandle, wia gfållt då   gfållt då der neue bua, ♪: | ×́· ‿×|×́ × ⁊ ‖ ×́· ‿×|‿‿× ⁊
gfållt er då ô- der gfållt er då nit? usw. . | × × ×| — ‖×|×́· ‿×| —

Ähnlich behandelt seinen Text

> K I 23 *áuf der tiró- rólischn ålm*
>   *då is an óx an óx åhigfålln;*
>   *dér wögt an zén- zéntn zwoa lót,*
>   *båld er mi trifft, schlägt er mi tót.*

Die von der Dreiheber-Messung abweichenden Lesarten der bisher
mitgetheilten Lieder haben das gemein, dass immer ein Vers, mehr oder
weniger geschickt, als echter Viertakter geformt ist, dass also die Ver-
einfachung zur reinen 3HStr nirgends ohne Textänderung bewirkt werden
kann. Wo nicht Varianten auf die Dreiheber-Messung hindeuten, wag ich

die Veränderung nicht vorzunehmen (K I 23). Ein Lied sei noch genannt, bei dem die Textwiederholungen so planvoll gestaltet sind, die Singweise so selten vollkommen die Textform nachzeichnet, dass die Überlieferung nicht bezweifelt werden darf: *du werst já* (Nh 86, 1 = PH 1457)[1]).

---

i hâb hâlt meï häusle auf n rân gebaut

Eine Doppelstrophe, mit verschiedenen Anhangern überliefert; der Einleiter tritt auch allein auf.

Nh 142 und M 242 geben gute Singweisen mit stumpfen Viertaktern, bei Mautner überdieß Wiederholung der mehrwerthigen Cadenzen im Pausentakt durch die Unterstimme (Vers 1; 3)[2]).

Nh 94: Der Sänger weiß mit den mehrsilbig stumpfen Schlüssen nichts anzufangen und greift zu dem groben Mittel sie voll zu singen, ohne aber den Text zu erweitern; der Effect ist danach: Taktwechsel!

Nh 94

```
T,        8        T        T
i  hâb hâlt  meï  häu-sle  af n  rân ge - baut,

T,        8        T
hias  trâgts mir  der  sturmwind  dä-von;
```

Schk 4: Etwas geschickter ist ein Lavantthaler Sänger, nach dem BSchüttelkopf die folgende Variante dieser Singweise aufgezeichnet hat; hier ist doch die äußere Form gewahrt:

Schk 4   Lavantthal (K), (Jan. 1908)

```
T,        8        T        T
i  hâb hâlt meï  häu-sle  afn  roan auf-ge - paut,

T,        8        T        T
dä trâgg s mä der  sturmwind  dä - von;
```

---

[1]) Text mitgeth. vorn S. 104.
[2]) Dass bei Mautner die Pausentakte der graden Verse fehlen, ist Schreibfehler.

T,　　　　　S　　　　　T　　　　T
hias schaut mi mei˜ dian-dle so trau - ă - ri ăn,

S,　　　　　D　　　　T　　　T
jă wal i koa˜ häu-sle mêr hăn.

H 486 stimmt in den Cadenzen genau mit Schk 4 überein.

PH 803, wie das vorige ohne Singweise überliefert, ist mehrdeutig; es kann allen drei Weisen untergelegt werden.

GKS I 55, 2, eine Parodie des Kärntnerlieds, ist zu Nh 142 ∼ M 242 zu stellen, da diese Singweise auch in Tirol bekannt ist, während die Kärntnerweise Nh 94 ∼ Schk 4 aus Tirol nicht überliefert ist.

---

hinter mein vâter sein (stâdl)

Vier durch den Liedeingang miteinander verwandte Vierzeiler von gleicher Textform.

W 37, 4 gibt guten Text, keine Weise.

Ll 16, 5: der Singweise fehlen die Pausentakte; sie müssen ergänzt werden.

K II, 19 ist eine ungelenke Singweise und schreibt seinen Texten falsche Cadenzen vor. Der Pausentakt der graden Verse muss ergänzt werden.

K II 19, 1　*und hintä mein vâdă sein häusl, woašt wol,*
dă bau i s an vogltenn auf;
dă fâng i nix as wâs zeišälän,　　　...| ͟ × | ͟
koan ândărn˜ mâch i nit auf.

---

der weg zu mein diandl is rânig, is stânig

i wâß nit, soll i auffi, soll i âbi

Diese zwei Kärtnerlieder, bei Nechkeim unter éiner Singweise (Nh 209) sind arg zersungen und zum Theil sehr mangelhaft überliefert. Für das erste lässt sich aus PH 1614 ∼ H 458 mit einiger Sicherheit die ursprüngliche Form erschließen:

* *dăs wegĕrl is rânig, is stânig,*
dăs stegĕrl is (z) schmâl, is (z) schmâl;
i gê zu mein diandlän allânig
aus lauter gâll heunt s letzte mâl.

Dass Vers 2 durch Theilwiederholung auszufüllen ist, zeigt die Nh-Lesart. Die zwei PH-Lesarten sind offenbar verderbt:

PH 1614 *dås wegle is rånig, is stånig,*
der steg is s schmål,
i gê zuen diandlan aus lauter gåll
heunt dås letzte mål.

PH 1614 v *dås wegl is stånig, is lånig,*   Vers 1
i gê zu mein diandl allånig,   „ 3
aus lauter gåll   } „ 4
heunt äs letzte mål.

Der Reim *gåll* : *mål,* der dem Aufzeichner in die Ohren stach, ist doch nicht ernst zu nehmen. Bei PH 1614 v fehlt Vers 2, und Vers 4 ist in zweie auseinandergeschrieben.

Bei Nh sind die Vordersatz-Cadenzen zu klingenden zerdehnt und auch sonst auffallend schüttere Füllungen gewählt:

Nh 209, 2 ~ Schk 5 [1])

T,   S   d   T   T;   D   D,   T   T
der weg zu mein diěndlän is rå - - nig,   is stä - - nig,   is schmäl, is schmål, ~

Die Weise ist in ihrem Wurf eher wienerisch als älplerisch. Das Lied macht den Eindruck, als sei sein Text einer fremden, fertigen Weise nachträglich angepasst worden: die übrigen Lesarten (PH, H) setzen eine andre Singweise voraus.

Weniger geschickt an dieselbe Weise angepasst ist der andre Text *i wåß nit, soll i auffi, soll i åbi*; die Dehnungen im zweiten Vers wirken hier schwächlich und unvorgesehn. Zur Singweise Nh 209 dürfte auch die Text-Lesart PH 1107 gehören. Die réchte Singweise und reine Form theilte mir auf meine Anfrage BSchüttelkopf mit: Schk 2 (vorn S. 159).

————

Bei allen diesen Liedern fanden wir eine Neigung zum ausgefüllten Sechzehntakter. Bei andern wird umgekehrt der Versuch gemacht, die Dreiheber-Strophe in den Rahmen des schlichten Achttakters, also des gemeinen Shs einzuzwängen. Im Grund kommts auf eins hinaus: die unbequeme Form wird mit Geschick oder Gewalt in die gewohnte umgesetzt.

————

[1]) Meist wird wohl der Liedeingang der Gewohnheit gemäß vereinfacht:
g^1 | g^1 g^1 g^1 | g^1 a^1 h^1 | c^2 ~ über D D T ~ (nach einer Aufzeichnung BSchüttelkopfs).

Zwei Lieder nehm ich voraus, bei denen die Varianten gleich gut gelungen sind. Dass trotzdem die Fassung mit Dreihebern (Schk) als die ursprüngliche zu betrachten ist, geht aus dem Vergleich mit dem Lied von dem *nötigen bäuerl* hervor.

Schk 1

meï häusle, dås steat af síᵇm spreizn
und prauchĕt noch nettä a vir;
wånn s mi hålt zün niĕsn tät reizn,
so fållĕt s wol dönnä af mir.

SS 537 = H 1002 (S)

meiñ haus håt zöchn spreitzn,
ĕs brauchĕt no via;
i trau må kamm s schneitzn,
ĕs fållĕt auf mia.

PH 640 *liab n'r lei, liab n'r lei mi,*
i jå lei, i jå lei di,
gherst jå lei, gherst jå lei mein,
i jå lei, i jå lei dein.

PH 641 *liab n'r lei, liab n'r lei*
liab n'r lei mi,
låss n'r lei, låss n'r lei
kan åndern wiĕ mi.

und als Doppelstrophe mit zwei Sh-Achttaktern Nh 152, 1. 2.

wån i (auf n Zammlsberg kirchn) gé

Bei dieser Liedergruppe ist das Verhältnis der Varianten nicht zweifelhaft; auf der einen Seite stehn in sieben Varianten vier Lieder, alle mit 3 HStrr, dem gegenüber nur éine Sh-Variante.

Nh 143 b, 1 = PH 236

wån i auf n Zammlsberg kirchen gê,
siach i mein lodnrock ån;
und wån i meï diandl in der kirchn sêg,
schau i kan heiliŋ mêr ån.

Huschak 153, 1

wån i in d kirchn gé, leg i
mein lodnrock ån;
wån i meiñ diandl siach, bet i
kan heiliŋ mêr ån.

Huschak gibt keine Singweise; die Strophenform ist gleichwohl nicht misszuverstehn. Die schweren Auftakte (‿◡‿|.. oder ◡◡‿|..) fallen beim Sh weiter nicht auf; eher das hässliche Enjambement in beiden ½ Strr. Die Übersetzung ist eben nicht ganz gelungen. Auch inhaltlich ist das Sh ärmlich gegen die 3 HStr (Vers 3). Von der 3 HStr ist noch zu sagen, dass sie keine Verlegenheits-Füllsilben enthält. was sicher der Fall wär, wenn sie vom Sh abgeleitet wäre.

wån i å zrissn und slumpĕt bin

håb jå meiñ lebtåg kañ guat nit tån

Beide Lieder sind geschickt erfundene 3HStrr und in dieser Form überliefert.

PH 985 = Ll 16, 4   W 24, 6 = 242, 1

wån i å zrissn und zlúmpĕt bin,   *håñ jå mei` lebtåg koa` guat net tåñ*
wån i nur tånsn schean kånn!   *håñ s jå å nŏ net in sinn;*
låss mĕr de fetsn nur flåttern,   *siacht mä s an iadä ån federn dñ,*
wås gét s denn åndre leut dn.   * *wås für a vögĕrl i bin.*

Bei Nh 169 sind die zwei unter eine Achttakt-Weise gerathen und watscheln wie kleine Gelbflaum-Enten, von einer Henne bebrühtet, unter den Küchlein:

Nh 169

T   D,   D   T

     1. *wån i å zris - sn zlumpĕt bin, kemmår dön-nä tån - sn;*
         låss di lum-pn lei umrfliay, wås gén uns di suaschauĕr ån!
     2. *håb mei` leb-tåg ka` guat ge-tån, håbs å går nit in sinn;*
         siachts mr je-dĕr ån d federn ån, wås fra vo - gl i bin.
Sh!   3. *lus - tig lus - tig is slumpmlebm, u.dås geld håt d muatiä göbm;*
         und dås dirndl hån i selbä ghåbt, nit weit drinn ba der stådt.

Ein merkwürdiges Stück, dieses Nh 169! Es ist dran eigentlich alles adaptiert; nicht nur die 3HStrr: auch das Sh, und auch die Singweise! Das Sh (Gesätz 3) ist doch keine LzStr sondern eine 3.3.3.1-Str; jedesmal, wenn ich an den zweiten Vers komm, gibts mir einen Ruck. Das Erwartete wär leicht construiert, aber lieber geb ich ein 'echtes' Sh:

SS 528₁, ₂   *lústög is s lústög le♭m,*
         s géld håt mä d múatä ge♭m ...   vgl. auch SS 502

Und die Singweise ist doch eine Base von Nh 140b! (vgl. oben S. 155) Sie muss erst so geklungen haben:

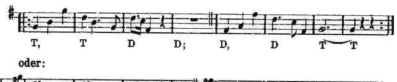

T,   T   D   D;   D,   D   T   T

oder:

T,   T   D   D;   D,   D   T   T

Die Verwandtschaft mit den Paschtanz-Weisen muss auch Neckheim empfunden haben, denn er setzt nach jeder Verszeile einen Pausentakt ein. Schade, dass der oft Vermisste grad diesmal nicht herpasst; ich musst ihn streichen und an seiner Statt eine Fermate setzen.

---

s diandl hät gsägt, i sollt auffisteign

Gleich gerichtet, aber complicierter ist die Umformung von W 16, 1 ~ K 99, 2 > Nh 187 ~ PH 1229: aus |×̌×××|×̌×××|×̌×××| ♩ ♩ ♩| wird |⌣⌣×̌⌣⌣|⌣⌣×̌ ♩|. Die Kärntner Singweise (Nh 187) ist etwas künstlich und jedenfalls unälpisch; die melodische Cadenz des zweiten Verses bringt einen fremden Klang hinein.

Das Gegenspiel zu der Umwandlung von dreihebigen Versen in zweihebige, die wir eben beobachtet haben, finden wir bei der folgenden Liedergruppe.

mädl, mägst an rosóli	ŽS 193. 50, 1. 2 ♪	~ W 75, 2. 3		
mädl, mägst an rotn äpfl	ŽS 193. 50, 3 ♪	~ W 75, 4	~ Nh 215, 1 ♪	
und di apflän, dö san rosnrot			Nh 215, 2 ♪	

Die Texte dieser drei Lieder sind schlichte Sh-Vierzeiler, an denen weiter nichts auffällt; die Singweise aber, zu der die drei gesungen werden, ist überraschend.

ŽS 193. 50, 1

mädl mägst an ro - só - - - li?   mädl mägst an ca - - - - - ffé?

Wir haben hier wie bei dem eben besprochenen Nh 169 (oben S. 170) in der Singweise echte Dreitakter und dürfen keine Pausen hineinconstruieren. Freilich hat die Entwicklung da und dort verkehrte Richtung: dort Zusammenschieben der stumpfen Viertakter zu vollen Zweitaktern; hier Zerdehnen der vollen Zweitakter zu übervollen, also zu reellen Dreitaktern[1]). Auf dem Tanzboden ist die *rosóli*-Weise nicht gewachsen und ich würde sie hier nicht nennen, wenn ihr nicht manchen Orts doch auch Paschtanz-Texte untergelegt worden wären: K 89 (Strolz); W 351. 6.

---

[1]) Vgl. vorn S. 163 und Cap. 8.

W 351. 6

dås tuat mä recht (T) **sa - că-risch zorn** (S⁰), **dass s fen-stěrl vă - nd-glt** (D, D, T) **is worn;** (T)

Die Weise gehört zu den frühst überlieferten (Strolz, ŽS) und ist, wenn ich recht vermuthe von Wien her, weit herumgekommen: NÖ, St, K, T.

Am seltsamsten ist die rhythmische Umformung, die die zwei nun als letzte noch zu nennenden Lieder erfahren haben.

deine (stoañhărtn) redn   PH 654 ~ 1512 ~ 1512v = Ll 4a ♪ ~ Nh 204, 2 ♪;
                                                              (vgl. Nh 106, 3 ♪)

(derfst) nit ummĕrblickń   Ll 3a, 1 ♪ ~ Nh 204, 1 ♪ ~ PH 1673: 3HStr

Beide Lieder sind schlichte Vierzeiler und werden mit vielen andern Shh auf hübsche Achttakt-Weisen gesungen (Ll 3; 4). Da hat nun ein Kärntnersänger die ohnedies schon kärntnerisch überbreiten Vers-Auftakte so zeitvergessen überschwenglich gedehnt, dass aus jedem Auftakt ein voller Takt wurde (Ll 4a > Nh 204). Die Nh-Weise wär vermöge ihrer günstigen Harmonienfolge |: T T D | D D T :| geeignet, sich zum Paschtanz-Sechzehntakter auszuwachsen, was, wie wir gesehn haben, bei der *rosóli*-Weise nicht möglich ist; sie erträgt das Einschieben der Pausentakte und das Umordnen der Gewichtsbeziehungen. Überliefert ist sie in dieser Form nicht. Ich stell die beiden Singarten der Weise genau untereinander.

Ll 4a (*B*)

t (T) T D, / d (D) D T
dei - ne stoañhăr - tn rödn, ... dei - ne eis-kăl - tn wort

Nh 204 (*H*)

T, (T) T. D; / D, (D) D T
1. *tua — nit so um - mäbli - ckn, schö - - - ne grüaß-lăn schi-ckn,*
2. *dei - - - ne eis - kăltn redn, dei - - - ne zaun-spearn wort,*

Die Sprosstakte sind so entstanden:

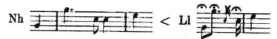

für den Sänger sind die Dreitakter voll geworden, das beweist die Taktfüllung (vgl. auch die Verse 3 und 4); interessant wärs, die Begleitung
beim ein- und zweistimmigen Singen zu kennen: ob der Begleiter die
Sprosstakte wie Auftakte frei lässt, oder ob er mit dem Sänger geht und
das ganze Lied ohne Unterbrechung mitzupft.

Neubayrisch.

Eine besondere Form des Gepaschten Tanzes ist der 'Neubayrische'.
Er ist stets dreitheilig und meist in Dacapo-Form gebaut. Zu seinen
Eigenthümlichkeiten gehört die starke Contrastwirkung des Mittelsatzes
gegen die Ecksätze in Tanzbewegung und Musik. Die Ecksätze werden
geschritten, jeder Viertakter mit Stampfschluss; der Mittelsatz wird gewalzt
und ist ohne Stampfzeiten. Die Ecksätze bestehn aus schlichten (ungegliederten) stumpfen Viertaktern, der Mittelsatz hat kurzgliedrige volle
Perioden und liebt Parallelglieder. Ein Beispiel:

Constant ist die Harmonienfolge des Ecksatzes T D T (T) [1]),
und des Mittelsatzes D T D T [2]) oder T D D T [3]);
constant sind die Cadenzformen: beim Ecksatz einwerthig stumpf,
beim Mittelsatz mehrwerthig voll;
variabel ist die Ausdehnung der Sätze.

---

[1]) Ausnahme: T S T (W 355. 18). [2]) Vgl. S. 175 das Beispiel M 60 f.
[3]) Vgl. das obige Beispiel. Ausnahme: T S D T (Nh 186).

174

Das gesungene Lied.

Die Lieder auf Neubayrische Art nehmen als Formengeripp naturgemäß meist die einfachste Gehalt des Tanzes, den dreitheiligen Sechzehntakter:

Stirnsatz	$\begin{cases} 4T \\ 4T \end{cases}$	·|×××|×××|× ʑ ʑ| ʑ ʑ ʑ|	1st	a
		·|×××|×××|× ʑ ʑ| ʑ ʑ ʑ|	1st	a
Mittelsatz	4T $\begin{cases} 2T \\ 2T \end{cases}$	|×××|×××|	3v	b
		|×××|×××|	3v	b
Schlusssatz	4T	|×××|×××|× ʑ ʑ| ʑ ʑ ʑ|	1st	a

Das Schema gibt sowohl für Rahmen als Füllung die Normalgestalt.
Dreisilbige Taktfüllung ist die Regel, Regel auch die Auftaktlosigkeit der
Innen-Auftakte. Dieses letztere wird bewirkt durch die Steifheit der
Mittelsatz-Cadenzen. Wo dennoch Auftakte im Strophen-Innern auftreten,
sind Collisionen unvermeidlich [1]). Dem Rahmen nach sind die hergehörigen
Lieder, wie das Schema zeigt, Fünfzeiler, Fünfzeiler mit stetigem Text-
fortschritt oder mit Dacapo. Ich hab diesen Unterschied im Schema nicht
ausgedrückt, weil er für die Neubayrischen Texte nicht zu den Hauptmerk-
malen gehört. Bei den Stücken, die bis jetzt volkskundlich zugänglich
sind, halten sich beide Formen ziemlich die Wage. Bei den Weisen
freilich überwiegt die Dacapo-Form, aber sie ist eben im Text nicht
immer streng nachgebildet. Andrerseits kommt es auch vor, dass der
Text dreitheilig mit Dacapo, die Weise dreitheilig ôhne Dacapo gebaut
ist. Dieser Fall ist naturgemäß selten und legt die Vermuthung nah,
dass die Weise ihre ursprüngliche Gestalt oder der Text seine ursprüngliche
Weise verloren habe.

Diese Bemerkungen mögen genügen; im Übrigen verweis ich auf die
Besprechung der direct aus dem Ländler-Sh entwickelten dreitheiligen
Form ohne Stampfzeiten [2]). Die Verhältnisse liegen dort und hier voll-
kommen gleich.

Ich kenne neun Einstropher auf neubayrische Art [3]). Keiner davon
ist ganz ohne Schönheitsfehler oder Unregelmäßigkeiten. Einer der be-
kanntesten Texte ist folgender:

Berchtesgadner Land und Nachbarn

und s diandl mi'n rôdn miadá,
di is mä dö älläliabá;
sollt s mir nit liabä sein
wân i kimm, lässt s mi ein:
s diandl mi'n rôdn miadá!

---

[1]) Vgl. M 60 f. auf der nächsten Seite.
[2]) Cap. 7.
[3]) Vgl. Tabelle III auf S. 153.

Die Singweise in der mir bekannten Gestalt ist brüchig und jedenfalls verderbt.

In der Form fast vollkommen, mit Dacapo in Text únd Weise, jedoch mit einer recht auffallenden Härte in der Taktfüllung (Fuge zwischen Mittelsatz und Dacapo) ist das Gössler Tanzlied

M 60 f.[1]) (D)

T,   D   T̂   T
âwär in - sä sau   fa - rlšt[2]) scho⁻ mê,
bringt äl - lä-loa   fa-rlän[3]) dä - hê:

D   T,   D   T   [4])
weis - si und gschek - käti,   schwârch-si und gflek - kä-ti;

T,   D   T   T
âwär in - sä sau   fa - rlšt scho⁻ mê.

Sehr geschickt ist das Dacapo der Singweise im Text nur anklingend nachgeahmt bei

W 355. 18 ♪ unsä herr pfârrä, woaßt wol,
= SA 66, 95 predigt recht sacärisch toll:
             sollst s diandl välässn,
             sunst kimmst auf d gfeilt strâßn,
             kimmst âbi zum gankěrl, woaßt wol.

Werle notiert die Ecksätze mit Dreitaktern, sodass das ganze Lied dreizehn Takte misst statt sechzehn. Interessanter ist ein Anderes. Ich hab schon früher drauf hingewiesen, dass die stumpfen Dreitakter des Paschtanzes vielen Sängern fremd und unbequem sind. Man vergleiche mit der angeführten die folgende Fassung:

---

[1]) Mautner notiert nicht ganz genau; ich hab die Weise selbst in Gössl singen hören und verbessere danach.

[2]) farlšt : ferkelt = wirft Junge.

[3]) farlän : Ferkel.

[4]) Der reelle Takt, den M hier einschiebt ist ein Notierungsfehler (Begleitgriffe: drei, nicht sechs); beim Tanz muss zusammengeschoben werden: | ♩. ♪♪| ♫ |.

Nh 105, 3   *unser herr pfårrer, herr pfårrer, wašt wol?*
        der prödigg ůns, prödigg ůns ållwä fein toll:
           mir solltn frumm löbm,
           värzeichn, värgööbm,
        süňst holt uns dås ganggěrl, dås ganggěrl, wašt wol?

Wen nicht diese Gegenüberstellung überzeugt, dass die Neubayrische Form die ursprüngliche ist, den wird der Vergleich der Nummern 104; 105; 106 aus Nh, untereinander und mit ihren Verwandten (aus Tabelle III auf S. 153 zu ersehn) überführen. Eines dieser Lieder stell ich her: weil es in neubayrischer Form überhaupt nicht überliefert ist, der Vergleich der Varianten aber zweifellos ergibt, dass nur sie seine rechte Form ist.

Nh 105, 1

bin gångån, bin gångån umådum um äs haus
gêt ninděršt, gêt ninděršt a plånknbrett aus;
    der åne kånn einěgěn,
    i muass heraußn stěn:
könntn- an nit di augn, di augn- übergěn?

Nh 104, 1   *gê i bä der plånkn auf und å,*
       gêt ninděršt a plånknbrett å;
         der åne bua kånn einěgěn,
         i muaß heraußn stěn:
         möchtn- an nit di auŋ,
         di augn- übergěn?

Nh 106, 1   *uměrs haus, uměrs haus*
       gêt ka plånknbrett aus;
         der åne kånn einěgěn,
         und i muass heraußn stěn:
         könntn- an då nit di augn
         di augn- übergěn?

Der vierten Fassung, trotzdem sie den drei mitgetheilten nächstverwandt ist, steh ich rathlos gegenüber; sie passt auf keine der drei Singweisen und meine Phantasie reicht nicht aus sie in Form zu bringen:

PH 1537   *i gê bei der plånkn auf und åb,*
       då gêt măr a plånknbrett åb;
       der åne kånn einěgěn,
       i muess heraußn stěn:
       då möchtn an de augn
       de augn übergěn, übergěn,
       jå då möchtn an de augn,
       de augn übergěn.

Die Fassungen mit dem Hauptreim *ăb* : *ăb* sind formal und inhaltlich ärmlich, sie müssen auf einem Gedächtnisfehler beruhn; ebenso der Stirnsatz von Nh 106, 1; die Wortwiederholungen bei Nh 105, 1 sind nicht organisch; das Stolpern im Stirnsatz von Nh 104, 1 halt ich für Verderbnis, hervorgerufen durch dasselbe Missverstehn der Form wie bei Nh 169[1]). Die rechte Gestalt, nach Text und Form, muss so lauten:

* *bin găngăn umădum um ăs haus*	× | ×́ × ⌣ | ×́ × × × | ×́ ⸗ ⸗ | ⸗ ⸗
gêt nindĕrĕt a plănknbrett aus;	× | × × × | × × × × | × ⸗ ⸗ | ⸗ ⸗
der ăne kănn einĕgĕn,	× | ×́ × × | ×́ × × × |
i muass heraußn stên:	| × × × | × × × × |
könntn- an nit di augn- übergên?	| ⌣ × × | ×́ × × × | ×́ ⸗ ⸗ | ⸗ ⸗

Die Singweise lässt sich nicht reconstruiren; dazu weichen die bekannten Singarten in der Melodie zu stark von einander ab.

Das Lied ist dreitheilig, im Text ohne Dacapo. Gleiche Form haben

> *gê niamer zŭn Laure in (schnitt)* PH 1617 usw.
> *hăn a schöns dirndle ghăbt, i* Nh 106b usw.

Gleichen Umfangs, aber abweichend in Cadenzen- und Reimfolge ist

W 4, 1			
a lustigă Steirer bin i,	1st	a
a kropfădl taugt net für mi;	1st	a
a hübschl, a feinl,	2v	x
a glattl muass sein:	1v	b
a kropfădn zăl i koan wein.	1st	b

Werle setzt nur vier Zeilen ab. Auch diese Schreibung lässt sich vertheidigen. Singweise ist nicht mitgetheilt.

Der 16-taktige Fünfzeiler ist nicht die einzige mögliche Form des Neubayrischen. Sowohl die Ecksätze, als der Mittelsatz können mit vermehrten Perioden gesetzt werden.

Nh 186	*draußn- untern feignbirnbam,*	♪:	A₁
	dort schläft a scheans diendle in tram;		A₁
	i wâß nit, wia i s wöckn lat		B { a₁
	dass si[2]) nit schröckn tat,		{ a₂
	dass nit dă fux zu ir kam:		C
	draußn- untern feignbirnbam.		A₁

Das C ist in Text und Weise ein entbehrlicher Schaltsatz, von dem nicht klar ist, ob er nach oben oder nach unten zu beziehn ist; tanzmäßig gehört er zum Schlusssatz.

---

[1]) Vgl. vorn S. 170.
[2]) *dass s i* oder *dass i s*?

Einen ganzen, textlich und musikalisch abgeschlossenen Vierzeiler als Stirnsatz zeigt

M 60 f. *wou sand denn heint mê meiní küa,* $\int$: A₁
    *da*ᵘ *i s ålläweil hêr und nit sia;*   A₁
    då khemmänt an etlä herein,   B
    wernt mein wol â däbei sein: A₁
    weißt und gscheckäti,
    braunt nnd gfleckäti;   C { c₁ / c₂
    wou sand denn heint mê meint küa?   A₁

Schließlich sind noch hierher zu stellen die Paschtanz-Sechzehntakter mit schlicht achttaktigem Kehrjodler oder Kehrstrophe. Sie sind von sich selbst nicht dreitheilig, wachsen sich aber, wenn sie öfter wiederholt werden, wie das beim Tanz immer geschieht, zu Rondo-artigen Gebilden aus, bei denen Schreiten und Walzen in ähnlicher Weise abwechseln, wie beim Neubayrischen. Eine solche Singweise mit Vierzeilern und Kehrjodler ist W 388. 20 = 459. 20, eine mit Vierzeilern und Kehrstrophe Ll 25 ~ M 174 f.; W 388 besonders ausgezeichnet dadurch, dass beide Theile der Weise aus éinem Motiv entwickelt sind.

Zweizeiler.

Die Dreiheber-Zweizeiler stehn im engsten Zusammenhang mit dem Neubayrischen. Die bedachtsamen Erfindungen von dauerndem poetischen Werth nützen die Tanzweise meist ganz aus. Der Zweizeiler dagegen ist die Form der Text-Improvisation zu den Weisen des Neubayrischen, des Spott-, des Streitlieds. Er ist ein Gegenstück zum Stegreif-Vierzeiler des Shs: Reimpaar mit einsilbigen Cadenzen und Achttakter wie dieser; benützt wie dieser die kleinste selbständige Periode des Tanzes als Textweise.

Hauptzeugnis ist die Tanzbodenscene in Seidls 'Almern'[1]): Ein Ausheimischer zieht auf einem Voitsberger Tanzboden die Einheimischen mit *bassln* (Spott-Shh) auf:

dö Voitsbergå buabmä⁻   *dö Voitsbergå buabmä⁻*
dö sand nit zän liaᵇm,   *sand recht spreizå,*
und dö schickn mär in s Karntn *und si hämt smst koañ geld*
zän nebl wegschiaᵇm.   *åls wia kupfäkreuzå.*   usw.

Ein heimischer Bursche tritt dem Sänger gegenüber und beginnt mit drohender Miene — aber nicht im selben Maaß, sondern in Dreiheber-Reimpaaren:

---

[1]) Ges. Schriften (Wien 1879), S. 171 f.

Der Einheimische *derfst nít a so búmmlwitzń,*
                  kánnst gleich siñst au m bodn sitzń!

Der Andre *gê nă hê, gê nă hê, wánnsd di traust,*
           i háb s crăŝi¹) schoñ dă in dă faust.

Der Erste *wás wird denn deiñ crăŝi kleckń?*
           i wir dă s báld auŝi schreckń!

So erwidert er mit einer Bewegung, welche zeigt, dass es ihm Ernst sei,
und fährt dann unangefochten fort:

> *wăn i von Voitsberg weggê,*
> *setz i meiñ hüatĕrl in d hö;*
> *wăn i zur bruckn kumm*
> *schau i no oañmăl um,*
> *siach i meiñ schatzĕrl dort stên,*
> *wia-r a pelznágĕrl so schön.*   (folgen noch 2 Strr.)

Dieses Zeugnis wird durch Mautners Überlieferung gestützt, der zu
seinem Gössler Neubayrischen (M 60 f., s. oben) neben ausgewachsenen
dreitheiligen Gesätzen auch Zweizeiler bringt; desgleichen durch Werle:
die von ihm mitgetheilten Singweisen (W 361. 37; 355. 20) haben die gleiche
Form wie der Stirnsatz des Neubayrischen (vgl. oben S. 162 f.).

Mit Ausnahme zweier unsicherer Stücke (W 25, 5; K 138 = Strolz)
treffen wir auf Dreiheber-Reimpaare nur in steirischen Sammlungen (SA,
W, M); — was Werle bringt ist merkwürdiger Weise alles falsch geschrieben, nämlich auf vier Zeilen!:

W 19, 1 *a lustiger bua*
         bin i noᶜʰ
         nur dă geldbeitl
         hăt schon a loᶜʰ.

$$\times \mid \acute{\times} \times \times \mid \acute{\times} \times \times \mid \acute{\times} \, \iota \, \iota \mid \iota \, \iota$$
$$\smile \mid \acute{\times} \times \times \mid \acute{\times} \times \times \mid \acute{\times} \, \iota \, \iota \mid \iota \, \iota$$

Besonders erwähnen muss ich noch

W 251, 6 (B) *an knecht hätt i schoˉ, an wenigăn*
              es wăr mă weit nutză, i hätt koan.

Diese zwei Zeilen (bei Werle vier) mit abweichender Cadenzenfolge sind
eine Viertelstrophe aus dem Lied vom *nötigen bäuerl* (vgl. Süß 50. 4, 4 und
K 177, 6) und haben mit den Dreiheber-Reimpaaren nichts zu thun.

---

¹) *crăŝi* : Courage = Schneid.

12*

Dreizeiler.

Dreizeilige Strophen gibt es nicht, und die Überlieferung enthält auch keine. Trotzdem muss darüber gesprochen werden. Es treffen nämlich in einigen Fällen zwei Fehler zusammen, von denen der eine den Dreizeiler erzeugt, der andre ihn aber unsichtbar macht!

PH 1614 v *dås wegl is stånig, is lånig*

Das Lied wurde in anderm Zusammenhang bereits mitgetheilt (S. 168), dort auch der vollständige Text hergestellt (S. 167).

Zu W 32, 6 ist der Vierzeiler aus Nh 140, 5 leicht zu reconstruieren:

W 32, 6 *mei͂ häusl stêt obm*
      auf dä leitn,   }   Vers 1   * *mei͂ häusl stêt obm auf der leitn,*
      i bin jå net sicher däbei,   „ 2   *i bin jå net sicher däbei,*
      wo s mä net åbå tuat reitn.   „ 3   *wo s mä net åbå tuat reitn,*
                        „ 4   *spreizn håt s å a zwoa, drei.*

Diese Strophe ist kein Paschtanz-Gesätz, sondern gehört zu dem Lied vom *nötigen bäuerl.* Vermöge ihres ziemlich geschlossenen Inhalts konnte sie als Einstropher wandern. Ihre Heimath ist Salzburg-Tirol.[1])

W 255, 4[1]) *s weibĕrl spert n måñ in d(i) hianästeign,*   Vers 1
      gibt eam nix s fresn åls håbåkleibn;   „ 2
      so, meiñ måñ,   }
      friss di brav åñ!   „ 4

Auch was Werle hier gibt, sind nur drei Verse. Ich kenn keine andre Lesart dieses Gesätzes und muss darum die Ergänzung unterlassen. Inhaltlich ist das Gesätz so gut geschlossen, dass man auf den Gedanken kommen könnte, es fehle vom Text doch nichts und der dritte Vers sei beim Singen durch einen Jodler ersetzt gewesen. Auch dieses Gesätz macht den Eindruck, als sei es aus einem größern Zusammenhang heraus-gerissen, etwa einem Spottlied auf den unterm Pantoffel stehenden Bauern, wie Süß 63. 13 oder GKVl II 103.

Die Sammler vermeiden absolut die dreizeilige Schreibung, wohl in dem unklaren aber richtigen Gefühl, daß eine solche Strophenform im Sh-Reich nicht vorkommt. Wenn aber doch jemandem so ein hinkender Text

---

[1]) Vgl. Süß 50. 4, 2; K 177, 2; GKVl II 106, 2; 111, 1.

in die Feder gesagt wird, dann gibt es nur éinen methodisch richtigen Weg: sich das Lied vorsíngen zu lassen. Beim Singen kann nicht ein Periodentheil 'vergessen' werden, ohne dass der Unsinn offenbar würde. Bei den Liedern, die mít der Singweise überliefert sind, kommt denn auch diese Art der Verderbnis niemals vor. Bei etwas schärferm Zusehn übrigens sind solche Gedächtnisfehler auch ohne Hilfe der Weise leicht zu erkennen. Wie die obigen Fälle zeigen, helfen sich die Sammler viel einfacher: sie schreiben éinen der Verse auf zwei Zeilen, wobei sie dann mit Vorliebe einen zufälligen Gleichklang zum Reimvorwand nehmen. Metrische Größen sind ihnen mehr Worte als Begriffe; sie arbeiten mit Zeilen, geschriebenen Zeilen; und das A und O der Periodenbildung ist ihnen der Reim. Wenn im Ganzen ihre geschriebenen Zeilen mit den metrischen Perioden übereinstimmen, so ist das Verdienst nicht ihrer, sondern der Einfachheit und formalen Vortrefflichkeit des Materials.

Mehrzeiler.

Über die mehrzeiligen Strophen ist nicht viel zu sagen. Die gutgebauten Mehrzeiler sind dreitheilig; wir haben sie im Abschnitt 'Neubayrisch' behandelt. Was sonst noch die Sammlungen enthalten (Werle!), hält der Kritik nicht stand.

> W 15, 3 *o schwoagrin, tua du mi heunt ghoaltn!*
> *i bin wegn deinetwegn då.*
> *und wån i di å wullt ghoaltn*
> *es wird hålt dein ernst net sein,*
> *es wird hålt an ándrer¹) ghörn dein.*

Das sind fünf Verse, aber kein Lied. Das sind Bruchstücke eines Mehrstrophers, etwa eines Fensterstreits (vgl. A 32). Vers 1 und 2 können den Eingang der ersten Strophe bilden, Vers 3 wär ein Stück aus der zweiten Strophe und Vers 4 und 5 ein Theil der dritten; — wenn wir die gebräuchliche Anlage der Fensterstreite zum Muster nehmen, dass Rede und Gegenrede Strophe um Strophe wechseln. Nicht anders ists mit

> W 247, 7 *mei fuatar is a wiesl und a woad,*
> *mei viach is a goas und a kua,*
> *mei åtti håt fünf a sex antn,*
> *drei hena und an sakrischn hån,*
> *dö müassn uns boadi gut gwådndn,*
> *es bleibt no wås über davon.*

---

¹) Das *andre* bei Werle kann leicht auf einem Hörfehler beruhn, für *ándrå*; was für einen Sinn das Femininum haben soll, kann ich nicht erkennen.

Auch das ist ein Bruchstück aus einem umfänglichen Lied, einer Klage-litanei über die schlechten Zeiten, nämlich dem Spottlied auf das *nötige bäuerl*[1]), von dem Werle, wie wir sahen[2]), mehrfach Rudimente als Ein-stropher bringt. Das Lied, zu dem die sechs Verse gehören, hat Strophen aus Doppel-Vierzeilern unter dreitheiligem 32-Takter. Die sechs Verse Werles sind anderthalb Vierzeiler der 1. Strophe; es fehlt der Eingang.

Mehrstropher.

Verse mit drei Hebungen sind im mehrstrophigen Lied häufig, auch in Landschaften, wo der tanzmäßige Dreiheber-Einstropher wenig oder gar nicht bekannt ist. Zur Erklärung dieser Verse direct auf die Tanzperiode zurückzugehn wie beim Einstropher, liegt kein Anlass vor. Ganz all-gemein auf den Einfluss des Ländler-Sh ist es zurückzuführen, dass beim Mehrstropher der Alpenländer der dreitheilige, dreisilbige Takt so stark vorherrscht. Für einen großen Theil der erzählenden Lieder ist damit die Einwirkung erschöpft. Der alte Viertakter, monopodisch oder dipodisch, der álle möglichen Cadenzen anwendet, auch die klingende, bleibt in seinem Recht[3]). Dies letztere ist wichtig; denn, wo der Tanz den Strophenrahmen ganz nach seinem Bild formt, ist für klingende Schlüsse kein Platz.

Süß 157. 36

1. *wås måchnt denn hiatzå dö leut auf då welt,*
   må heart nå, dass oañ mensch den åndån kråd quält;
   må jåmmårt und klågt, äs is ålls übåtrib́m
   und d hoffårt is dennå-r-auf s ålläheg̊st g̊atiƞ.

Süß 155. 34

1. *wås såƞt denn hiatz d leut auf då welt?*
   sö greinänt ållweil übå s geld,
   weil s gå̊r sovl kupfär åg̊eit,
   springst eašt mit an hauffå̊˘ nit weit; usw.

[1]) Vgl. Süß 51. 5, 1; K 178, 1.
[2]) Vgl. vorn S. 179 und 180.
[3]) Beim erzählenden Mehrstropher stehn alle gebräuchlichen Cadenzenfolgen gleich-berechtigt nebeneinander; in der zweigliedrigen Periode: v v; v kl; v st; kl st; st st. Den Strophen mit lauter stumpfen Versen kann keine Sonderstellung eingeräumt werden. Man vergleiche: A 33; Süß 50. 4 ~ 51. 5 ~ K 177 ~ 178; Süß 55. 7; 55. 8; 57. 10; 88. 4; 93. 7; 99. 2; 111. 7; 116. 10; 120. 13; 123. 14; 126. 16; 127. 17; 129. 18; 129. 19; 130. 20; 132. 21; 141. 25; 144. 29; 146. 30; 150. 32; 155. 34; 157. 36; 158. 37; K 14; 157 ~ 158; 159; 165; 168; 171 = GKVI II 70 ff.; K I 42; GKS I 49, 3 f.; wobei die notierten Dreitakter den Viertaktern gleichwerthig sind, denn sie sind entweder falsch notierte oder zersungene Viertakter.

Süß 88. 4

1. *geats hear älle mentschär und waibär,*
   där ölträgär Koibäl iš dä;
   ear mächt enk roat wängen, gschlacht laibär,
   geats, kafts an melissngaišt ä. usw.

Auch um das Ersetzen der klingenden Cadenz durch die zweisilbige stumpfe

Süß 50. 4

1. *bin a stinknotögs Sumbergä bäuäl,*
   woaß oft nit, wo aus und wo ein, usw.

zu erklären, braucht man sich nicht auf einen besondern Tanz zu beziehn. Wir haben da die Erscheinung vor uns, dass in dem der Prosa näher stehenden erzählenden Lied die gedeckte Länge in der Cadenz gern gekürzt wird: aus dem stilisierten ...| ‿̣ ̣× wird das formlosere ...|× × ⁊.

Erzählende Mehrstropher und Tanz-Einstropher können dem Text-schema nach formgleich sein; auch der Tempo-Unterschied kann sich ausgleichen, da ja die lebendige Verbindung des Tanzlieds mit dem Tanz fast ganz verloren ist. Es kann daher vorkommen, dass Strophen aus erzählenden Liedern, wenn sie einen selbstgenügenden Inhalt haben, sich aus ihrem Verband lösen, sich eine Tanzweise umhängen und allein auf die Wanderschaft gehn: so das salzburg-tirolische *meiñ häusl stêt obm auf der leitn* (vorn S. 180) mit der Singweise Nh 140, die im ganzen Gebiet, auch in den österreichischen Westalpen bekannt ist.

Unter den lyrischen Mehrstrophern hat der Tanz naturgemäß mehr Wirkung geübt; da finden wir Lieder, deren Strophe nach dem Muster des Neubayrischen dreitheilig gebaut ist:

wänn i von Voitsberg weggê	8A 171 f.
fein sein, beinänder bleibm'	Steub[1]) = K 156 = GKVl I 42 f.
es stêt a kloans häuserl äm roañ,	M 141 (Castelli).

Zu einer Paschtanz-Weise gehört wahrscheinlich auch

      gestern schöns diandl ghäbt i   GKVl I 168 ∼ PH 1020

ein Lied, das Textverwandte (Einstropher) in Neubayrischer Form hat.

Strophen complicierten und tanzfremden Aufbaus finden sich beim Mehrstropher in allen Formgattungen; solche Strophen (5 Z, 7 Z) mit dreihebigen Versen haben

---

[1]) Drei Sommer in Tirol (¹1846) ⁴II 26.

und s dirndl håt gsågt und håt glåcht   M 266 t. ♪ ~ PH 1046 v ~ PH 1046 (4 Z)
und hiatzt san må s gên widårum dåhiñ   M 286 t. ♪

Eine Gruppe für sich bilden drei Lieder mit zweizeiliger Strophe:

(dirndl), bist stolz, oder kennst mi nit   ŽS 167. 44 ~ W 352. 9
(dirndl), stè auf, leg s kittèrl ån   ŽS 168 = G 102 ~ K I 39 ~ EB II 980 b
wås håt denn dås mådl für a heiråtguat ŽS 181   [(Erzgeb.)

Merkwürdig ist die Strophe durch die feststehende Caesur im zweiten Takt
jedes Verses. Das lässt auf kunstmäßige Herkunft schließen. Zwei von
den mitgetheilten Singweisen (ŽS 167. 44 und K I 39) deuten mit ihren
wienerisch einschmeichelnden Melodien in die gleiche Richtung (Singspiel?).
Die Textstrophe hat lauter mehrsilbige Cadenzen, ist also für sich allein
nicht schlussfähig. Die zwei genannten Weisen führen den Schluss, jede
auf ihre Art, durch verlängerte Wiederholung der Schlusszeile herbei. Die
dritte Singweise (W 352. 9), in der dort angegebenen Form jedenfalls
verderbt, zeigt wieder, wie unerquicklich ein ungedeckter mehrsilbiger
Strophenschluss ist. Als Muster diene

ŽS 167. 44   Verwandte Singweise
                                                EB II 980 a

Wir schließen damit die Betrachtung der Dreiheber-Strophen ab und
wenden uns, abermals an Capitel 5 anschließend, wieder den Zweitakter-
Strophen zu.

7. Capitel. Mehrzeilige Strophen.

Brenner[1]) und Reuschel[2]) erwähnen das Vorhandensein von mehrzeiligen Strophen beim Sh. Von den Achtzeilern war schon die Rede[3]).
An ihnen ist weiter nichts Merkwürdiges; übrigens kommen sie beim Einstropher fast nie vor. Dass es aber auch Fünf-, Sechs- und Siebenzeiler
gibt, ist bei der Enge der Tanzperiodik des Shs zu auffallend, als dass wir
uns mit der Feststellung der Thatsache begnügen könnten. Wir müssen
den Zusammenhang dieser außergewöhnlichen Bildungen mit der normalen
Form zu finden suchen. Só ist der Sachverhalt: 1) die Mehrzeiler unterscheiden sich mit wenigen Ausnahmen von den Vierzeilern nur als Textstrophen; als gesungene Lieder ordnen sie sich in die Tanzform ein; 2) ihre
Zahl ist geringer, als es nach den Sammlungen scheint; viele von ihnen
erweisen sich bei näherer Betrachtung als gewöhnliche Vierzeiler oder als
Doppelstrophen.

Das Gesagte gilt in erster Linie von den Sechszeilern. Wir stellen
sie voran, da wir die Richtung vom Tanz her eingeschlagen haben. Bei
den Ungradzeiligen liegen die Verhältnisse wesentlich anders.

Sechszeiler. Dreitheilige Singweisen.

Die Metriker haben bisher zu wenig Rücksicht auf das gesúngene
Lied genommen. Daher fehlt ihnen die Basis für die Textkritik der Lieder
in den Textsammlungen. Sehn wir uns in der Sammlung von PH um, die
verhältnismäßig die größte Zahl von Mehrzeilern enthält.

PH 1050   *mei˜ liaber bue,*
wânn du fürgêst, kêr zue,
wânn du mânst, dass i schlâf,
wirf a stândl auf s dâch,
wânn i s erste nit hör,
bitt di gâr schön, wirf mêr!

Dieser Sechszeiler ist vielmehr eine typische Doppelstrophe, bestehend
aus Einstropher + Anhanger, die durch Benutzung der zweiten Halbstrophe
des Einleiters als Eingangs-Halbstrophe des Anhangers fest aneinander-
gefügt sind, — wie Nh 32, 2. 3 beweist. Der Einleiter ist vielfach als
Einzellied belegt: Nh 15, 2; 31, 1; 60, 3; 68, 1; H 678, und bei PH selbst
als Einleiter von Doppelstrophen mit andern Anhangern:

[1]) aaO. S. 9.
[2]) aaO. S. 127.
[3]) Vgl. vorn S. 147 f.

PH 1051

a. *mein liaber bue,*
wánn du vörbeifárst, kêr zue,
wánn du mánst, dass i schláf,
wirf a stándl af s dåch!

b. *wánn i s sege[1] nit hêr*
muasst an knüttl nemăn,
năchĕr wer i schon båld
zăn schláffenster kemăn.

PH 1052[2])

b. *bitt di går schen, mei bue,*
wánn du fürgést, kêr zue,
wánn du mánst, dass i schláf,
wirf a stándl af s dåch!

c. *und a stándl af s dåch*
is wol å vil z weané[3]),
und du muasst hålt schon einer
å a weané!

Ich hab oben fünf verschiedene Singweisen genannt, für Einzellied oder Doppelstrophe; für den Sechszeiler ist nirgends eine Weise gegeben. Da die Überlieferung von Kärntner Weisen sehr reich ist, wird der Sechszeiler gradezu als falsch zu bezeichnen sein.

PH 385 Er: *diandle, wås denkst dir denn,*
wánn mĕr beisåmmen stén?

Sie: *i denk hålt állezeit,*
du bist mei freud.

Er: *i denk hålt állemål,*
du bist mein gåll.

Auch hier fehlt die Eingangs-Halbstrophe des zweiten Vierzeilers, die in diesem Fall, wie bei Varianten, der érsten Halbstrophe des Einleiters nachgebildet ist; natürlich mit veränderter Anrede: *büeble* statt *diandle*. Als Wechselgesang mit zwei Vierzeilern ist das Lied bei Ll 13a, 1. 2 zu finden; als Sechszeiler ist es mit Singweise nirgends belegt.

Die beiden Gesätze der Vollfassung (Ll) sind nicht als Varianten aufzufassen sondern als eine Doppelstrophe.

PH 1260[4]) *„diandle, wås wår denn heunt in der năcht,"*
di muetter håt gfrågt, „wrum di bettstått krácht?"[5])
„„håt glei a flô in strô
a hupfĕrle gmåcht.""

---

[1] *s sege*: das selbige.

[2] PH 1052a ist ein lahmes Gemisch von Variantentheilen (H 678 + PH 1050) und ist jedenfalls späterer Zusatz zur Doppelstrophe, wenn die Zusammenstellung nicht überhaupt vom Herausgeber herrührt.

[3] *weane*: wenig.

[4] Zeilenabsetzung und Gänsefüßchen genau wie bei PH.

[5] Die dem Sh-Rhythmus widerstrebende Füllung, *wrum di bettstått krácht* statt des zu erwartenden und sonst belegten *wrum s bettstattl krácht* halt ich für eine Verstümmlung beim 'Vorsprechen' und übernehm sie daher nicht in das *Lied.

PH schreibt zwei Langzeilen und zwei Kurzverse, gibt also einen Sechszeiler.

Es handelt sich hier offenbar um die Vermengung zweier Varianten; ein Fehler, der nur beim Vorspréchen, nie beim Vorsíngen eintreten kann. Die zwei Lieder lassen sich leicht auseinander nehmen:

*'*diandle, wås wår denn*   * *di muetter håt gfrågt,*
heunt in der nåcht?'   *worum s bettstattle kråcht:*
"håt glei a flô in strô   *håt glei a flô in strô*
a hupfèrle gmåcht!"   *a hupfèrle gmåcht.*

Eine wenig gelungene Variante des zweiten *Lieds ist

Nh 33, u 2 *wånn di muatå wird frågn,*
wårum s bettstattle kråcht,
wird a flô drobm in strô
håbm a hupfèrle gmåcht.

Echte Sechszeiler sind äußerst spärlich; Versuche, die ohne Nach-ahmung geblieben sind. Sie sind dreitheilig und werden auf dreitheilige Weisen gesungen.

Nh 62, a 1 = PH 837 *ålmåwåssèrl,   schöne wåssèrl,*
obm hater   untn trüeb;
ålmådiandlån   kreimte diandlån,
kålte handlån,   wårme liab;
ståtådiandlån   fålsche diandlån,
wårme handlån,   går ka liab.

gleiche Form: Nh 62, a 1

Die Form dieses Liedes hat keine innere Nothwendigkeit. Der Text scheint zwei ursprünglich getrennte Vierzeiler zusammenzuziehn (vgl. die Varianten Nh 62b) und die Singweise begnügt sich, éinen Viertakter dreimal zu setzen [1]).

Stattlicher ist die Form des Kärntnerlieds

PH 394 = Nh 61 (*B*)   (ähnlich gebaut: K I 18)

T   d   T   T   d   T
du   dian-dle bist mein,   kånn   ån-derst nit   sein!

---

[1]) Vgl. vorn S. 103 f.

D   T   D   T
ìn   mon-tåg,   ìn   ir-tåg wer i   kömmän, wånns sein måg,

T   T   D   T
ìn pfingttåg kim i gwiß,   wånn s wet-ter schön is.

Der Text gibt drei Reimpaare und enthält keine Wiederholung; die Weise
stellt drei motivverwandte Sätzchen geschickt zusammen: den Stirnsatz aus
zwei identischen Stücken, einen Mittelsatz mit Spaltgliedern, und das
Schlufssätzchen, das den melodischen Höhepunct bringt. Wirksam unterschieden sind die drei Theile auch in der Harmonie: in den zwei Ecksätzen
überwiegt die Tonica, der Mittelsatz hat inneren Gleichlauf und beginnt
mit der Dominant. Die |: 4 + 2 :| Takte Wiederholung am Schluss der
Weise bleiben hier außer Betracht und sind oben nicht mit notiert.

Merkwürdig ist Kob 6. Zu einer recht ärmlichen dreitheiligen Weise
werden hier gewöhnliche Vierzeiler mit ganz ungewöhnlicher Textwiederholung gesungen:

> Kob 6, 1   wås braucht denn a jågå?
>   a jågå braucht nix,
> |: åls a schwårzaugåts diandl :|
> |: und an hund und a bix. :|

Ein Unicum sei hier noch eingefügt: eine Schweifreim-Strophe, also
ein zwéitheiliger Sechszeiler (12 T).

Nh 180 (As)

D   T   D   T   D   T
} wånn i auf d ål-må gé,   ziagt då wind, schneibts an schné, und is fein kålt;
                                    |×⏑⏑⏑⏑|×× ⏑⏑⏑|―
und wånn i zruck å-bü-gé, ziagt ka" wind, blüat då klé, sein küalan auf der ålm.

An der unbeholfenen Melodieführung merkt man, dass diese entlegene Form
dem Erfinder Schwierigkeit gemacht hat: im Grund besteht die Weise nur
aus drei aneinander geklebten Cadenzen, allerdings mit einer gewissen
Steigerung. Das Geripp ergibt sich durch Weglassen der (klein gedruckten)
Füll- und Verbindungstöne.

Dacapo-Weisen.

Die übrigbleibende kleine Zahl von Sechszeilern und Schein-Sechszeilern wird auf Dacapo-Weisen gesungen. Die d.c-Weisen haben die Fähigkeit, Texte verschiedenen Umfangs aufzunehmen: Vierzeiler, Sechszeiler, Achtzeiler; auch ein ungradzeiliger Text unter einer d.c-Weise ist vorstellbar. Formträger ist die Singweise. Der Umfang der Strophe wird von den Texten in so verschiedener Art gewonnen, dass wir hier keinen Halt finden für die Gruppierung: wir müssen von der Singweise ausgehn.

Die d.c-Weise ist die schönste Darstellung der dreitheiligen Form. Die Erfindung kommt beim Sh-Ländler jedenfalls vom Instrumentaltanz; das beweist die Variabilität der Textunterlage und die Verwendung beim textfreien Jodllied[1]. Die Form als getänzten Tanz nachzuweisen vermag ich nicht, bezweifle aber nicht, dass dies möglich sei. Die einfachste Tanzbewegung müsste so aussehn: Ecksätze gewalzt, Mittelsatz getreten mit éinem Pas nach links, éinem nach rechts; die Figuration könnte in natura reicher sein.

Die Singweisen mit Dacapo im Bereich des Shs sind mit wenigen Ausnahmen Sechzehntakter. Die typische Form gibt das folgende Muster an.

Nh 42 (D) Dacapo-Sechzehntakter

Eine solche Weise hat also nur acht Takte laufende Melodie; das Übrige sind Wiederholungen. Der Unterschied von der zweitheiligen Weise mit Theilwiederholung[2] liegt darin, dass die Schlusswiederholung dort willkürlich und missbar, hier dagegen organisch nothwendig ist. Der

---

[1] Vgl. PJJ II 65; 155; 156; 158; 127; 6; III 15 f. usw.; K I 46 (Kehr-J.).
[2] Vgl. vorn S. 122 f.

zweite Melodie-Viertakter (B) ist bei den dreitheiligen Weisen nicht
schlussfähiger Nachsatz, sondern Mittelsatz, und fordert Weiterführung,
die er in dem Dacapo des Ecksatzes findet. Der Achttakter mit Nachsatz-
Wiederholung stellt gewissermaßen drei Halbe dar, die d.c-Weise aber
drei Drittel (oder mit Einrechnung der Stirnsatz-Wiederholung vier Drittel).

Der Ecksatz ist selbstgenügender Lied-Achttakter. Er wird nicht
nur in der Form |: A :| gebildet, sondern gern auch als A₁ A₂ nach Art
der 3.3.3.1-Weisen, nämlich mit mehrwerthiger weiterleitender Mittelcadenz
und vollbefriedigendem Schluss erst im achten Takt; oder sonst mit den
S. 116 ff. aufgezählten Abweichungen des zweiten Viertakters (vgl. K II 20).
Dem Ecksatz lässt sich stets ein Sh-Vierzeiler zwanglos unterlegen.
Machen wir die Probe mit Nh 42, dessen Texte schlichte Vierzeiler sind.

Statt |: Ecksatz :| Mittelsatz   Dacapo
               |: 1. ¹/₂Str :| 2. ¹/₂Str   1. ¹/₂Str   unterlegen wir so:

Einzelne Weisen werden denn auch in Varianten gesungen, bald der Ecksatz allein als zweitheiliger Achttakter, bald mit eingefügtem Mittelsatz als
dreitheiliger Sechzehntakter:

K 22 (F) ~ K 66 ~ PJJ II 120

PJJ II 127

Vgl. Nh 49 > 73; PJJ II 154 > 155.

Weisen mit organisch gefügtem Stirnsatz-Achttakter (A_1 A_2) entwickeln sich natürlich anders als die, die den Anfangs-Viertakter streng
wiederholen (|: A :|); entweder das Dacapo erstreckt sich auf den ganzen
Achttakter des Stirnsatzes wie bei dem eben angeführten PJJ II 127, dann
gewinnt die Weise einen Umfang von zwanzig Takten; oder häufiger:
das Dacapo, viertaktig, beschränkt sich auf den halben Stirnsatz, und
dann natürlich auf seine zweite Hälfte, da die erste nicht Liedschluss-
fähig ist[1]).

Der Eingangs-Achttakter einer zweitheiligen Sechzehntakt-Weise[2])
ist, trotzdem er mit der Tonica schließt und im Umfang genügen würde,
als Stirnsatz einer d.c-Weise unbrauchbar, weil er eine Antwort fordert,
also kein Fertiges, Schlussfähiges darbietet. Harmonienfolgen wie
T T D D | D D T T u. ä. kommen daher hier nicht vor. Vielmehr
sind die Stirnsätze der d.c-Weisen ausnahmslos abgeschlossene, in sich
gerundete Achttakt-Weisen. Sie setzen meist kräftig mit der Tonica-
Harmonie ein:

Stirnsatz |: T D D T :| oder noch breiter |: T T D T :|

seltener ist der Anfang über der Dominant (PJJ II 127[3])); Subdominant-
Eingang hab ich nirgends gefunden.

Die Mittelsätze bilden dazu in jedem Punkt den Gegensatz. Sie
sind an beiden Enden anlehnungsbedürftig, sind richtige Zwischenglieder.
Sie haben meist keinen melodischen Fortschritt, sondern bevorzugen den
Aufbau in zwei Parallelgliedern, ohne Ausnahme über den Harmonien:

Mittelsatz   D T, D T

also mit der Nebenharmonie im Eingang; dazu mehrwerthige, also Abschluss-
unfähige rhythmische Cadenz. Tritt zu alledem noch Modulation in der
Weise ein, dann bleibt der Mittelsatz auch harmonisch unfertig, weil nun
Rückkehr in die Haupttonart erwartet wird. Die Modulation geht stets
nach der Dominant-Tonart, derart, dass der ganze Mittelsatz in der neuen
Tonart steht und das Dacapo wieder in der Haupttonart einsetzt.

Diese Merkmale treten nicht immer alle in éiner Weise vereinigt
auf; dessen bedarf es auch nicht, um die angestrebte Wirkung zu erreichen.
Ich geb zwei Beispiele.

---

[1]) Vgl. K 46 auf der nächsten Seite.
[2]) Vgl die Muster auf S. 126 f.
[3]) Mitgetheilt vorn S. 190.

Nh 75 (*G*) |: A :| b b | A

K 46 (*D*)   A' A | a₂ a₂ | A   (Spaltglied-Weise)

Die **Texte**, die auf die beschriebenen Weisen gesungen werden, sind sehr ungleich. Wir müssen auseinanderhalten: Texte, die ihre Form aus der Erkenntnis des Aufbaues der Weise gewonnen haben, und solche, deren Erfinder in der d.c-Weise nur die Längenausdehnung, den Sechzehntakter sehn.

Auch gut gebaute Texte decken sich nicht immer genau mit ihrer Weise. Der Grund hiefür liegt in der Wesensverschiedenheit des sprachlichen und musikalischen Baustoffs. Wiederholungen eines Weisentheiles verlangen nicht nothwendig Wiederholung des entsprechenden Textstücks; metrische Gleichheit inhaltlich verschiedener Textstücke, d. h. gleiche Periodenlänge, gleiche Cadenzform, wird als befriedigende Antwort auf die Weisen-Wiederholung empfunden. Daraus geht hervor, dass dreitheilige Texte óhne Dacapo (Form: Stirnsatz, Mittelsatz, Schlufssatz) ebensogut zu d.c-Weisen passen wie Texte mít Dacapo (Form: Ecksatz, Mittelsatz, Dacapo); weiter, dass die Strophenlänge variabel ist, je nachdem, wie weit die Wiederholungen in der Weise im Text nachgebildet sind. Dás Merkmal, an dem die Zusammengehörigkeit von d.c-Weise und dreitheiligem Text am deutlichsten erkennbar wird, ist das Vorhandensein eines Mittelsatzes auch im Text. Hier besteht er fast immer aus einem mehrwerthig cadenzierenden Reimpaar; er hat also mit dem Mittelsatz der Weise deren charakteristische Eigenschaften gemein: Parallelgliederung und Fehlen der Liedschluss-Cadenz. Auch Gegenwirkung zu den Ecksätzen durch rhythmische Mittel finden wir manchmal.

		Text	Weise
K 133 Kehr-Str[1])			
ǀ: *muass mǎr ǎ, muass mǎr ǎ blaue hósn mǎchn lǎssn ǎ!*		ǀ: a^1 a^1 :ǀ	ǀ: A :ǀ
blaue hósn, grüene bándl,		b^2	B $\{$ b
und meiñ schǎts hoaßt Mariandl, —		b^2	b
muass mǎr â, muass mǎr â blaue hosn mǎchn lǎssn â!		d.c	d.c
K I 28 = 29			
überfürn! überfürn! schréit di kloañ fischerdirn,		a^2 a^2	A'
überfürn! überfürn! schreit di kloañ dian.		a^2 a^1	A
i muass zün búabn heut,		b^2	B $\{$ a
weil ěr mi gǎr so gfreut:		b^2	a
überfürn! überfürn! schreit di kloañ dian.	d.c:	a^2 a^1	A
Nh 75[2])			
ǎbr i fǎr, ǎbr i fǎr, ǎbr i fǎr mit der póst,		x a^1	ǀ: A :ǀ
ǎbr i frǎg, ǎbr i frǎg, ǎbr i frǎg nit, wǎs s kostt;		x a^1	
spǎnn meine zwǎ rösslǎn ein,		b^2	B $\{$ b
postknecht wer' i sölber sein, —		b^2	b
ǎbr i fǎr, ǎbr i fǎr, ǎbr i fǎr mit der post.	d.c:	x a^1	d.c

Drei Lieder in ausgesprochener Dacapo-Form, alle drei gleichen Umfangs, und doch keins dem andern gleich. Gleichartig sind nur die Mittelsätze: Reimpaare mit mehrwerthigen Cadenzen. Der mehrwerthige Mittelsatz-Schluss fordert eine Weiterführung und findet sie in der Wiederholung des Stirnsatzes. Anders als bei dem Lied *Lisertál* ist also hier das Dacapo organischer Bestandtheil auch des Textes allein. *Muass mǎr â* ist als Dacapo-Séchzeiler zu betrachten, die beiden andern als Achtzeiler.

---

[1]) Meine Textfassung weicht von der Kohls unwesentlich ab; auch die Weise hört ich mit kleinen Abweichungen singen.

[2]) Die Singweise ist mitgetheilt vorn S. 192.

Rotter, Schnaderhüpfürhythmus.   13

Der Vergleich der Stirnsätze der drei Lieder ergibt, dass *muass mär â* mit wörtlicher Wiederholung die strenge Form |: A :| genau wiedergibt; dass *überfürn* den Wiederholungs-Achttakter mit rhythmisch weiterleitender Mittelcadenz A' A geradezu copiert; während *âbr i fâr* der Wiederholung in der Weise fortlaufenden Text unterlegt.

Die Contrastierung des Mittelsatzes gegen die Ecksätze, die wir schon bei den Singweisen hervorgehoben haben, sehn wir auch bei den Texten schön nachgebildet. Die mitgetheilten Texte sind alle drei Spaltvers-Formationen. Bei *muass mär â* liegt der Gegensatz nur in den Cadenzen: lauter 1v der Ecksätze gegen die 2v des Mittelsatzes:

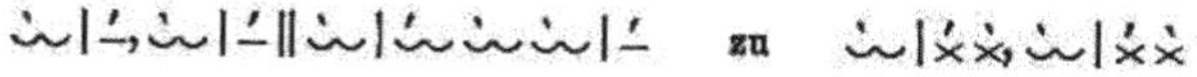
zu

Noch schöner ist die Gegenwirkung bei den beiden andern Liedern, besonders bei *âbr i fâr*: hier steht den Spaltversen der Ecksätze das Reimpaar des Mittelsatzes mit ungegliederten Kurzversen gegenüber, einsilbige Cadenzen der Ecksätze stehn gegen dreisilbige des Mittelsatzes, auftaktige Verse gegen auftaktlose:

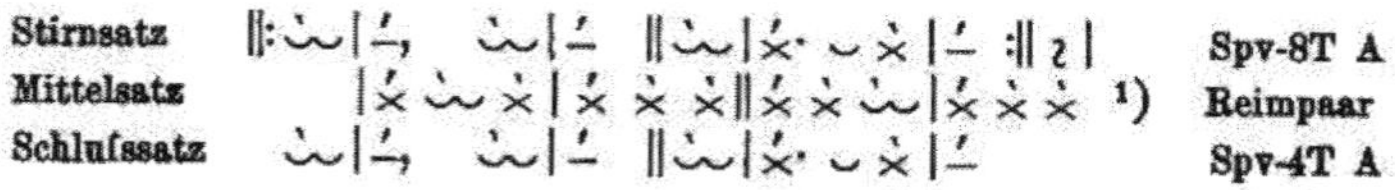
Stirnsatz
Mittelsatz
Schlufssatz
1)
Spv-8T A
Reimpaar
Spv-4T A

Auch Achtzeiler ohne jede Text-Wiederholung können sich mit einer Dacapo-Weise gut vertragen, wenn sie dreitheilig gebaut sind. Das zeigen die drei Lieder Nh 105, deren Singweise eine Verwandte von *âbr i fâr* (Nh 75) ist.

Nh 105 (*G*)

fine
T T D T
da capo
D T D T

[1]) Über die Taktsprengung vgl. Cap. 8.

Nh 105, 1 [1])

> bin gångän, bin gångän   umädum um äs haus,
> gêt ninderšt, gêt ninderšt   a plánknbrett aus;
> der åne kånn einěgên,
> i muass heraußn stên;
> könntn an nit di augn,   di augn übergên?

Die ursprüngliche Form dieser drei Lieder ist Neubayrisch, wie ich im vorausgehenden Capitel gezeigt hab.

Zu einer d.c-Weise muss auch der Sechszeiler *dirndl, mei⁻ dirndl* gehören, der bei GK ohne Singweise überliefert ist. Er bietet uns abermals eine neue Textgestalt für den gleichen Rahmen.

GKS I 76, 1

> |: *diandl, mei⁻ diandl*   *såg, håst frischn muat?* :| [2])
> *båld mär an åndän mågst*
> *und mi nit s erštn frågst:*
> *diandl, mei⁻ diandl*   *snach geats dia nit guat!*

Man singe diesen Text versuchsweis zur Weise Nh 105, die auf der vorigen Seite mitgetheilt ist.

Wir haben nun von dén Liedern zu sprechen, die dreitheilige Weisen und zweitheilige Texte vereinigen. Auch schlichte Vierzeiler können einer d.c-Weise sinnvoll untergelegt werden, wenn der Sänger Stirnsatz-Wiederholung und Dacapo genau nachahmt. Diese Gestalt haben die Texte zu Nh 42 [3]). Nh 42 ist ein Unicum. Singweise und Texte gehören sicher nicht ursprünglich zusammen. Wir suchen dieselben Vierzeiler unter gewöhnlichen Achttakt-Weisen und finden sie auch dort [4]).

Anders und reizvoller ist der Text des hübschen Salzburger Lieds [5]) *a kloañverdråts vogerl* behandelt, das Kohl mittheilt. Hier ist vom Text nicht mehr verlangt, als er gern leistet: er hat den Stirn-Achttakter der Weise zu füllen und seine zweite Halbstrophe wiederholend das Dacapo; der Mittelsatz aber bleibt Zwischenspiel und wird gejodelt.

---

[1]) Vgl. vorn S. 176 f.

[2]) Die Wiederholung ist bei GK nicht angegeben; bei nur textlich überlieferten Stücken ist das die Regel.

[3]) Singweise, Strophenschema und erstes Gesätz sind auf S. 189 f. mitgetheilt.

[4]) Nh 42, 2 ∼ Ll 21 a, 3.

[5]) Ich seh keinen Grund, warum Kohl das Lied, das er in Leogang gehört hat, für Tirol in Anspruch nimmt; es werden auch viele andre Salzburger Lieder 'auch in Tirol bekannt sein'!

13*

K III 8, 1 ¹) ²)

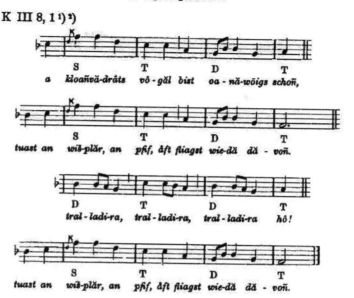

Solchen feinen Einfällen steht dann wieder ganz Ungehobeltes gegenüber. Für den Formsinn der Alpenbewohner ists ein gutes Zeichen, dass
zu dreitheiligen Singweisen zweitheilige Texte nur selten überliefert sind.
Die Überlieferung kann in diesem Fall wohl als ein treues Bild der wirklichen Verhältnisse betrachtet werden, denn es ist nicht anzunehmen, dass
die Herausgeber, bei ihrer großen Naivetät allen formalen Dingen gegenüber, ein Lied aus formalen Bedenken zurückgelegt hätten.

In den zwei großen Weisensammlungen stehn nur vier Nummern, wo
die Texte der Weise mit der Schneider-Elle angemessen sind. Der Möglichkeiten sind da mehrere; aber im Grund ists immer das Gleiche: die Dacapo-Weise wird als viertheiliger Sechzehntakter aufgefasst und auf irgend
eine, rein äußerliche Art mit vier Langzeilen versehn. Erträglich ists
noch, wenn die vier Langzeilen wenigstens zu éinem Lied gehören. Nh 73
setzt die zwei Langzeilen jedes Vierzeilers erst in grader, dann in ver-

---

¹) Das Lied ist nach Kohls Aufzeichnung im 'Landler'-Rhythmus gesungen
worden, der durch Dehnung jedes dritten Viertels das Sh in graden Takt umsetzt:
×|××−|××−|...; vgl. dazu Cap. 8.
²) K III 8 ist kein Mehrstropher. Gs 1 und 4 sind Einstropher, die Gss 2 und 3
bilden eine Doppelstrophe.

kehrter Reihenfolge, mit bewusster Scherzabsicht. K 146 ist ein aus Einzelliedern zusammengestoppelter Mehrstropher, der wenigstens mit einem geschlossenen Achtzeiler beginnt. Alexander Baumanns *zu dir ziagts mi hin* (Nh 139) übergeh ich mit Schweigen, und bemerke nur, dass seine 'gefühlvollen' Vierzeiler auch zu einem schlichten Achttakter gesungen werden (K III 19). Aber was soll man sagen, wenn ein Sänger einfach Shh hernimmt, landläufige Waare, wie sie ihm einfällt, und sie paarweis wie arme Negersclaven in die Ketten einer dreitheiligen Weise steckt und so vor sich hertreibt (K II 20). Da könnt es einen nicht wundern, wenn ihn nach dem fünften oder siebenten Gsätzl das Gedächtnis verließe und er mitten in der Weise aufhörte! Ein Trost ists, dass diese Singart von Shh „nur noch ab und zu" in Nordtirol verbrochen wird (Kohl).

Die Normalform der Dacapo-Bauten ist der Sechzehntakter. Als Abarten der Normalform, nicht als selbständige Formen, sind die Dacapo-12- und 20-Takter zu betrachten; sie bauen mit Perioden gleiche Art und weichen von jener nur in Zahl und Umfang der Wiederholungen ab. Abseits vom Sechzehntakter dagegen steht ein Dacapo-Achttakter, den die Sammlung von Kohl enthält. Es ist die einzige dreitheilige Achttakt-Weise, die ich kenn. Die Bausteine sind hier nicht Viertakter, sondern Zweitakter. Die Weise hat keine schönen Körperverhältnisse: Kopf und Fuß sind zu klein gerathen (2 T), während der Mittelsatz normale Größe hat (4 T). Textunterlage ist eine Liederreihe mit schlichten, zweitheiligen Vierzeilern. Die Weise geht meiner Meinung nach auf einen missverstandenen zweitheiligen Achttakter mit Schlusswiederholung zurück: Nh 98 (vgl. unten S. 204 f.).

K II 16, 1 (C)

schöane schwoagrin stê   auf,

es   sin - gen di schwdl^bm, es   strei - chn di gams-

-lan schon her   ü-ber d âlm.

Dass die d.c-Form auch beim Mehrstropher angewendet wird, kann uns nicht überraschen, wenn wir bedenken, dass das nicht-improvisierte

Lied überhaupt zu complicierteren Formen neigt. Hierher gehören K 20; 24; 46; 49. Diese zum Theil stark ans Liedertafel-Tirolerthum ge- mahnenden Lieder haben alle künstliche, schöngebaute Strophen mit Jodl- Einschüben und heben sich dadurch merklich ab von den erst besprochenen Einzelliedern. Als Beispiel geb ich die erste Strophe des Blattl-Lieds *o wia lustig is*, dessen Singweise bereits mitgetheilt wurde (S. 192). Strophenform: 5 Z = 16 T!

Als letztes nenn ich das Kinderlied *draußn auf der grüenen au*. Es nimmt eine Ausnahmstellung ein und ist sicher nicht auf dem Ländler-Sh-Boden gewachsen.

------

[1] â: in.   [2] [3] stehn auf der Nebenseite.

Das Lied ist ein Mehrstropher und entwickelt sich, da der stets gleich bleibende Ecksatz nach jedem neuen Mittelsatz einmal wiederholt wird, zum Rondo: A A B A C A D A ... Dem Mittelsatz

Str 2 *wås ist auf dem åst?*	Str 3 *wås ist in dem nöst?*
a wunderschiånes nöst.	*a wunderschiånes ei.* usw.

folgt das hastig geplapperte Schaltstück, das an Umfang immer zunimmt, indem alle erfragten Gegenstände in umgekehrter Reihenfolge aufgezählt werden.

Die dreitheilige Form der Singweise hat bei diesem Lied gar keine metrischen Stützen im Text: keine Gegenwirkung der Versformen, der Cadenzen; und der Reim fehlt gänzlich! Und doch ist die Gliederung der Strophe ungemein lebendig. Das wird, ohne formale Hilfen, nur mit poetischen Mitteln erreicht: der thatsächlichen Mittheilung des Ecksatzes *draußn auf der grüenen au steat a birnbam, trågt laub* setzt der Mittelsatz jeder Strophe Frage und Antwort entgegen.

Eine andre, seltene Erscheinung ist die, dass die Wiederholungen im Text genauer durchgeführt sind, als in der Weise: der Text lässt die überhängende Mittelcadenz des Stirnsatzes ungefüllt (*fiděró!*); die Weise beginnt das Dacapo mit der Terz statt mit der Tonica.

Ungradzeilige.

Fünfzeiler. Erweiterung der Form durch Gliedverdopplung.

Bei den Fünfzeilern liegen die Verhältnisse wesentlich anders als bei den Sechszeilern. Dreitheilige Fünfzeiler sind vorstellbar[4]), doch ist mir kein Zweitakter-Einstropher dieser Form bekannt. Es handelt sich vielmehr fast ausschließlich um äußerliche Aufschwellung der Vierzeiler-Strophe,

---

[2]) Ganz ungewöhnlich sind Rhythmus und Reim am Strophenschluss:

Das hat sicher seinen Grund in der Gelegenheit, bei der das Lied entstanden ist. Christian Blattl, der Bauern-Dichtercomponist in St. Johann i. T. hat es seinen von Viehseuche und Missernte schwer heimgesuchten Landsleuten zu Trost und Ermunterung erdacht und gesungen (Kohl).

[3]) Die Frage des Mittelsatzes wird wohl, wie der Schaltsatz, mehr gesprochen als gesungen; dadurch ist die auffällige Verkürzung zu erklären.

[4]) Vgl. die Fünfzeiler in Neubayrischer Form (oben S. 177) und den Fünfzeiler-Mehrstropher K 46 auf der vorigen Seite.

um zufällige Spiel- und Sprossformen, aus denen man allemal den Vierzeiler vorschaun sieht. In den meisten Fällen ist die schlichte Strophe unter den Varianten in den Sammlungen zu finden.

Nirgends wird die Wahrnehmung, dass die Singweise Formgeberin ist, deutlicher bestätigt als hier.

Der Musik überhaupt eignet die Vorliebe für Wiederholungen; bei der Volksliedweise gehören sie gradezu zum Wesen. Aber nur die Wiederholungen sind tanzmäßig, die sich im Rahmen der Tanzperiode halten. Das Lied, das keinen directen Zusammenhang mit dem Tanz mehr hat, kann sich, eines gerngetragenen Bandes ledig, freier bewegen; doch gar weit entfernt es sich auch dann nicht, solang es Stil hat. Tanzmäßig und Liedhaft sind nicht gegensätzliche Begriffe, sondern nahverwandte, so zwar, dass der Begriff Tanzmäßig den Hauptinhalt des Begriffs Liedhaft bildet, wenn das formale Moment in Frage steht.

Untanzmäßig ist der nicht in viertaktiger Periode gebundene Zweitakter; untanzmäßig ist also eine Theilwiederholung wie diese[1]):

K 169[2]) (G)

T   T,   D   T;   T   T,   D   T

In solchen und ähnlichen Wiederholungsbildungen, Gliederverdopplungen ist der Anstoß zum Bau fünfzeiliger Strophen zu suchen. Die Wiederholung mag den létzten Zweitakter der Weise treffen wie oben, oder den érsten (Nh 98 ~ 99); sie mag notengetreu sein oder variieren (Nh 43): der Rahmen für eine größere Strophe ist gegeben. Zunächst läuft natürlich mit der Verlängerung der Singweise die des Textes gleich; es kann aber auch eine wirkliche Erweiterung der Strophe unter wiederholtem Weisenglied eintreten (Nh 98 ~ 99, 2 und 4) und das Umgekehrte (Nh 43). Ganz selten einmal liegt die Ursache der Abweichung vom Gewohnten am Text (Ll 24). — In keinem Fall sitzt die Verlängerung organisch wirklich fest, also, dass man eine neue Strophenform 'den Fünfzeiler' ansetzen dürfte; die Individuen bleiben für sich, jedes dem andern so sehr ähnlich als unähnlich; zur Gattungsbildung kommt es nicht. Wir haben hier im Kleinen schon das Bild des Kunstlieds.

---

[1]) Mit HRiemanns Ausdruck eine 'zweitaktige Schlussbestätigung'.

[2]) K 169 ist textlich eine Mehrstropher-Contamination und wird später nicht mehr genannt. Seine Strophe ist der Sh-4Z mit unorganischer Whlg des letzten Kv.

Die Frage liegt nah, ob die Rahmen-Erweiterung des Lieds nicht doch irgendwelche Entsprechung beim Tanz habe und also tanznäher wäre, als ich es darstellte. Darauf ist zu antworten: Die ländlerischen Tänze wiederholen nur ganze Gesätze, nie Gesätztheile; sie bauen die Gesätze nie durch Gliedverdopplung aus. Mit dem einzigen freien Zweitakter, der beim Ländler vorkommt, mit dem 'Ausgang' steht es so: der Ausgang [1]) steht außerhalb der Gesätze, gewissermaßen außerhalb des Tanzes; er ist gar nicht Tanzmusik, sondern Mittheilung an die Tänzer (dass es nun zu End ist); er gehört nicht zum Einzelgesätz, sondern zur ganzen Tanzsuite. Ein solches Glied ist nicht geeignet, die Liederfindung im Sinn der Gesätzerweiterung zu reizen. Ich weiß nur ein einziges Stück mit fünfzeiliger Strophe, dessen Weise mich an einen Ländler mit Ausgang erinnert: *bein kolnbrennerhüttlan* (Nh 184 ∼ 141; s. unten).

Die Liedverlängerung ist an bestimmte Singweisen gebunden, aber nicht einmal an die ganz fest. Wir können also schon hier, noch im Gebiet des Volkslieds, nicht mehr gattungsmäßig vorgehn, sondern müssen jede Verwandtschaftsgruppe für sich betrachten. In denen nun geht alles durcheinander: Guterfundenes steht neben Einfältigem, Hölzernes neben Gedrechseltem.

Die Erscheinung, von der wir sprechen, liegt außerhalb des Volksliedmäßigen, dessen, was man mit gutem Grund so nennt. Wir stehn hier in einem Grenzgebiet, wo Merkmale von der einen und von der andern Seite zusammentreten. Ähnliches gilt für den großen Kreis von Liedcompositiónen, die man nicht und nie Volkslieder nennt, obwohl man in ihnen die feinempfundene Volksliedstimmung erkennt und hervorhebt.

Es ist John Meiers Verdienst, dass er unklare Begriffe eingerenkt und gradgerichtet hat, dass er gegen die Forschung, die bloß mit Gefühlen arbeitet, Thatsachen setzt, wichtige, beachtenswerthe. — Jeder, der auf dem Boden der Polemik steht, läuft Gefahr den Bogen zu überspannen, und irrt, wenn er glaubt, dass in dem Standpunkt, den er aus kampftaktischen Gründen einzunehmen getrieben war, die volle Wahrheit liege. Es gibt Gefühle, die sich bei der Betrachtung der Dinge immer wieder und ungerufen einstellen. Diese Gefühle dürfen nicht missachtet werden: sie zeigen, wo die Schnitte zu machen sind, die die reichsten Ergebnisse liefern. Diese Gefühle sind es in erster Linie, die den Forscher zur Untersuchung anregen, die ihn fähig machen zur richtigen Fragestellung. Für das Volkslied scheint mir die Sache so zu liegen: Es war nothwendig, die Fäden zu finden, die sich zwischen Künstlerwerk und Volksüberlieferung spannen. Sie müssen weiter verfolgt werden, bis das Geflecht ganz klar erkannt werden kann. Die létzten Fragen aber dürfen das nicht sein. Eine Volkslied-Composition Schuberts und eine von einem Bauernburschen werden nicht gattungsgleich dadurch, dass sie beide 'volkläufig' sind. Jungbauer[2]) weist mit Recht darauf hin, dass 'Volkläufig-

---

[1]) Vgl. Anhang Ll IX und X.
[2]) Das deutsche Volkslied (Zschr), Jg 14 (1912), S. 28.

keit' kein homogener Begriff ist, dass die Volkläufigkeit verschiedener Lieder gar nicht gleichartig zu sein braucht. Ich wend mich ganz besonders gegen JMeiers Behauptung, „principiell sei jede Fassung eines Volkslieds in gleicher Weise die richtige". Das Volk selbst ist nicht dieser Ansicht, wie jeder tieferschürfende Sammler erfahren haben wird. Ist das so, dann darf der Forscher aus eigener Machtvollkommenheit diese Behauptung nicht anstellen. Hier handelt es sich nicht um Naturgesetze, die einfach festzustellen sind, auch gegen jeden Widerspruch des Unverstands, sondern um bestehende Menschen-Urtheile: die können nicht decretiert, die müssen aufgesucht werden. — Das Volkslied ist ein Stück Menschenkunst; die letzten Fragen, die man an es zu stellen hat, sind also stilistischer, sind ästhetischer Natur, und ich bin überzeugt, dass die endgültige Antwort der verpönten romantischen viel näher stehn wird, als der modernrealistischen. Die culturhistorische Verwerthung des Gegenstands liegt auf halbem Weg; die Wesensfrage ist: was an ihm gefällt.

Ich sagte, bei den hier zu besprechenden Liedern mischten sich Merkmale des Volksmäßigen und des Kunstmäßigen. Öfter hab ich darauf hingewiesen, dass beim Kärntnerlied die Entwicklung zum Kunstmäßigen am weitesten vorgeschritten sei[1]). Die interessantesten von den hergehörigen Liedfassungen sind Kärntner Herkunft. Es ist nicht unwichtig, dass eines dieser Lieder (Nh 43, 1. 2) als die Erfindung einer adeligen Dame bezeichnet wird[2]), eines Mädchens, das gewiss Clavier spielen konnte und ihren Schubert gesungen hat. Es drängte sie, ihrem Herzen in Moll Luft zu machen. Da hilft auch die wahr empfundene, mundartlich taugsame Dichtung nichts; das Ganze kann, je nach Geschmack, ein gutes Lied sein, ist aber sicher ein ganz schlechtes Volkslied. Und seine Volkläufigkeit? Man lese Neckheims und Pommers Vorrede, und man wird nachdenklich werden.

Die folgende Betrachtung wird Herrn Blümml zeigen, wie unendlich verschieden in der Form Lieder sein und gemeint sein können, die einander äußerlich ähnlich sehn.

Die *verpantKuckuck*-Weis[3])

Ich stell mir das Verhältnis dieser Lieder so vor:

Gruppe A: Nh 98 ∼ 99

Nh 98 ist die 'Individualfassung' der Singweise; Eigentext ist Nh 98, 1. Wort und Weise sind zugleich und in einem Wurf erfunden; das geht aus der fehlerlosen Übereinstimmung beider hervor. Der Vierzeiler beginnt mit einem Ausruf, der in zwei syntaktisch ab-

---

[1]) Die große Quellensammlung österreichischer Volkslieder, an der jetzt gearbeitet wird, dürfte dieses Urtheil stark verschieben, wird ihm aber nicht ganz die Spitze abbrechen können.

[2]) Vgl. Nh S. X, Anm.

[3]) Die Lieder stehn auf S. 204 f. und sind quer über beide Seiten zu lesen.

geschlossenen Hälften die Eingangs- $\frac{1}{2}$Str füllt. Genau so die Singweise: jeder Ausruf ist ein Sätzchen für sich, auf der Tonica endigend; das erste Sätzchen, mit ausdrucksvoller Randlinie, bietet sich gradezu an zur Schlusswiederholung; das zweite lehnt sich in der Melodie an das erste an, sodass beide zusammen dóch ein größeres Ganzes bilden. In der zweiten Halbweise ist die Fügung enger: der Schritt ST verlangt Erwiderung und findet sie in dem Schlußschritt DT. Der Text gibt dazu wieder zwei Hauptsätze, dem Gedanken nach eng verknüpfte. Besonders gut gelungen ist der vierte Zweitakter der Weise: er ahmt den entsprechenden Theil der ersten $\frac{1}{2}$Ws nach und steigert wirksam, indem er dessen Figur in der Lage des Terzüberschlags beginnt. Die Wiederholung des Stirn-Zweitakters schließt in Weise und Text geschickt an und erzielt einen ausgezeichneten Schlusseffect.

Die Texte sind Vierzeiler-Erfindungen, die unter der Singweise ohne innern Zwang zu locker gefügten Fünfzeilern werden; die fünfte Zeile ist, auch wenn sie nicht ganz wörtlich wiederholt (Gs 4), Zusatz, nicht organischer Strophentheil. — Die vier Gesätze der Nh-ischen Aufzeichnung bilden eine Liederkette. Auf den wahrscheinlich erst vom Herausgeber durch Zusammenstellen[1]) und Ordnen der Gesätze hergestellten novellistischen Fortschritt geb ich nichts; wichtig dagegen ist das Festhalten eines poetischen und eines Formmotivs, nämlich des Kuckuckbildes und des u-Reimklangs.

Eine Variante der Singweise über den gleichen Texten gibt Nh 99. Diese „einfachere Form" ist nicht zugleich als die ursprüngliche zu betrachten; wir haben es hier vielmehr offenbar mit einer jüngern Fassung zu thun: die Weise hat in der mündlichen Überlieferung gelitten. Weniger Gewicht ist zu legen auf die minder geschickte Stimmführung des Eingangs; beweisend aber ist die unbeholfene, gradezu falsche Melodieführung: im 5. Takt verliert die Melodie ihre herrschende Stellung, der Überschlag wird vorübergehend Hauptstimme. So etwas kann nur geschehn, wenn eine Singweise bereits Mehrstimmigkeit gewonnen hat und so weitergegeben wird; nur in diesem Fall kann über den Verlauf der Hauptstimme Zweifel entstehn. Volksliedweisen werden aber éinstimmig erfunden und kennen keine andre Mehrstimmigkeit als die nachträglich Stimme für Stimme zugesetzte, ursprünglich improvisierte[2]).

---

[1]) Die mehrgesätzigen Nummern der Nh-Sammlung und aller ähnlichen beruhn selten auf einheitlicher Überlieferung (vgl. Nh³ S. VIII).

[2]) Die Parallele mit den Anfängen der Mehrstimmigkeit im frühen Mittelalter liegt so nah, dass sie nur angedeutet zu werden braucht.

Nh 98

1. du ver-pan-ter gug - gu! wia schean sin-gĕn kǎnnst du!
4. und der vo-gl gug - gu is a greimter vo - gl;

Nh 99

Nh 37 (D)

1. dǎ draus - sn in wǎld schreit der vo - gl gug - gu:
3. a lus - ti-ger bua braucht gǎr oft a pǎr schua,

Nh 39 (C)

3. bin nix reich, bin nix schean, wia werd s mir a - mǎl gean?

K 155 (B)

1. o du schlaucher gug - gu, wia schean sin - gĕn kǎnnst du!

K II 16 (C)

1. schöane schwoagrin sté auf,

Die Liedweise wandert und neben die erste Gestalt treten neue, mit gröberen Knochen freilich, aber fertig, sinnvoll alle. Darin liegt ein ganz wichtiger Unterschied in der Überlieferung zwischen Weise und Wort, dass eine Singweise niemals zum Unsinn zersungen wird, was die Liedtexte fast regelmäßig leiden müssen. Merkwürdig: die Logik der Worte, die uns gedanklich zu fassen so leicht ist, wird so oft über den Haufen geworfen, die Logik der Musik aber, die so gedankenfern, so ungreifbar scheint, gegen sie verstößt der Einfältigste nicht.

wia schean singst du in wåld, du ver - fü - rěst mi båld, du ver - pan-ter gug - gu!
und bei mir und bei dir wird di liab nia ro - gl. du ver - pan-ter gug - gu!

gê dian-dle, kumm ei - nă, du sau-weib-le du! gug - gu! gug - gu!
åbr a trau - ri - ger nårr håt går lång auf an pår. der nårr! der nårr!

mit n lia - běn al - lån wer i s å nit der - tån.

fürst mi aus-si in wåld, jå du ver-fü - rěst mi båld.

es sin - gen di schwål▭m, es strei - chn di gams - lan schon her ü-ber d ålm.

¹) Perioden wie diese zeigen, wie H Riemann zu seiner von mancher Seite sehr n
Unrecht belächelten Phrasenbezeichnung durch sich kreuzende Bögen gekommen ist: ▪
sind ohne Kreuzbögen überhaupt nicht bezeichenbar. (Die erste Halbperiode reicht hi
bis zum a² des 2. Takts, die zweite beginnt aber schon mit dem f².) Da ich beim Note
Typensatz weitgespannte Bögen vermeiden muss und Kreuzbögen nicht zur Verfügu
hab, muss ich solche 'übergreifende' Perioden unbezeichnet lassen.

Gruppe B: Nh 37 ～ 38 ～ 39 der 1. Aufl., das ist 37 ～ 37 b c ～ 39 der 2. und 3. Aufl.

Die beiden Gruppen haben in der Melodie an keiner Stelle genaue Übereinstimmung, und doch wird niemand zweifeln, dass bei den Weisen der B-Gruppe Klangerinnerungen an A wirksam waren. In erster Linie ist es das charakteristische Einleitungssätzchen von A, das, zwar in neuer melodischer Wendung, aber mit gleicher Harmonie-Entwicklung und in gleicher Function auftritt; dann am Weisen-Ende das Einmünden in die Wendung des Eingangs; endlich die Schluss-wiederholung. Nicht festgehalten ist der Zwilling des Eingangs-Zweitakters von A; B ist um das ärmer, bringt es aber dafür zu einem neuen Schlusseffect: die doppelte Schlussbestätigung als Echo. Man sieht, die Erinnerung an die Verlängerung der Weise haftet noch, sie ist Ursache der schönen Neubildung. Die Vierzeiler machen das Echo mit, wiederholen aber nicht das Reimwórt, sondern nur den Reimkláng. Die *guggu*-Texte (Nh 37) helfen der Singweise Form-halten; werden ihr fremde Texte untergelegt, so verliert sie die Schlusswiederholung (so Nh 37 b, c) oder versimpelt ganz: Nh 39 biegt im 6. Takt in einen Formelschluss ein und hat also von der form-gebenden Weise nichts mehr bewahrt als den Anklang an den Lied-anfang.

Gruppe C: K 155; K II 16.

Zwei Fassungen der *verpant Kuckuck*-Weis sind aus Tirol überliefert; sie bekräftigen das Gesagte. K 155 verkoppelt die A- und die B-Fassung, indem es seine erste $1/_2$Ws nach B, die andre nach A bildet. Die Weise ist mit ihrem Eigentext gewandert (K 155 ～ Nh 98, 1), hat aber die Schlussverlängerung verloren. Umgekehrt ists bei K II 16 gegangen: hier hat dem Sänger nur mehr das Einleitungs-sätzchen im Ohr geklungen und seine Wiederkehr am Weisen-Ende; da ist bei ihm ein Dacapo-Achttakter mit zweigliedrigem Mittelsatz draus geworden (vgl. oben S. 197). Wieder ist ein Gedächtnisfehler Ursache einer Neuschöpfung geworden; dem Vorbild kommt sie an Reiz freilich nicht gleich.

Die thränende Liebesjammer-Weis [1]

In dem Lied Nh 43, 1. 2 hat ein adeliges Fräulein ihren Liebesschmerz gesungen; im Volkston; die Singweise ist eine groteske Parodie aufs Kärntnerlied; — eine Warnung? Zu vergleichen ist das weichliche 'echte' Nh 44. Nh 43 bewegt sich im Moll (!), moduliert in die Durparallele (!)

---

[1] Vgl. vorn S. 202.

und endigt in dieser, verliert also endgültig die Tonalität (!); durch eine zweitaktige Schlussbestätigung schwillt der Satz auf zehn Takte an. — Die Texte sind Vierzeiler.

Ll 7 (A)　　Die *vigl-vogl*-Weis

Die zwei Singweisen Ll 7 ∾ Nh 3 sind Darstellungen desselben Gedankens in gleicher Form: 10T durch 2t Schlussbestätigung; bei Nh 3 ist die Schlussbestätigung tongetreue Wiederholung.

Die Texte, durchaus Vierzeiler-Erfindungen, füllen diesen Rahmen auf verschiedene Art.

Ll 7, 2 (∾ PH 1282 ∾ 1282 v: 4Zz) und Nh 3, 2 wiederholen den letzten Kurzvers ohne Veränderung.

Ll 7, 1 ∾ Nh 3, 1 ∾ PH 1196 ∾ H 608 erweitern dagegen die Strophe um eine wenigstens der metrischen Form nach organische fünfte Zeile. Das Gesätz scheint nur in der hübschen fünfzeiligen Gestalt zu wandern; gleichwohl muss es als Vierzeiler erfunden worden sein: der alte Langzeilen-Reim *wåld* : *kålt* ist nur versteckt, nicht verloren:

> Ll 7, 1[1])　*gea, diarndle, du muaßt m'r s z wißn måchn,*
> *wia d'r vigl vogl schian singg in wålt;*
> *gea, diarndle, måch s fénst'rl auf,*
> *mir is scho kålt [pån stean,*
> *diarndle, måch auf!]*

Ll 7, 3 (∾ PH 1807 ∾ Nh 138u: SpvStrr) ist eine Spaltvers-Strophe, deren Form der Singweise, der es hier untergelegt ist, direct wider- strebt: um ihren zehntaktigen Rahmen auszufüllen, zerdehnt der Sänger den Schlussvers auf die doppelte Länge, ohne sich daran zu stoßen,

---

[1]) Liebleitner (Lessiak) vernachlässigen noch mehr als sonst die Unterscheidung von consonantischem und vocalischem *r*. Schreibungen wie (7, 1) *m'r* für mir (sprich *må* oder *mår* oder *mr*?) sind unklar und hässlich; andre, wie (7, 1) *fénst'rl* sind phonetisch unrichtig, andre, wie (7, 2) *schwårzaugert* für -augicht (sprich -augŏt) überdies etymologisch falsch. Statt eine Mehrdeutigkeit zu beseitigen, ward eine neue hereingebracht.

dass er dabei den Grundrhythmus aufgibt und aus dem Ländlerisch-
Sarabandischen ins Walzermäßige geräth. Ein solches aus-dem-
Rhythmus-fallen gehört zum Hässlichsten; es ist für unser Volkslied
nicht typisch, sondern seltenste Ausnahme. Ich setz das schon früher
(S. 85) besprochene Gesätz noch einmal her, damit es bequemer der
Weise untergelegt werden könne; Schemata geb ich für den fraglichen
Vers zwei: das auf die Ll-Weise passende und das zu fordernde,
durch Nh 138 a [1]) belegte.

Ll 7, 3

wdm-mr júng sein, seim-mr hägglig, hägglig,
schau-mr nit an iade, nit an iade àn;
wdm-mr ált wern, wer-mr fróa sein,
wdm-mr-a weanig a tudl wern häbm.

Blümml (aaO. S. 38) fundiert auf den fraglichen Vers Ll 7, 3, seinen '3. Typus der
Sh-Verse', das ist der „vierhebig dipodische Langvers", auch „dipodische Langzeile"
genannt. Dagegen ist festzustellen: 1) Aus einer Ausnahme zieht man besser keinen
Gattungstypus. 2) Das Zusammenwachsen von Monopodien kann nur wieder Monopodien
ergeben. 3) Vierhebige Verse sind nicht eo ipso dipodisch: die Dipodie wird durch einen
besondern Formwillen erzeugt. 4) Ll 7, 3, (als 4 T genommen) ist dem Text nach nicht
dipodisch und wird es auch unter der Singweise nicht, am allerwenigsten dipodisch a
majore, wie Blümml annimmt, da die Singweise als voller Viertakter dem letzten Takt
absolut schweres Gewicht gibt. 5) Die Frage nach der Dipodicität eines einzelnen Verses
ist müßig. — Dass ganze Lieder mit ungegliederten Viertakt-Versen höchst undipodisch
sein können, zeige für die Sh-Gattung PH 1143a (mitgeth. oben S. 148): der Text mit
seiner Fülle von bedeutsamen Worten in fast allen Hebungen verbietet, Dipocität zu
statuieren, und die Singweise (Nh 111) mit ihrer Harmonienfolge: |: T T T D | D D D T :|
hebt in jedem Vers die letzten zwei Hebungen gleich stark hervor. Das Sh mit seinen
vielen Nebenhebungen hat einen zu schweren Schritt, um auch noch Hauptthebungen gegen-
einander abzuheben. Auch wo die Singweise Dipodicität zuließe (bei paarigem Harmonien-
gang), wird hackend, mit gleichstark betonten Hauptthebungen gesungen und gespielt (vgl.
A 31). Mir scheint es ein Fehler in der Fragestellung, beim Sh nach Dipodien zu suchen:
der Einzeltakt ist ja schon ein Zusammengesetztes, ist schon für sich eine Tripodie.

---

bei n kolnbrennerhüttlan

Nh 141 und 184 sind zwei Ländlerweisen, zwar nicht mit gleicher
Harmonienfolge, aber Weisen ganz gleicher Structur; je ein Tanzgesätz
für Holzbläser. Beide Weisen haben eine zweitaktige Schlussbestätigung
(Whlg), die notengetreu so von den Musikanten als 'Ausgang' gespielt
werden könnte. Besonders dadurch erinnert der Zusatz an einen Ländler-
Ausgang, dass er aus dem Schlusstakt des Gesätzes ohne Absetzen heraus-

wächst. Das Lied hat den 'Ausgang' des Tanzes nur dem Klang nach herübergenommen, nicht dem Sinn nach, denn es arbeitet ihn in das Einzelgesätz ein, Nh 184 wiederholt ihn sogar mit der zweiten Liedhälfte am Schluss jeder Strophe. Beide Weisen sind unsangbar; bei Nh 184 möchte man fast zweifeln, dass Worte darauf gesungen werden können. Die Textstrophen sind gradezu Textparodien auf die Tanzweisen; sie schmücken

Nh 141

Nh 184 ($\flat$: vgl. Nh 217, unten S. 211)

Nh 141, 1 *meiñ diĕndle is in Gràᵇmbắch,*
[in Gràmbắch, in Gràmbắch,]   Echo
[meiñ diĕndle is in Gràmbắch,]   Vers-Whlg
in Gràmbắch däham
[bei den hüttlan, den klan.]   Kehrvers

2 *bei n kolbrennerhüttlan,*   Nh 184, 1 *bän klan kolähüttlan,*
[bei n hüttlan, bei n hüttlan,]   *[hüttlan, hüttlan,]*
[bei n kolbrennerhüttlan,]   *[bän klan kolähüttlan,]*
[bei n hüttlan, en klan,]   *[hüttlan, den klan,]*
is dàs rắᵇmviĕh däham.   *is meiñ dirndle däham.*

2 *schleich i zän kolähüttlan,*
[hüttlan, hüttlan,]
[schleich i zän kolähüttlan,]
[hüttlan ằm ran,]
find i nit so bằld ham.

Rotter, Schnaderhüpfrhythmus. 14

eine Langzeile, wie ein Kind den Umriss eines Schattens nachzieht, in
möglichster Übereinstimmung mit den Motiven der Singweise so reich aus,
bis sie den ganzen Melodie-Zehntakter ausfüllt. Das ist die Art der
musikalischen Erfindung: so machts der Tonsetzer, nicht der Dichter.

klañverdrât is mir s gángĕn

Ll 24	*já klañverdrât is mr s gángĕn*	x	Singweise:	a	$\left.\right\}$ A₁
	bän brentlhüttnfenstĕr:	a		b₁	
	eine bin i s nit kŏm,	x		a	
	außn seint se nit gáng,	x		b₁	$\left.\right\}$ A₂
	dö vrflixtn mentschĕr!	a		b₂	

Ein merkwürdiger und seltener Fall. So hübsch das Lied ist: seine
Form bekams dadurch, dass der Erfinder nicht vermochte, den Gedanken
in den Rahmen des Vierzeilers einzufangen. Die zweite Halbstrophe
braucht zwei Parallelglieder als Vordersatz und besteht daher aus drei
statt zwei Kurzversen. Von einer besondern Kunstfertigkeit ist da keine
Rede. — Die Singweise kommt wie jede andre im 8. Takt zum Vollschluss
und muss dann noch eine Schlussbestätigung anfügen.

Hier ists also umgekehrt gegangen: der Téxt hat die Abweichung
des Lieds von der Normalform verursacht.

dirndle ruck, ruck

Das Gleiche gilt nach meiner Ansicht von dem Lied Nh 166.

Nh 84, 3

diandle rúck, ruck,   diandle rúck, ruck,
i rúck dir entgégn;
i wer dir a bussel gebm,
du wérst wol ans mŏgn.

Nh 166

|: *diandle rutsch her, rutsch her,* :|
und i rutsch dir entgegn;
und i wer dir a bussele gebm,
und du wérst wol ans mŏgn.

Nh 84, 3 ist ein schlichter Vierzeiler und steht unter einem schlichten
Achttakter; Vers 1 ist ein parallelgliedriger Spaltvers. Nh 166 hält die
Wiederholung im Eingang fest, nur bedient es sich eines silbenreicheren
Ausdrucks; aus Spv-2T wird |: Kv-2T :|; das Gesätz wird zum lockern
Fünfzeiler. Der Sänger von Nh 166 wählt áuch einen schlichten Achttakter als Singweise, dehnt aber der Textwiederholung zulieb die 1. Periode
aufs doppelte Maaß; beim 2. Kurzvers muss er sich überhasten, um am
$\frac{1}{2}$Ws-Schluss mit Wort und Ton gleichzeitig zum End zu kommen; die
zweite Liedhälfte hat normale Größenverhältnisse. Das Ganze ist eigen-
willig, mit unausgeglichenen Spannungen, temperamentvoll, — Individual-
schöpfung.

Der Leser möge die beiden Liedhälften genau vergleichen. Um die Bezüge recht deutlich zu machen, lass ich in der ersten $\frac{1}{2}$-Ws zwei Takt-striche weg und setz die Phrasenstriche wie bei einem $\frac{1}{2}$-8T; dem Schema füg ich die Auftakt-Harmonien ein.

Nh 166

T   D   Dₒ   T   t   D   dₒ   Tₒ

di andle rutsch her, rutsch her, di andle rutsch her, rutsch her, und i rutsch dir ent - gegn;

t   Dₒ   dₒ   T   t   D   dₒ   Tₒ

und i   wer dir   a bussele gebm, und du werst wol ans mögn.

dirndle, wo ligst denn

Unter dem Merkwort 'Fünfzeiler' muss noch dieses Lieds erwähnt werden. Hier fügen sich fünf Zeilen wirklich einmal in die Tanzperiode ein, ohne sie zu sprengen.

Nh 217   (♪: vgl. Nh 184, oben S. 209)

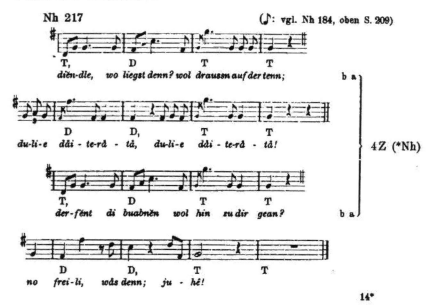

T,   D   T   T
dièn-dle, wo liegst denn? wol draussn auf der tenn;   b a⎫

D   D,   T   T   ⎬ 4Z (*Nh)
du-li-e däi - te-rå - tå, du-li-e ddi - te-rå - tå!

T,   D   T   T
der-fént di buabnèn wol hin zu dir gean?   b a⎭

D   D,   T   T
no   frei-li, wås denn; ju - hê!

14*

Die Singweise steht der zweiten *kolnbrennerhüttlan*-Weis (Nh 184, oben
S. 209) melodisch sehr nah, aber sie ist im Sinn des steirischen Walzers
erfunden [1]), mit paariger Harmonie. Als Liedweise ist sie ein 16 T mit
$^1/_2$ Str-Jodler, nur dass der zweite Jodler durch Kv + Juchzer ersetzt ist.
Die fünfte Zeile ist nicht eingebaut, sie ist nur eingeklebt. Dieses *no
freili, wås denn* ist ein Formelvers [2]) und gehört zu jenen Floskeln wie *oder
wås; bei der nåcht*, die den Liedern anfliegen und eine gröhlende Heiter-
keit erregen, je mehr, je unanständiger der Zufallssinn ist, den sich die
Zuhörer dabei zu denken vermögen. Nehmen wir noch eine Lesart dazu,
die PH überliefert,

PH 1162   *diĕndle, wo liegst denn?*   x
              „*wol draußn in tenn.*"   a
              kemĕn büebnĕn wol hín zŭ dir?   x
              „*freilig, wås denn.*"   a

so stellt sich das Verhältnis so dar:

1. Fassung der aus Nh zu erschließende 4Z (*Nh)
2. „ derselbe mit der angereimten 5. Zeile (Nh)
3. „ Zusammenziehung der 2. Fassung auf 4 Zeilen (PH)

Erst PH hat die unorganische Zeile in die Strophe eingebaut.
     *Nh war Monolog [3]); die anzügliche Frage des Vierzeilers ist ge-
schlossener Liedinhalt. Nh fügt die Antwort ausdrücklich hinzu; der
*Vierzeiler wird dadurch weder inhaltlich abgerundet noch formal gebessert.
PH stellt einen stichomythischen Dialog her und damit abermals eine
formal tadellose Strophe. Die Annahme, dass *Nh vor PH stehe, wird
auch durch den gut kärntnerischen Reim b *liegst denn : buabnen* gestützt,
den PH verloren hat. Die Unreinheit des Reims *tenn : gean* bei Nh gegen
den (übrigens auch mangelhaften, weil rührenden) Reim *tenn : denn* bei
PH ist kein Gegengrund; ebensowenig der inhaltlich verwandte 3H-4Z
dirndle, wo håst denn deĩ kammerle (PH 1161).

     Die untanzmäßige Formerweiterung durch Gliedverdopplung am Lied-
Ende ist natürlich nicht auf den Achttakter und nicht auf das Textlied

---

[1]) Vgl. vorn S. 125.
[2]) Derselbe Vers bei PH 1475 ist Reimverlegenheit.
[3]) Die Symmetrie des gesungenen Lieds (Vers 2 : 4) verbietet eine andre Auffassung;
auch Nh und Pommer scheinen es so zu nehmen, sonst hätten sie Anführungszeichen
setzen müssen.

beschränkt[1]); ebensowenig auf den Einstropher, wie wir denn alle untanz-
mäßigen Erscheinungen beim Mehrstropher[2]) anzutreffen erwarten müssen·

Siebenzeiler.

Eine siebenzeilige Strophe könnte sich ergeben, wenn zweitheilige
Singweisen mit Nachsatz-Wiederholung únd Schlussbestätigung, etwa das
A_1 |: A_2 :| a von Nh 3, oder dreitheilige Weisen mit Schlussbestätigung mit
laufendem Text gefüllt würden. Nach meiner Kenntnis des Materials ist
dieser etwas schwierige Versuch beim Einstropher noch nicht gemacht
worden. Der zweite Fall, beim Dreiheber-Mehrstropher, ist uns in M 286 f.
begegnet (vorn S. 184). Außer diesem ist mir nur éines noch bekannt, das
reizende zweistrophige Liedchen

PLh VII 71 (OÖ)

```
            T          T,        D           T
1. wänn i   hält frua auf-stê    und zu mein dirn-děrl gê
2. såg i    zun dirn-děrl: jå!   is s å  glei herz-li frô[4]),
```

```
            T          T
1. frägt mi dås dirn-děrl: hê!
2. frägt mi äft nim-mä: hê!
```

Sehr rasch

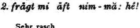

```
     D            T,         D          T;          D          T
kimmst oder kimmst nöt, oder wiě gêt s, oder wiě stêt s, oder wås tuast, oder wås treibst,
```

Viel langsamer

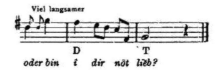

```
                 D        T
        oder bin i  dir nöt liěb?
```

---

[1]) Man vergleiche
    Nh 61:   6Z; 3theil. 12T mit Schlussbestätigung = 14 Takte
    K 188; K I 14 KehrStr: 8Z; 16T mit Schlussbestätigung = 18 Takte
    PJJ III 17:   Liedjodler mit Schlussbestätigung nach jedem Viertakter
[2]) K 169: Mehrstropher-Gemeng unter schlichter Einstropher-Weise
[3]) ŽS hat ausdrucksvoller $g^1 h^1$ statt $h^1 d^2$.
[4]) ô sehr offen gesprochen.

Aus den österreichischen Alpen ist es in drei von einander unabhängigen und leicht abweichenden Fassungen überliefert: .

ŽS 71.24 ♪ (NÖ) ~ W 168, 5 f. (St) ~ PLh¹) VII 71 ♪ (OÖ)

überdies ist es gern nachgedruckt worden und fehlt fast in keiner der
gemeindeutschen Volksliedersammlungen ²).

Obwohl die Singweise aus einem Ländler herauswächst (vgl. zum
Stirnsatz Ll V meines Anhangs), ruht doch das Lied auf einer ganz
individuellen Formcomposition: dem Stirnsatz, der nach sechs Takten
plötzlich abbricht, wird im Kehraus-Tempo ein zweiter, Refrain-artiger
Satz angefügt, der genau wie der erste vor dem Schluss-Zweitakter stockt;
eine ländlerische Cadenz fasst beide zusammen und bildet den kräftigen
Abschluss des Ganzen. — Ich gab als Muster die oberösterreichische
Fassung: sie prägt die beschriebene Form am deutlichsten aus.

Die ŽS-Fassung ist im Schlusstakt verderbt und muss wie bei EB
verbessert werden ³).

Zu Kretzschmer I 258 sind einige Bemerkungen nöthig. Das Gesicht,
das unser Lied hier zeigt, ist eine Fratze. Die Singweise beginnt in der
Variante der Moll-Parallele der Haupttonart! (Stirnsatz D-dur; 2. Satz
aus D-moll nach F-dur; Abschluss in F-dur). So etwas kommt weder im
Volkslied noch im Kunstlied vor; das kann nur ein unrettbarer ἄμουσος
verbrechen. — Die Wiederholung des Schlussverses unter vollem Vier-
takter der Weise wäre bedenkenswerth, wenn nicht das ganze Lied so zu
Schanden redigiert worden wäre (auch der Text ist elendiglich halb-
verhochdeutscht). Es ist ganz klar: dem Redactor missfiel die eigenwillige
Form des Lieds, weil er sie nicht verstand, oder weil sie sich seinem
System nicht fügte; kurz entschlossen verrenkte er ihm die Glieder: der
Stirnsatz wird auf Militärmaaß gebracht, zu diesem Zweck ein Stück
Refrain eingeleimt; der zweite Satz ist dadurch von selbst tadellos geworden; nur der Schluss bedarf noch der nachbessernden Hand, auch er
muss viertaktig werden. Man kann sich nicht scharf genug verwahren
gegen diese VerRamlerer des Volkslieds. — Alt könnte die Lesart des

---

¹) Flugschriften und Liederhefte, unter der Leitung von Dr. JPommer hrsgg.
von dem deutschen Volksgesang-Verein in Wien; seit 1895, Selbstverlag.
²) Erk-Böhme II 583; dort weitere Angaben. Bei Kretzschmer (I 258) ist eine
dritte Strophe eingefügt; ich halt sie nicht für alt.
³)

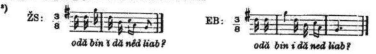

odă bin i dă nëd liab?   odă bin i dă ned liab?

Schlussverses sein, mit dem guten Reim *mê* zu *hê* des Stirnsatzes; freilich ist auch dás verdorben, denn der Regulierung ist eben-dieses *hê* zum Opfer gefallen.

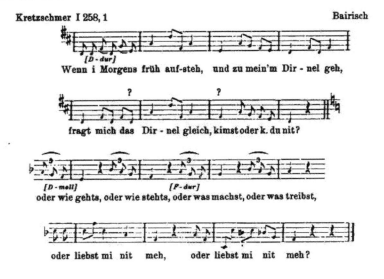

8. Capitel.   Untanzmäfsige Formen und Singmanieren.

Das letzte Capitel ist der Lumpensammler.   Alles was vom gemeinen Gebrauch abweicht, was wider Regel und Ordnung ist, muss hinein in den Lumpensack; mit den Abfällen sind da allerlei hübsche Sachen hinein-gekommen, gar ein paar Edelsteinchen mit drunter.

Die Erscheinungen, die hier zu nennen sind, haben mit dem getanzten Tanz nichts mehr zu schaffen, denn sie bedeuten die Auflösung der strengen Form.   Nur mit éiner hats eine andre Bewandtnis: mit der Umwandlung von Ländlerisch in Landlerisch.   Dieses Merkwürdigste von Allem, was ich zu zeigen habe, soll den Beschluss des Buches bilden.

An die Fünfzeiler anschließend besprechen wir zuerst das Stück K 114 ~ 115.   Hier ist eine Weise des Steirischen Walzers in zwei Theile zersungen worden.   Ein Zufall ists, aber gerade darum interessant, dass der eine Sänger (114) die Stirnhälfte der Melodie zur selbständigen Liedweise machte; er musste also einen neuen Schluss ansetzen, und seine Weise wurde zum 10-Takter.   Ich theil unterm Strich beide Weisen mit:

K 114, 1 f.[1])

T   D,   D   T;
wenn i   a   vo - gäl wâr, flûg i   auf d spitz, hol - djö
wenn s dia - näl a   gam - täl wâr, wur i   a schütz, hol - djö

K 115[1])

T   D,   D   T;

*

T   D,   D   T;

In der dritten Notenzeile versuch ich aus ihnen den zugrundliegenden 16-Takter zu construiren: die Hauptstimme nehm ich aus 114, den Überschlag aus 115; die Jodler können verschieden angesetzt werden: ich wähl das gebräuchlichere Motiv von 114 und mache stumpfen Schluss, worauf mir 115 hinzuweisen scheint. Die Jodler notier ich einstimmig, da ja Kohls Satz nicht original ist.

Neben den ungebundenen Zweitaktern der Fünfzeilergruppe treffen wir hie und da in den Liedern einzelne Schalttakte, durch die die Viertaktperioden zu Fünftaktern aufgeschwellt werden. Die Schalttakte kann man stets herauslösen, ohne ein Loch zu reißen.

K 92, 1[2]) (D)

T   T,   D   D   T
drun - in bän Psei - rer - grâbn, hol - la - i - ri! sitzt a schians mensch bän wâgn,

T   T,   D   D   T
dös mensch känn zi - tär schlâgn, hol - la - i - ri! dö möcht i   hâbn!

---

[1]) Zur Kohlischen Textüberlieferung ist zu bemerken: 114, 1 f. und 4 f. sind Vierzeiler; zum ganzen Gesätz muss also die Weise zweimal abgesungen werden; nur 114, 3 folgt der Weise und gibt einen selbstgenügenden Zweizeiler. Der Ws 115 ist nur die

(vgl. auch K 88 = Strolz)

S,   D   T;;   D   T

ra   di - e-i-hô,   hollära   di - ê; hol · di - ei hol - di - ô!

D,   D   T

zla-lala   drê - hû   li-di-ri hol - di - ô!

S (D),   D   T;;   T   S (D), d T   T

îra   di - e-i-hô,   hollarâ   di - e-i-hô;   hollära   di - e-i-hô, hol - djô!

Der Schalttakt ist in diesem Lied und seinen Melodie-verwandten

K 92[2]) ∼ K 43 ∼ Kob 14[3]) ∼ KobSG 133. 1[4]) ∼ PLh IX 120[5]) ∼ K II 23[2])[6])

ein Jodler; er wird zwischen die zwei Satztheile der Halbweise ein-geschoben und nimmt die Harmonie des folgenden Taktes vorweg. Nur K II 23 wiederholt, weniger geschickt, die Harmonie des vorausgehenden Taktes: T T, (T) D T.

Um die Versgrenzen kümmern sich die Sänger nicht: decken sich die mit den Fugen der Weise nicht, so wird der Vers zerrissen; das gibt dann immer eine komische Wirkung. In einem bayrischen Sh, das ich 1907 in Berlin aus dem Mund eines Münchners aufzeichnete, platzt der Schaltjodler gar mitten in ein Wort hinein! (Gs 1):

RShr 217[7])   (Zur Guitarre)   Bayrisch

Langsam   gedehnt

T   D[7],   D[7]   D[7]   T

1. s dian-dl is lut-risch woan,

2. d kâtz rennt i˜ dä kuchl umänänd

hollbra-da-ri[8]) vol - lä fa - xń, fallĕ-râ!

½ Str 114, 1 untergelegt; der Herausgeber vergaß wohl nur anzumerken, dass die Texte von 114 auch für 115 gelten.

[2]) Landler-Rhythmus (vgl. S. 222 ff.); Kohl notiert ⁴/₄.

[3]) 10 T; wird als Kehrjodler wiederholt.

Rotter, Schnaderhüpfrhythmus.   15

Etwas anders sind die Schalttakte in den 16T mit ½ Str-Jodlern K III 1 eingestellt: hier ist in jedem Viertakter der letzte volle Takt wiederholt, mit Worten oder Jodlsilben, wie es kommt[10]).

Die Weisen mit Schalttakten sind Sh-Weisen; für einen zusammen-hängenden Mehrstropher eignen sie sich wegen der vielen Unterbrechungen schlecht (vgl. PLh IX 120 und das misslungene K 103).

Bei Nh 210 ~ PH 1116 ~ PH 1616 kann nicht von Schalttakten geredet werden. Seine Form ist willkürlich, und die Singweise wenig gelungen.

Nh 210 ≅ PH 1116   vgl. den 4Z PH 1615 = SS 307

Ich halte den Text für den Formgeber. Bei ihm scheint es in erster Linie auf die Reimspielerei anzukommen. PH 1116 bringt mit dem gut

---

⁴) Kobell, Shh und Gschichtln, München (Braun & Schneider) s. a. 10T; Liedweise ohne Text.
⁵) Mehrstropher.
⁶) 10T; die letzten vier Takte halt ich für nachträglich zugefügt (vgl. S. 225³).
⁷) Gs 1 ~ GKS II 38, 2.
⁸) Aus satztechnischen Gründen muss ich hier ə für ŭ schreiben.
⁹) béfalamót-tégl: bœuf-à-la-mode-Tiegel.
¹⁰) Kohl notiert den Schlussjodler fälschlich als Dreitakter; es ist natürlich ein st 4T.

kärntnerischen hypertrophen Infinitiv *geanen* (gehn) sogar einen reinen Vierreim zu Stand: *niĕmer : géanā̆ˉ : klíaner : scheanér*![1])

Die ärmliche Singweise klingt an allerlei Bekanntes an[2]); sie macht den Eindruck des Zusammengestoppelten, nicht-einheitlich-Erfundenen. Die Halbweise beantwortet einen Neubayrischen Dreitakter mit einem ländlerischen Zweitakter. Das ist grob. Dass die Unregelmäßigkeit in der zweiten Halbweise genau wiederkehrt, macht sie erträglich.

Die Lesart PH 1616 ist von den dreien die jüngste. Das Lied ist hier mit dem in Gedanken und Ausdruck verwandten *zu dir bin i gången* (PH 1633 u. ö.) zusammengerathen; es hat dabei einen fremden Vers aufgenommen; überdies ist *kleaner* durch das schiefe *grüener* ersetzt, — die Reinheit des Reims wenigstens hat nicht gelitten!

PH 1616	PH 1633
zu der Gurkn bin i s gången, då gĕ i niĕmer,	*zu dir bin i s gången,*
der weg is mĕr z weit;	*zu dir håt z mi gfreut;*
gĕ wol liĕber zun bachlan, is grüener,	*zu dir gĕ i niĕmer,*
is s diĕndl å̆ vil schianér.	*der weg is mĕr z weit.*

Schwellverse[3])

Ein andrer Formwille als bei den Schalttakt-Weisen waltet bei den Liedern der *rosóli*-Gruppe.

mâdl, mågst an rosóli	ŻS 193. 50, 1. 2 ♪ ~ W 75, 2. 3		
mâdl, mågst an rotn åpfl	ŻS 193. 50, 3 ♪ ~ W 75, 4 ~ Nh 215, 1 ♪		
und di apflăn, di san rosnrot		Nh 215, 2 ♪	

Sie erweitern die Periode nicht durch Einschub, sondern durch Aufschwellung. Beide sind Sprossformen des schlichten Ländler-Gesätzes: dort aber wird der Viertakter durch den Einschub zum Fünftakter, hier der Zweitakter durch die Aufschwellung zum Dreitakter; dort wird also die Halbweise zum Fünftakter, hier zum Sechstakter. Die verschiedene Bedeutung des Sprosstaktes bringt einen weiteren Unterschied mit sich: die Schalttaktweisen sind symmetrisch, die Schwellvers-Weisen dagegen müssen in der Liedcadenz die Erweiterung aufgeben, wenn das Lied rhythmisch befriedigend schließen soll; denn der Schwellvers hat

---

[1]) Nh: *néama, kléanr, scheanr'* (im Reim!) sind orthographische Fahrlässigkeiten; als Klangabbilder können solche Schreibungen nicht genommen werden.

[2]) Vgl. besonders Nh 217; Nh 40; außerdem RSbr 173; W 354. 16, 18, 20 u. a.

[3]) Über diese Lieder ist bereits gesprochen worden: vgl. S. 163, 164 und besonders 171 f.

breit überhängende (klingende) Cadenz und ist nicht Liedschluss-fähig. Die hübschen Bauten der Schwellvers-Weisen sind also Elftakter, — ein scheinbar unsinniger Umfang, der von einem formgewandten Sänger sinnvoll erreicht wurde:

Nh 215, 1

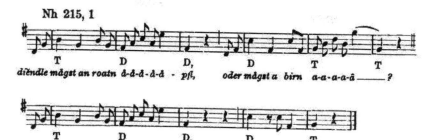

Die Eigentexte der Weise, schlichte Vierzeiler, benutzen die Gelegenheit zu lustiger Lautspielerei; sie sind auf jede andre Sh-Weise ebenso gut zu singen. — Doch ist die *rosóli*-Weise gelegentlich missverstanden und mit Dreiheber-Texten (Paschtanzgesätzen) unterlegt worden; ihre Schönheit leidet darunter schwer: W 351. 6 mit übervollem Liedschluss. Den richtigen Ausweg findet K 89 (Strolz), indem es den Schlussvers zweihebig füllt[2]).

Ganze Schaltsätze finden wir eingeschoben in einzelnen Spielliedern. Hierher gehören K 16 und K 182[3]). K 16 hat viele Verwandte im außeralpischen Kinderlied. Es selbst hat zwar Sh-Rhythmus und -Strophe; in der Singweise aber ist fast gar nichts von der ländlerischen Sonderart zu verspüren; nur der Schluss springt in die Überschlagslage und biegt sich zum Sh-Schwänzchen[4]).

---

[1]) Das *i man a* (ich meine auch) bei Nh statt des unbedingt geforderten und unzersingbaren *i mág á* kann nur Schreibfehler sein.

[2]) H 255 (≃ K 89) gehört offenbar zu der von Strolz (Kohl) überlieferten Singweise und ist daher sicher mit zweihebigem Schlussvers zu lesen:

$$\overset{\cdot\cdot}{\smile}|\overset{\times}{\times}\times|\overset{\times}{\lambda}\ \lambda \quad \text{nicht:}\quad |\overset{\times}{\times}\times|\overset{\times}{\times}\times|\overset{\times}{\lambda}\ \lambda$$

[3]) K 182 ist bereits mitgetheilt und besprochen: S. 198 f.

[4]) K 16. Das einstimmig aufgezeichnete Kinderlied prangt in Kohls Sammlung im Satz für vierstimmigen Männergesang. Es muss rührend und neckisch sein, von bärtigen Männern im Chor singen zu hören:

Wir werfen nun einen Blick auf die Singmanieren. Die interessieren uns nur soweit, als sie Anlass zu auffälligen und falschen Notierungen werden; denn Verlangsamen und Beschleunigen des Tempos, Dehnen einzelner Töne sind beim tanzfreien Lied selbstverständlich.

Ein arger Notierungsfehler liegt bei K III 18 vor. Das kleine Rofner Hiasele hat den Jodler ganz sicher richtig gesungen, nur missverstand der Sammler das Schluss-ritardando und schrieb statt eines guten Viertakters einen hässlichen, unmöglichen Dreitakter nieder:

Die Drucküberlieferung ist in solchen Dingen überaus nachlässig (vgl. die Dreiheber-Strophen). Natürlich soll der Sammler genau das aufzeichnen, was er hört; aber er muss das Wesentliche erfassen und in seiner Notierung klar herausbringen. Um das zu leisten, muss er selbst den Gegenstand vollkommen beherrschen, er muss den Formwillen des Sängers herausfühlen, den ihm der in den seltensten Fällen wird erklären können; denn der Sänger hat sich ja nie geübt, seine Gefühle zu analysieren, und er hat keine Verantwortung vor der Öffentlichkeit.

Wirkliche Schwierigkeit bieten die Fälle von Taktsprengung in der Fuge. Es handelt sich da um das Zusammentreffen einer schwergefüllten Cadenz mit einem silbenreichen Auftakt. Der tanzmäßige Vortrag verlangt, dass die Überfülle in den Takt hineingezwängt werde, so gut es geht, verlangt also Verkleinerung der Notenwerthe. Fern von der Beschränkung des Tanzes achten aber die Sänger manchmal nicht darauf.

Vgl. M 60. 2   (vorn S. 175 und 175⁴)
    Nh 75   (Text: vorn S. 193, Schema: S. 194)
    Nh 210   Kehrjodler

Ich würde, gégen die gebräuchliche Orthographie, in solchen Fällen nicht ausdrücklich Taktwechsel angeben: aus unserm ³/₄-Takt wird ja durch

---

        hän i nit a schians hösele uñ,
        und a schians heberle druñ?
mei᷉ heberle, mei᷉ hösele, mei᷉ bandele, mei᷉ strümpfele, mei᷉ maschele, mei᷉ schüachele,
        bleib i mein väter   [mei᷉ schuach!
        sei᷉ lebfrischer bua.

                                                                16*

die Taktsprengung nicht ein reeller ⁴/₄-Takt mit zwei Nachdrucksstellen, wir haben den fraglichen Takt vielmehr als ³/₄-Takt mit zwei dritten Vierteln aufzufassen. Durch einen Phrasenstrich und noch besser durch Absetzen der Zeile ist dem Leser die beste Hilfe gegeben. Mit der gesetzlichen Einheits-Orthographie kommt man in der Volkskunde nicht weit: die Mundart fordert unzählige Sonderschreibungen; die volksmäßige Mehrstimmigkeit lässt sich nicht auf die Regeln des strengen Satzes bringen; und mit Takt und Periode ists das Gleiche.

Fermaten. Was an Dehnungen einzelner Töne im Sh-Bereich vorkommt, hat nicht einerlei Bedeutung. Wir unterscheiden 1) die sentimentale Fermate: Dehnung des Gipfeltons einer Phrase; 2) die gliedernde Fermate: das Verweilen auf dem Schlussston einer Phrase; einen besonderen Sinn bekommt diese, wenn der Sänger vor dem Schlussvers einhält, der die Pointe bringt (pointierende Fermate[1]). Ich nehm zwei Beispiele aus meinem Anhang: In A 5 dehnt der Sänger in jedem Zweitakter zweimal, auf dem Gipfelton und auf dem Schlussston; ähnlich in A 9, nur dass hier beide zusammenfallen. 3) Die Dehnung durch Doppelbeziehung; sie tritt manchmal ein bei Tönen, deren Zugehörigkeit sowohl zur Cadenz als auch zum Auftakt zusammenstoßender Glieder empfunden wird (schönes Beispiel: A 27 a). 4) Die Schlussdehnung am Lied-Ende.

Die aufgezählten Dehnungen sind irrational und dürfen niemals als reelle Taktzeiten notiert werden[2]). Wie aber, wenn die Dehnungen regelmäßig in jedem Takt eintreten? Dann kann es thatsächlich zur psychischen Umsetzung des dreitheiligen Takts in den viertheiligen kommen.

Auf diesem Weg, nämlich durch rationalisierte Dehnung jedes dritten Taktviertels, | ♩ ♩ ♩| wird zu | ♩ ♩ ♩ |, — *stessn* (stoßn) nennen die Gössler[3]) diesen barbarischen Gesangsvortrag — ist nun wirklich in éiner Landschaft (Salzkammergut) eine neue Form, eine neue Tánzform entstanden:

Der Landler.

Der Vorgang ist so zu erklären: Charakteristisch für den oberösterreichischen Vortrag von Ländler und Sh ist das Betonen jedes dritten Taktviertels. Der Sinn ist klar: beim Ländlergesätz ruht die Harmonie im währenden Takt, schreitet über den Taktstrich. So sind also 3 und 1 die harmonisch bedeutsamen Zeiten (1 überdies die rhythmische Hauptzeit) und haben als solche besonderes Gewicht. Von einem Ländler, etwa mit der Hauptstimme A 4, hört man auf einige Entfernung nur mehr das:

---

[1]) Vgl. K 92, Takt 8 (mitgeth. S. 216) und RShr 217, 2, Takt 8.
[2]) Die Drucküberlieferung erfüllt diese Forderung.
[3]) Gössl am Grundlsee (steir. Salzkammergut).

♩ ♪ ♩ ♪ ♩ ♪ ♪ ♩ ♪ ⌢
T t   D d   D d   T ⌢

Der Nachdruck auf der schwachen Zeit wird, als vom schlichten Verhältnis abweichend, immer mehr verstärkt, erst noch nur dynamisch, wird dann aber auch durch eine kleine Dehnung unterstützt (agogischer Accent [HRiemann]); die Dehnung wächst, bis fast zur Länge einer reellen Taktzeit [1]), und wird schließlich auch als solche aufgefasst, — und der gradtaktige Landler ist da. Schematisch ausgedrückt:

♩ ♩ ♩ ♩

♩ ♩ ♩ ♩   oö Ländler

♩ ♩ ♩ ♩

♩ ♩ ♩ ♩   Landler

Über den Zusammenhang des Landlers mit dem Ländler [2]) bringt RZoder [3]) ein werthvolles Zeugnis bei; er sagt:

Als ich in Laufen [bei Ischl, OÖ] diesen geradtaktigen 'Landlern' nachforschte, übergaben mir meine Gewährsmänner ... ein Notenheft [geschrieben in Hallstatt, 1839], in dem Ländler und Steyrer zu finden waren. Wie groß war mein Erstaunen, als ich ... [beide] im $^3/_4$-Takte geschrieben vorfand. Ich ließ mir die Tänze vorspielen und hörte die Ländler im $^2/_4$-Takte, die Steyrer im $^3/_4$-Takte erklingen. Der Spieler musste die im $^3/_4$-Takte geschriebene Melodie in den geraden Takt umsetzen [4]).

In Gössl wird erzählt (1911), dass der 'Landler' vor etwa dreißig Jahren im Dorf eingeführt worden sei; dabei habe es eine große Rauferei gegeben! Allgemein üblich ist der Landler nicht geworden; sein Gebiet beschränkt sich auf einen Theil des Salzkammerguts (Ischl-Aussee).

Ich geb zwei Beispiele, eines für die kunstlose Taktumsetzung (*stessn*), und eines (nach Zoder), wo der Landler bereits Eigenfüllung gewonnen hat [5]).

---

[1]) Vgl. HDieters (Soldatenliederbuch, 1881, S. 159): Nach der bekannten Landlerweise [L-Art] mit verlängertem dritten Viertel (nahezu zweitheiligem Takt) zu singen.

[2]) Meine Unterscheidung von Ländler (für den ungradtaktigen Tanz) und Landler (für seine gradtaktige Tochterform) geht nicht mit dem Sprachgebrauch; doch ist sie ausdrucksvoll, darum wähl ich sie. Der Sprachgebrauch des Salzkammerguts nennt die alte, ungradtaktige Form des Ländlers 'den Steyrischen', die jüngere, gradtaktige 'den Landler'. Für uns ist diese Benennung unbrauchbar, weil sie landschaftlich beschränkt ist und insbesondere unter Landler sonst der ungradtaktige Tanz verstanden wird. Für die Hauptgattung wird am besten die mundartfremde Wortform 'Ländler' beibehalten.

[3]) Das deutsche Volkslied (Zschr) XI (1909), S. 113 ff.

[4]) Zoder erinnert mit Recht an 'Reigen und Nachtanz' des altdeutschen Tanzes; an ein directes Zurückgehn des Landlers auf den Reigen ist dabei nicht zu denken.

[5]) Ich notier auch den Gössler Landler (RShr 224) im graden Takt, da ich ihn als Tanzweise spielen hörte; und zwar seiner Herkunft entsprechend im $^4/_4$-Takt. Gegen

Dieser Landler wird jetzt in Laufen bei Ischl so gespielt:

Als Texte werden dieselben Shh benützt, die auch zu den ländlerischen Weisen gesungen werden. Zu einer Veränderung der Taktfüllung beim Text hat der Landler nicht geführt. In Gössl hörte ich selbst, wie die bekannten ländlerischen Silbenfolgen der Shh einfach und robust durch *stessn* ins Landlerische übersetzt wurden[1]); Zoder dagegen zeigt, wie ein Laufener Sänger mit Glück versucht, den graden Takt zu guter Declamation auszunutzen:

Zoders und Mautners Notierung im $^3/_4$-Takt ist nichts einzuwenden, weil der Landler mit zwei Schritten auf den Takt getanzt wird.

[1]) KMautners reiches Material aus dem Gössl (steir. Raspelwerk) gibt auf die Frage, wie die Shh ins Landlerische übersetzt werden, keine Auskunft: M gibt die Tänze und die Texte getrennt und gibt keine Singstimme an. — Gössler Übung ist es, zwischen den getanzten Gesätzen zu singen, zwar zur selben Weise, aber im heterophonen Contrapunct; die Taktfüllung der Instrumentalweise und der Liedweise sind dabei ganz unabhängig von einander. Das auf der nächsten Seite mitgetheilte Zoder aaO. S. 113 gibt einen Begriff davon. — Im Rahmen der vorliegenden Abhandlung kann ich auf diese Dinge nicht näher eingehn.

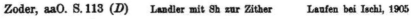

Zoder, aaO. S. 113 (*D*)   Landler mit Sh zur Zither   Laufen bei Ischl, 1905

Was sonst, außerhalb des Salzkammergutkreises, in den Lieder-sammlungen an Stücken im Landlerrhythmus vorkommt, ist von der gröberen Art, der mit dem *stessn.* Es gehören hierher die Sh-Weisen:

3/4 und 3/4 [1])	K 112	Landler-8T + 12t ländlerischer Kehrjodler
	K 92 [2])	landlerischer Schalttakt-10T + Ländler-8T (Text |: 4Z :|)
	RShr 217	landlerischer Schalttakt-10T
	A 30	Landler-8T + 8t ländlerischer Kehrjodler
3/4 [1])	K II 23 [3])	Landler-8T [3])
	K III 8 [4])	d.c-16T im Landlerrhythmus

Bei diesen Stücken handelt es sich offenbar um Übertragung des Landlerrhythmus aufs tanzfreie Lied; nur so ist das suitenmäßige Zu-sammenhängen eines Landler- und eines Ländler-Gesätzes (bes. K 92) zu erklären. Ich stimme vollkommen mit Dieters' S. 223 [1] citierter Auffassung überein: aus ihr entspringt folgerichtig die Forderung, dass beim Nieder-

---

[1]) Kohl notiert | ♩ ♩ ♩ | durchaus im 4/4-Takt.

[2]) Vgl. die Zusammenstellung auf S. 217: die überlieferten Fassungen dieser Weise gehn theils im Landler-, theils im Ländler-Takt.

[3]) K II 23 hängt dem *gstessn* 8T eine Coda im reellen 4/4 Takt an. Ich zweifle an der Echtheit dieses Schlusses, eben wegen des Rhythmuswechsels, und dann wegen des Liedertafel-mäßigen Bafssolos: der Aufzeichner hat das Lied von einer alten Frau ein-stimmig singen hören.

[4]) Mitgeth. vorn S. 196.

schreiben am ³/₄-Takt möglichst festgehalten werde.   Der Volkskundler darf der Entwicklung nicht vorgreifen.   Grader Takt darf nur da angesetzt werden, wo die Wahrscheinlichkeit dafür spricht, dass der Sänger selbst ihn empfindet.   Diese Wahrscheinlichkeit fehlt in Gegenden, wo der Landlertánz nicht gebräuchlich ist, sie fehlt, wenn der Sänger im währenden Singen die Dehnung aufgibt und in den ungraden Takt einschwenkt (1. Gruppe der obigen Tabelle).   Im Zweifel hat der wissenschaftliche Sammler die Pflicht 1) nach dem Tanz zu forschen; 2) Varianten aufzusuchen; 3) sich das Lied mit Instrumentalbegleitung vorsingen zu lassen.

Der Landlerrhythmus hat es möglich gemacht, dass je einmal ganz unschnaderhüpfmäßige, unälpische Singweisen ans Sh herangetreten sind; ich meine die Weisen K 63 und 125.   Ich glaub, meine Krimmler Bauern würden mich auslachen, wenn ich ihnen dás für ein Sh anhängen wollte:

K 63, 3

Wir sind am End.

Angefangen haben wir mit der Betrachtung des Grundrhythmus der ländlerischen Lieder; dann haben wir den Aufbau der Tanzgesätze und der Liedweisen untersucht; dann sahen wir, wie sich das Lied vom Tanz entfernt und den Rahmen selbständig erweitert; nun zum Schluss hab ich gezeigt, wie auch der Grundrhythmus selbst angegriffen und völlig verändert wird.   Nichts scheint mehr fest zu bleiben.   Doch wir dürfen uns nicht irr machen lassen: obzwar sich das Sh-Singen fast überall vom Tanz losgelöst hat, das Gefühl für die Zwillings-Geschwisterschaft von Tanz und Lied ist heut noch lebendig.   Ich will jene Wege nicht Abwege nennen, aber Seitenwege sind es, so viel schmäler, so viel unsicherer geführt, dass niemand einen von ihnen für die Hauptstraße halten wird.

Mag manchmal die Erfindung einfältig, die Dichtung, der Vortrag derb oder unförmlich sein: wir haben unsre Freude an dem Schnaderhüpfl, an diesem witzigen Unkraut, das so gefährlich gewuchert hat auf den Wiesen des ostälpischen Volkslieds, dass es viele prunkvolle, viele zierliche Schmuckpflanzen verdrängte.

Wir Alpendeutsche aber freuen uns an ihm, weil es Leben ist von unserem Leben.

238

Ergänzungen.

1 f	dVl	Das deutsche Volkslied (Zschr) ♪, hrsg. D^r JPommer, Wien.

dVl   Das deutsche Volkslied (Zschr) ♪, hrsg. D^r JPommer, Wien.

EB   Erk und Böhme, deutscher Liederhort ♪, Leipzig 1893.

KobGS   FKobell, Schnadahüpfln und Gschichtln, München, s. a. (1886) (Bayern).

KobSSp   FKobell, Schnadahüpfln und Sprüchln, München, s. a. (1846?) (Bayern).

M   KMautner, Steirisches Raspelwerk ♪, Wien 1911.

PJJ III   JPommer, 444 Jodler und Juchezer aus Steiermark ♪, Wien 1906.

PLh   Flugschriften und Liederhefte ♪, hrsg. vom Deutschen Volksgesangs-Verein in Wien (JPommer).

RShr   Sigel für die vorliegende Abhandlung; benutzt als Kopf der von mir selbst aufgezeichneten Stücke, die in der Abhandlung verstreut mitgetheilt werden.

SA   JGSeidl, Almer (der Gesammelten Schriften, Wien 1879, Bd. 4) (Steiermark).

Schk   Die mir durch weiland Balthasar Schüttelkopf, Bürgerschul-Director in Wolfsberg im Lavantthal (Kärnten) brieflich mitgetheilten Stücke.

3   Spv = Spaltvers   = bedeutet gleich

    3H = Dreiheber   ∼ „   fast gleich

5   Zu den metrischen Zeichen: vgl. S. 156².

    Reimsigel: vgl. S. 88².

6   Notierung der Singweisen, Generalbass: vgl. S. 113 Anm.

7 Z. 6u   PBB = Paul und Braune, Beiträge zur Geschichte der deutschen Sprache und Litteratur (Zschr), Halle (Niemeyer).

Anhang

zu A 10, Var. der Ws: Ll 15; Nh 124

zu A 13, Var. der Ws: PJJ I 27 ∼ II 46

zu A 16, Gs 2: vgl. SS 659

zu A 18, Var. der Ws: K I 39 (3H-Ws)

zu A 23, Var. der Ws: ∼ PJJ II 200

zu A 28, Var. der Ws: Kob 57

zu A 32, 17: ∼ W 365. 46 ∼ GKVl I 40, 2

zu Ll I—IV vgl. Spaun S. 2; 50; 76; 90; 94; 103; 106.

zu Ll IX, X vgl. dVl I 29; II 49

Berichtigungen.

Anhang
Ll VI, Takt 6 hat diesen Rhythmus:

Nachschlagtafel.

Vorbemerkung

Die vorliegende Nachschlagtafel ist ein **Stichzeilen-Register**; es soll damit eine Probe auf die Ausführbarkeit des bezüglichen Beschlusses gemacht werden, den der leitende Unterausschuss des Werkes 'Das Volkslied in Österreich' im April 1909 gefasst hat. Hier heißt es: „die Einreihung erfolgt bei mundartlichen Liedern, indem statt des mundartlichen Textes der wörtlich entsprechende schriftdeutsche Text genommen wird." Das ist methodisch der einzig gangbare Weg, nur müssen in einigen Fällen Ausnahmen gemacht werden.

Forderung: 1) Das Register soll sowohl für die Drucküberlieferung, als auch für die noch ungedruckte mündliche Überlieferung ergiebig sein; 2) das Register soll möglichst viele Textfassungen mit éiner Stichzeile anführen.

Streng-mundartliche Schreibung ist, als keine der beiden Forderungen erfüllend, abzulehnen: es müsste denn jede Stichzeile in állen gedruckten Orthographien (ŻS¹, ²; PH, NH, Ll; usw.) und in allen denkbaren gau-mundartlichen Abweichungen gebucht werden. Vollständigkeit wäre dennoch nicht zu erreichen, und doch würde das Register durch Überlastung unbrauchbar.

Schaffung einer mundartlichen Koiné (etwa in der Art des Lachmannischen Mittelhochdeutsch oder der norwegischen Landsmaal) ist gleichfalls abzulehnen: das würde zur Erklärung und Rechtfertigung eine weitspannende Abhandlung nöthig machen und dem Benutzer ein eingehendes Studium auferlegen. Ergebnis: jede Zeile müsste vom Benutzer in eine dritte Sprache, nämlich ins nicht-existierende Gemein-Bayrisch übersetzt werden. Für jeden Sprachstamm (Bayern, Franken, Alemannen, Schlesier) müsste überdies die Arbeit getrennt gethan werden; das sind für den Benutzer des ganzen Werkes ebensoviel neuzulernende Sprachen. Alles Unmöglichkeiten.

Der dritte Weg, die 'Eindeutschung' der Mundart verlangt zwar auch eine Übersetzthätigkeit vom Benutzer, aber eine, die auch dem Laien wenig Mühe macht.

Zu Forderung 1: Die Unterschiede der Gau-Sprechweisen, die Abweichungen der Herausgeber-Orthographien fallen weg; die Wortformen der Drucküberlieferung und der mündlichen Überlieferung fallen zusammen (a).

Zu Forderung 2: Um möglichst viele Textfassungen unter éiner Stichzeile zu vereinigen, müssen

   b) alle überflüssigen Worte im Auftakt weggelassen werden,

   c) einige Stichworte zusammengelegt werden;

   d) manche Stichzeilen können durch Anwenden von Klammerworten zusammengefasst werden;

   e) bei Liedern, die einen charakteristischen Vers (Kehrvers) besitzen, ist ebendieser Hauptbuchungsstelle; – Kehrstrophe gibt Hauptstichzeile, auch für Textfassungen, denen sie fehlt (der Verweis auf die Kehrstrophe ist unnöthig bei Gesätzen, die einer Weise mit Kehrstrophe nur angeflogen sind [vgl. Ll 25]); — es kann vortheilhaft sein, eine construierte Zeile als Hauptstichzeile einer Liedergruppe zu wählen;

f) es müssen einige typische Erscheinungen festgestellt werden.

Alle Veränderungen des Stichworts sind in dem Register durch Verweise anzugeben. Ganz streng lässt sich die Eindeutschung aber nicht durchführen. Stehn bleiben müssen Worte und Wortformen, die der Schriftsprache fremd sind:

> *ös, enk, beiten* (warten), *gánkerl* (Teufel)
> *heunt* (nicht gleichbedeutend mit *heut*)
> *menscher* (Plural von *das mensch*)

deren Etymologie dunkel oder mehrdeutig ist;
deren Eindeutschung für den Benutzer schwierig oder gar zu übelklingend ist:

> *auffa, auffi; auffe* (hinauf oder herauf?); usw.
> *städl* (Stättelein!); *cräši* (Courage, S. 235 b 12)

deren Bedeutung durch die Übersetzung geändert wird:
> *snachst:* zunächst.

g) Einige uniformierte Schreibungen sind durchzuführen.

In allen Fällen unschriftdeutscher Schreibung ist das Gau-mundartliche zu vermeiden und als Compromissform Laut- und Schreibgebrauch der dem Schriftdeutschen nächststehenden alpenösterreichischen Sprechart zu wählen: die Wiener Umgangssprache der gebildeten Kreise. Das Register wird nicht schöner, wohl aber schwerfälliger, wenn etwa für *dirndl* Dirnelein, für *wasserl* Wässerlein geschrieben wird.

So angelegt, hätte das Register nur zwei Schönheitsfehler: das Schriftbild wird dem Alpenösterreicher anfangs bis zur Lächerlichkeit entstellt vorkommen, und der Rhythmus wird oft unkenntlich sein. Aber auf beides kommt es hier nicht an; man muß es also ertragen. Beides kann überdies gemildert werden durch Festhalten an der mundartlichen Vocal-Apokope (hab, hätt, wär) innerhalb der alphabetischen Ordnung, — wie denn überhaupt das eigenthümliche Schriftbild je weniger angetastet zu werden braucht, je weiter ein Wort vom Zeilenanfang entfernt ist.

(Die folgende Aufzählung will nicht vollständig sein; sie deckt sich mit den Bedürfnissen der vorliegenden Nachschlagtafel. Ich citiere die Spalten meines Registers mit a und b.)

a)

â (s: auch)	*hias, iatz* (s: jetzt)
a, an (s: ein usw.)	*o* = *d* (s: a)
â (s: a)	*s* (s: das, es)
am (s: auf dem)	*san, sand*
a so (?, vgl. S. 233 a 18)	*sen, send* } (s: sind)
en, in (s: dem, den)	*hant, hent*
(s: im, in den)	*wânn* (s: wenn)
ês (s: ös)	*z, za* (s: zu)

b) Auftaktiges *und, geh!, o!* fällt weg (vgl. Buchstabe O).

c) *dirndl, mâdl, schatzerl:* für alle drei das Stichwort *dirndl* (vgl. S. 233 b 19 und

d) ( ) [ ] (Erklärung am Schluß der Vorbemerkung). [235 a 3].

e) *'drum geh ich gar so weit'; 'sagt er'* (vgl. S. 234 a 23; 234 b 15 u).

f) Personalpronomen (*ich, du, es, wir*) fehlt oft (vgl. S. 233 a 1 ff, 234 b 15 u).
   Artikel ([das] *dirndl*) fehlt oft (vgl. S. 233 a 17 u und b 17).

g) *dirndl* (für *diandl, diendle, diarndal*, usw.); *dirndln* (für *dirndlan* usw.)
bub, buben, büebl (für *bua, bue, buabnan, piawle*, usw.)
aufhin, aufhĕr (für *aufi, aufe, auffa, aufhn, aufn*, usw.)
(entsprechend bei den andern Präpositionen).

Dem kritischen Beurtheiler meiner Nachschlagtafel muss ich eine Hilfe geben, denn er würde, beim Probenachschlagen von der Drucküberlieferung ausgehend, fast immer umsonst suchen. Er nehme ein Quellensigel aus den Capiteln 4, 7 oder 8, oder aus der Tafel S. 152 II, 153 III und suche dazu die Quellenstelle und in meiner Tafel die Stichzeile. Aus den genannten Capiteln sind alle Stücke in die Tafel aufgenommen: ist sie gut angelegt, dann muss darin jedes zu finden sein. Die andre Probe wäre, wie sich der mit der Mundart nur oberflächlich vertraute Laie in der Tafel zurecht findet.

Zur Tafel selbst sind noch einige Bemerkungen nöthig.

Vollständigkeit ist nicht erstrebt. Das Anführen der für allgemeine Erscheinungen gegebenen Beispiele (Taktfüllung, Reimstellung u. ä.) wäre unnütze Belastung des Buches. Aufgenommen sind die vom gemeinen Gebrauch abweichenden Stücke, also alle in den Capiteln 4, 6, 7, 8 besprochenen Lieder, aus den Capiteln 1, 2, 3, 5 nur jene, von denen anzunehmen ist, dass sie dem ihnen Begegnenden auffallen.

Ergänzt wird die Nachschlagtafel durch folgende Zusammenstellungen in der Abhandlung:

Verstreute Spaltverse (SS, GKS, PH)	S. 74 ff
Füllungsformen der Spaltverse	96 f
Spaltvers - Mehrstropher	108
Dreiheber - Strophen	150 ff
Dreiheber - Mehrstropher	183 f

Bei Doppelstrophen und Mehrstrophern ist nur die Stichzeile der ersten Strophe gebucht, außer wenn eine der folgenden Strophen auch als Einzellied überliefert ist.

[1], [2] bedeutet: Anmerkung 1, 2.

° sagt aus, dass die Stichzeile auf der angegebenen Seite nicht angeführt ist; in diesem Fall ist ein Quellensigel zugefügt.

Cursivdruck bezeichnet die Seite, wo der ganze Text mitgetheilt ist.

♩ hinter der Seitenzahl gibt die Stelle an, wo die Singweise steht.

♩ hinter der Stichzeile gibt an, dass auf die im Quellensigel genannte Singweise hingewiesen ist.

() Das eingeklammerte Wort fehlt in einer Textfassung.

[ ] Das eingeklammerte Wort vertritt in anderer Textfassung das drüber- oder davorstehende.

A a (siehe: ein usw.)

â (s : auch)

aber ich fahr (Nh 75)   192♩; *193 f*; 221°

aber unsre sau ferkelt   *175♩*; 221°

alma-wasserl   87; 92; *103*; 187

[-blümlein [-dirndlein   86 f

am (s : auf dem)

an (s : ein usw.)

auf der tirolischen alm   165

auf der Zigulln   93 f

auf dem heuboden   90

B bald ich ins Ztl einhiñ geh (H 257)   (169)

bayrisch Zell, das ist eine freud   35

bei der Gurken bin ich gangen   218 f

beim kleinen kölerhüttlein   209

bei uns im Pinzgau-landl   99

Druck von Ehrbardt Kurras, Halle a. S.

Druck:
Customized Business Services GmbH
im Auftrag der KNV-Gruppe
Ferdinand-Jühlke-Str. 7
99095 Erfurt